广东改革开放30年研究丛书

广东省哲学社会科学"十一五"规划2007年度规划特别委托项目

广东发展模式

——广东经济发展30年

舒 元等 著

广东省出版集团
广东人民出版社
·广州·

图书在版编目（CIP）数据

广东发展模式：广东经济发展30年／舒元等著．—广州：广东人民出版社，2008.11

（广东改革开放30年研究丛书）

ISBN 978-7-218-05996-9

Ⅰ．广…　Ⅱ．舒…　Ⅲ．地区经济—经济建设—成就—广东省—1978～2008　Ⅳ．F127.65

中国版本图书馆CIP数据核字（2008）第179630号

出版人	金炳亮
责任编辑	卢雪华
装帧设计	张力平　陈小丹
责任技编	周　杰
出版发行	广东人民出版社
印　　刷	佛山市浩文彩色印刷有限公司
开　　本	787毫米×960毫米　1/16
印　　张	25.75
插　　页	1
字　　数	371千
版　　次	2008年11月第1版　2008年11月第1次印刷
书　　号	ISBN 978-7-218-05996-9
定　　价	52.00元

如果发现印装质量问题，影响阅读，请与出版社（020-83795749）联系调换。

【出版社网址：http://www.gdpph.com　　电子邮箱：sales@gdpph.com

图书营销中心：020-37579695　37579604】

总　　序

汪　洋

中国的改革开放走过了30年的伟大历程。广东是中国改革开放的先行地区，在改革开放和现代化建设中一直走在全国前列，充分发挥了“试验田”、“窗口”和“示范区”作用。在纪念中国改革开放30周年之际，认真研究总结广东改革开放的成就和经验，有助于深化人们对改革开放重要意义的认识，对于全省人民深入贯彻落实科学发展观，继续解放思想，坚持改革开放，促进经济社会又好又快发展，夺取全面建设小康社会的新胜利，加快推进社会主义现代化，具有深远的历史意义和重大的现实意义。

第一，研究广东改革开放，要系统总结广东改革开放30年的伟大成就，进一步坚定深化改革、扩大开放的信心和决心。

30年来，广东历届省委、省政府团结带领全省人民，高举中国特色社会主义伟大旗帜，发扬敢为天下先的精神和“杀出一条血路”的勇气，解放思想，实事求是，与时俱进，开拓创新，推动经济社会发展取得了举世瞩目的巨大成就。

实现了从一个经济比较落后的农业省份向全国第一经济大省的历史性跨越。1978—2007年，全省GDP总量增长41倍，人均生产总值翻了四番，经济总量先后超过了亚洲“四小龙”中的新加坡、香港和台湾地区，已处于世界中等收入国家水平。目前，全省经济总量约占全国的1/8，源于广东的财政总收入约占全国的1/7，进出口总额占全国的近30%。

实现了从计划经济体制向社会主义市场经济体制的历史性转变。30年来，广东人民以改革创新精神推动着改革开放的伟大实践，率先创办经济特区，率先引进“三来一补”、海外的先进技术设备和管理经验及创办“三资”企业，率先进行价格改革，率先改革投资体制，率先进行金融体制改革，率先实行土地有偿转让，率先实行产权制度改革，等等，在建立和完善社会主义市场经济体制方面走在全国前列。同时，政治、文化和社会等领域的改革也取得了重大进展。

实现了从封闭半封闭向全方位开放的历史性转变。积极加强对外往来和友好合作，努力推进与港澳地区和内地省市区的区域经济合作，大力实施“走出去”战略，形成了多层次、多形式、多功能的全方位对外开放新格局。对外贸易不断扩大，1978—2007年，广东进出口总额增长近400倍，约占全国的30%；到2007年底，累计实际利用外资达到1945亿美元，约占全国的1/5；全省经核准的非金融类境外企业已超过1800家，业务遍及90多个国家和地区。

实现了从温饱向宽裕型小康迈进的历史性跨越。改革开放30年是人民群众得到最多实惠的时期。1978—2007

年，全省城镇居民人均可支配收入、农民人均纯收入分别增加了43倍和29倍，居民消费结构优化，公共服务明显增加，人民生活水平总体达到小康，珠三角地区率先达到宽裕型小康。经济快速发展提供了越来越多的就业岗位，大量的外来务工人员在广东安居乐业。社会保障体系加快向城乡居民覆盖，保障能力不断增强。教育、文化、卫生、体育等各项事业迅速发展。

30年来，广东充分利用毗邻港澳的地理优势，大力推进粤港澳合作，对香港、澳门顺利回归祖国并保持繁荣稳定发挥了重要的促进作用，为彰显“一国两制”伟大构想的成功实践作出了积极贡献。作为中国先发展起来的区域之一，广东十分注重推动国家区域发展总体战略的实施，努力帮助和带动中西部地区发展，为促进全国共同发展、共同富裕发挥了重要作用。

广东的实践雄辩地证明，改革开放符合党心民心、顺应历史潮流，方向和道路是完全正确的。只要坚定不移地推进改革开放，广东就一定能继续书写科学发展的奇迹，中国特色社会主义道路就一定会越走越宽广。

第二，研究广东改革开放，要深入概括广东改革开放30年的宝贵经验，进一步开创改革开放和社会主义现代化建设新局面。

广东作为全国改革开放的试验区，每前进一步都离不开党中央的亲切关怀和正确领导，都是坚定不移学习实践中国特色社会主义理论、坚定不移贯彻党的路线方针政策的结果。1992年春，邓小平同志视察南方发表重要谈话，要求广东“力争用二十年的时间赶上亚洲‘四小龙’”。2000年春，江泽民同志视察广东，提出了“三个代表”重要思想，要求广东“增创新优势，更上一层楼，率先基本实现社会主义现代化”。2003年春，胡锦涛总书记视察广东，提出了科学发展观的思想，要求广东抓住机遇，加快发展、率先发展、协调发展，在全面建设小康社会、加快推进社会主义现代化进程中更好地发挥排头兵作用。广东时刻牢记中央的重托，始终坚持以邓小平理论、“三个代表”重要思想为指导，深入贯彻落实科学发展观，坚定不移地用党的创新理论武装头脑、指导实践、推动工作，结合广东实际创造性地贯彻落实中央的路线、方针、政策，努力为全国的改革开放探索道路、积累经验、做出贡献。

坚持以解放思想引领改革开放，不断冲破不合时宜的观念束缚。我们深刻认识到解放思想是正确行动的先导，是扫除思想障碍、引领发展的“法宝”，是推动改革开放的强大动力。我们坚持一切从实际出发，求真务实，求新思变，积极将解放思想形成的共识，转化为政策、措施、制度和法规，把解放思想贯穿于改革开放和社会主义现代化建设的全过程。

坚持以经济建设为中心，推动经济社会又好又快发展。我们深刻认识到发展对于全面建设小康社会、加快推进社会主义现代化，具有决定性意义。我们坚持把发展作为党执政兴国的第一要务，牢牢扭住经济建设这个中心，坚持聚精会神搞建设、一心一意谋发展，不断解放和发展社会生产力。着力把握发展规律、创新发展理念、转变发展方式、破解发展难题，不断提高发展质量和效益，推动经济社会又好又快发展，为率先基本实现社会主义现代化打下坚实基础。

坚持以人为本，激发和保护人民群众的积极性和创造

性。我们深刻认识到全心全意为人民服务是党的根本宗旨，党的一切奋斗和工作都是为了造福人民。我们始终把实现好、维护好、发展好最广大人民的根本利益作为党和国家一切工作的出发点和落脚点，尊重人民主体地位，发挥人民首创精神，保障人民各项权益，走共同富裕道路，促进人的全面发展，做到发展为了人民、发展依靠人民、发展成果由人民共享。

坚持全面协调可持续发展，积极构建社会主义和谐社会。我们深刻认识到社会和谐是中国特色社会主义的本质属性，科学发展与社会和谐是内在统一的，没有科学发展就没有社会和谐，没有社会和谐也难以实现科学发展。我们按照民主法治、公平正义、诚信友爱、充满活力、安定有序、人与自然和谐相处的总要求和共同建设、共同享有的原则，着力解决人民最关心、最直接、最现实的利益问题，努力形成全体人民各尽其能、各得其所而又和谐相处的局面，为发展提供良好社会环境。

坚持统筹兼顾，以世界眼光谋划广东的发展。我们深刻认识到统筹兼顾是在新的历史条件下保证中国特色社会主义事业顺利推进的根本方法。我们统筹城乡发展、区域发展、经济社会发展、人与自然和谐发展、国内发展和对外开放，统筹个人利益和集体利益、局部利益和整体利益、当前利益和长远利益，充分调动各方面积极性。着力把握国内国际两个大局，树立世界眼光，加强战略思维，善于从国际形势发展变化中把握发展机遇、应对风险挑战，营造良好国际环境。

坚持加强和改进党的自身建设，充分发挥党的领导核心作用。我们深刻认识到做好各项工作关键在党。我们坚

持党要管党、从严治党，以提高执政能力和保持先进性为重点，贯彻为民、务实、清廉的要求，抓理想塑灵魂，抓班子带队伍，抓基层打基础，抓作风反腐败，全面加强党的自身建设，充分发挥领导核心作用，不断提高各级党组织的凝聚力、创造力和战斗力，为促进改革发展稳定提供坚强政治保证。

这些经验，既是广东历届省委、省政府带领全省干部群众锐意进取、开拓创新取得的宝贵精神财富，又是广东继续开创改革开放新局面必须坚持的重要原则。

第三，研究广东改革开放，要继续解放思想、坚持改革开放，努力争当实践科学发展观的排头兵。

改革开放是广东的魂。广东靠改革开放起步，也靠改革开放起飞；广东靠改革开放赢得今天，也必须靠改革开放开创未来。经过30年的快速发展，广东已经站在新的历史起点之上，改革开放面临着新机遇、新挑战和新任务。我们要继承和发扬改革开放初期敢为人先的精神和气魄，继续解放思想，坚持改革开放，努力争当实践科学发展观的排头兵，把广东建设成为提升我国国际竞争力的主力省，探索科学发展模式的试验区，发展中国特色社会主义的先行地。

一是继续解放思想，坚定不移地走在实践科学发展的前列。解放思想永无止境。要按照科学发展观的要求，打破阻碍科学发展的思维定势，加快转变发展方式，着力提高自主创新能力，积极建设现代产业体系，切实增强可持续发展能力，使速度、结构、效益相协调，人口、资源、环境相协调，消费、投资、出口相协调，城乡、区域发展相协调，促进经济社会又好又快发展。

二是不断深化改革，坚定不移地走在构建有利于科学发展体制机制的前列。以行政管理体制改革、财政和投融资改革、要素市场体系建设等为重点，统筹经济和社会事业改革，加快建立完善的市场经济体制机制，形成市场配置资源、企业自主发展、政府科学调控的良好格局。建立健全科学发展的综合考核体制，把贯彻落实科学发展观的目标要求转化为可考核的客观指标。

三是继续扩大开放，坚定不移地走在提高区域国际竞争力的前列。要树立全局和世界眼光，抢抓经济全球化和区域经济一体化的发展新机遇，加快构建粤港澳紧密合作区，加强与美国、日本、欧盟等发达国家和地区以及与东盟等新兴经济体的合作，加快完善内外联动、互利双赢、安全高效的开放型经济体系，不断扩大开放领域，优化开放结构，提高开放水平，增创广东国际竞争新优势。

四是着力改善民生，坚定不移地走在构建社会主义和谐社会的前列。要坚持民生为重，稳步实施城乡居民收入倍增计划，加快完善覆盖城乡惠及全民的社会保障网，切实解决住房、医疗、教育和食品安全等突出民生问题，使全体人民学有所教、劳有所得、病有所医、老有所养、住有所居，努力实现好、维护好、发展好最广大人民群众的根本利益，推进和谐广东建设。

五是以改革创新精神全面推进党的建设新的伟大工程，坚定不移地走在加强和改进党的建设的前列。要把党的执政能力建设和先进性建设作为主线，坚持党要管党、从严治党，以坚定理想信念为重点加强思想建设，以造就高素质党员、干部队伍为重点加强组织建设，以保持党同人民群众的血肉联系为重点加强作风建设，以健全民主集中制为重点加强制度建设，以完善惩治和预防腐败体系为重点加强反腐倡廉建设，使党始终成为领导改革开放和社会主义现代化建设的坚强核心。

广东有辉煌的过去、美好的现在，一定会有灿烂的未来。这次出版的《广东改革开放30年研究丛书》，对广东改革开放30年巨大成就、实践经验和未来前进方向等问题进行了系统总结和深入研究，内容涵盖经济、政治、文化、法律、城市、农村、科技、教育、社会、党建等10个方面，为全面深入研究广东改革开放做了大量有益工作，迈出了重要一步。在隆重纪念改革开放30周年之际，希望全社会高度重视广东改革开放问题的研究，希望有更多的专家学者和实际工作者积极投身到广东改革开放问题研究中去，进一步把广东改革开放的伟大意义、巨大成就、成功经验和前进方向总结好、阐述好、宣传好，为推动广东现代化建设迈上新台阶，开辟广东更加美好的未来作出更大的贡献！

（作者系中共中央政治局委员、广东省委书记）

目　　录

第一部分　改革开放的模式

第二部分　改革开放的推动者

第三部分　改革开放的绩效与前瞻

绪言
广东在改革开放中崛起

两条船的故事

800多年前，中国的南海上，一艘巨轮开始了它的远航。满载着瓷器、茶叶、铁锅、手工艺品等当时在“夷邦”被奉为中华珍宝的商品，这艘巨轮肩负起一次“朝贡贸易”的使命。所谓“朝贡贸易”，其核心在于“朝贡”——且看满舱精美的“中国货”，无不展示着一个泱泱大国雄厚的国力与灿烂的文化，将中华文化的魅力发挥到极致——当时的统治者正是希望通过这样达到“夷以来朝”的目的，维系儒家理想的等级社会。然而，这艘巨轮却在远航刚刚开始的时候，带着这些灿烂的珍宝，带着宋朝的繁华，神秘地消失在祖国的南海，从此长眠于这片南国的海域。

500年后，在当时的欧洲，中国依然是时尚与财富的代名词。1745年，“歌德堡号”，一艘多次往返于欧亚大陆的瑞典商船，再一次劈波斩浪，连接了瑞典歌德堡和中国广州这两座繁华的港口城市。9月12日，这艘当时的超级巨轮满载着中国的商品逐渐靠近它故乡的海岸，即将再一次实现瑞典人到中国淘金的梦想，创造出巨额的贸易利润。然而，500年前的意外却又再次重演，“歌德堡号”触礁沉没。东方的繁华、满船的珍宝、水手的传说，一切同样深埋海底，留给世人无限的猜测。

2006年7月18日，瑞典仿古商船“歌德堡号”实现了与广州这个古老的海港城市时隔261年的重逢。与此同时，持续近10年的“歌德堡号”沉船发掘工作打捞出400多件完整的瓷器以及茶叶、瓷器、丝绸和藤器共700多吨。由此，一幅展现当时中国特别是多年“长盛不衰”的出口港广州繁华兴盛图景的卷轴缓缓展开了。

1987年，在南海水域沉睡了800多年的中国巨轮被意外发现，并被命名为“南海一号”。2007年，引起世界瞩目的“南海一号”整体打捞工程正式启动，12月22日，“南海一号”成功出水，船体不免让人惊叹中国在宋代的经济繁荣与工艺高超；从船上数量庞大的货物，当时的中国在贸易与海上运输的重要地位可见一斑，作为中国历史悠久的港口城市的广州，当时的繁华更引人遐想。

两艘古船，出现在不同的时代，归属于不同的国家，有一点却是惊人的一致——它们都曾在“海上丝绸之路”上航行，是这条繁忙的海上贸易航道的见证者，尽管曾经沉睡了数百年，而今相继重现于中国广东，再次见证广东改革开放以来的瞩目的经济成就，使其重新站到了国际舞台上。

繁华的历史并不会简单地重演，创造历史的广东必须在借鉴以往经验的基础上把握自己前进的方向。因此，至此改革开放30年之际，我们尝试系统总结广东经济发展历程，探究广东经济发展的动力机制及其面临的挑战，进一步解放思想，成就广东更加辉煌的未来。现在，就让我们乘坐“南海一号”和“歌德堡号”，梳理、思考、展望广东的经济发展。

“我们唱着东方红，当家作主站起来，
我们唱着春天的故事，改革开放富起来，
继往开来的领路人，带领我们走进那新时代，高举旗帜开创未来”。①

一、广东改革开放30年来的经济绩效

广东，作为我国改革开放的先行者，在近30年里取得了举世

① 《走进新时代》的歌词。

瞩目的发展成就。广东的发展来之不易，主要得益于邓小平同志的改革开放理论。邓小平同志提出以经济建设为中心，要求广东作为“窗口”，作为“实验田”，为全国的改革开放杀出一条血路，广东做到了。江泽民同志对广东寄予厚望，提出要争创优势，更上一层楼，率先基本实现社会主义现代化，广东基本做到了。胡锦涛总书记希望广东在全面建设小康社会，率先基本实现社会主义现代化进程中当好“排头兵”。实际上，广东正在当排头兵，也将继续承担排头兵的角色。

广东经济总量 1978—2006 年 28 年间快速增长，从 1978 年的 185.85 亿元上升到 2006 年的 25968.55 亿元，后者是前者的将近 140 倍，剔除物价因素的影响，后者是前者的 36.86 倍。在改革开放初期，广东省的人均地区生产总值低于全国平均水平，这说明了当时广东的发展水平在全国处于落后水平，人民生活水平较为贫穷。随着改革开放，两者之比不断上升，2006 年达到了历史最高的 1.76，即广东的人均地区生产总值是全国平均水平的 1.7 倍。

图 0－1　广东占全国经济总量比重

注：数据来自《中国统计年鉴》。

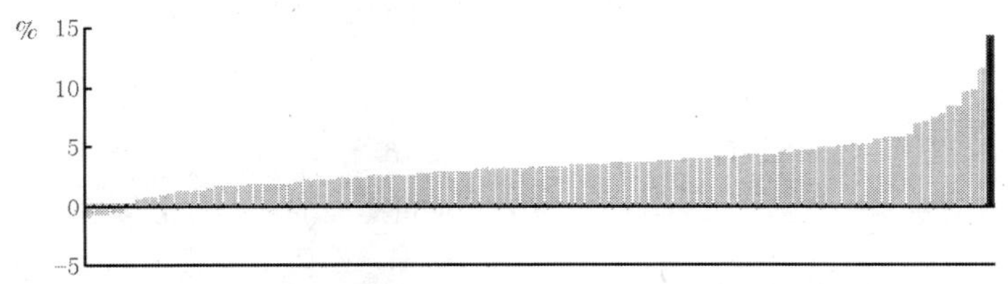

图 0－2　全球 115 个经济体 1965—1997 年间的平均增长速度

注：黑色的是广东省，灰色的是其他经济体；数据来自《世界发展指标(1999)》，第 38～41 页，其中，中国和广东是 1978—1998 年均增长速度。

从全国的角度看，得益于经济的快速增长，自改革开放以来，广东经济在全国经济中的比重不断上升，从1978年的5.1%（在全国处于第23位）上升到2006年的12.4%，即从1/20上升到1/8。到2006年，广东经济总量已经连续18年居全国第一。

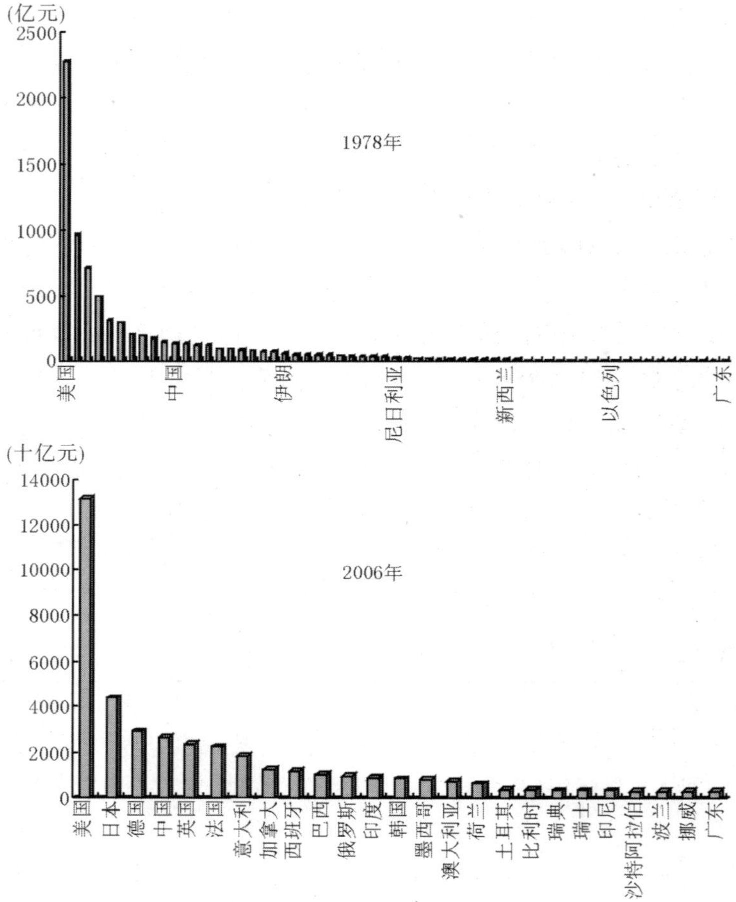

图0-3　中国和广东经济总量在全球的排名（1978年与2006年）

注：根据世界银行提供的数据，1978年，中国的经济总量排名第12，广东是第61；到了2006年，中国排名第4，广东是第25。

数据来源：世界银行 www.worldbank.org。

从全球的角度看，改革开放30年来，广东的经济发展速度位居全球前列。图0-2显示了广东省与全球经济体增长速度的对比，

从中可以看出，广东改革开放以来的经济增长高于全球115个经济体同期的增长速度。若将2006年广东的GDP放到全世界200个国家和地区中去比较，根据世界银行所提供的数据，广东排在第25位①，超过了香港和台湾。

二、广东经济发展的历史眼光

为了更好地理解当前的广东经济发展，以及尽可能准确地预见广东经济的未来走向，把视野适当放大，从一个历史角度观察广东经济，是十分必要的。毕竟今天是昨天的延续，明天又是今天的起点。但问题是，在考察广东经济发展时，究竟要回溯到历史的哪个时期，历史事实细微到何种程度，却是一个艰难的选择。

我们将借鉴蔡昉和林毅夫（2003）在考察中国经济发展时的做法，即采用黄仁宇的大历史方法（Macro-history）处理历史事实，实现历史与现实的有效连接。具体而言，我们不是系统地阐述广东经济发展史，而是从影响广东经济发展的最重要的历史问题出发，在最必要的程度上做些概括；越是遥远的历史事件，越是采用浓缩的方法对待史实；越是较为晚近的历史，特别是与当前广东经济发展有直接联系的历史，越是给予较为详细的描述，并较多地采用统计资料。

在采用大历史视野考察广东经济发展之前，不妨先看看广东在历史视野中的变迁②。40多万年前，在广东韶关一带就有“曲江马坝人”活动生息。远古时就是百越民族的居地，故至今仍简称“粤”（通“越”）。秦王朝统一中国后，广东封属南海郡和象郡。秦末汉初，为南越王统治，简称南越国，汉武帝平定南越国后，属交州管辖。三国两晋南北朝时，分属交州和广州。隋代，广东大部

---

① 世界银行不提供广东GDP数据，但提供中国的数据，我们根据广东占全国的比重，计算出按照世界银行口径的广东GDP，进而与全球其他经济体进行比较。

② 关于广东行政归属的变迁，我们参考了陈强、黄勋拔编著的《广东省情读本》，广东人民出版社2006年版，第28页。

分和江西省一起归属扬州。唐朝置岭南道，唐末把岭南分为东西两部，广东大部分属岭南东道。宋时分为广南东路、小部分属广南西路，后又简称广东路和广西路。元代，分属江西和湖广中书省。明代，设广东布政司。清朝称广东省，相沿至今。目前，广东地处中国大陆最南部，与香港、澳门毗邻，终年受海洋季候风气流的影响，水热充足，海陆兼备，是中国通往世界的桥头堡。

从大历史的视角，广东省经济史可以通过四个阶段来考察：第一个时期，自秦始皇统一中国（公元前221年）并将广东封属南海郡和象郡起，至鸦片战争；第二时期，自鸦片战争至1949年新中国成立；第三个时期，自1949年新中国成立至1978年改革开放；第四个时期，自1978年改革开放以来至今。当然，我们对广东经济史的时期划分，也许很难得到经济史学家的认同，其实本章也无意重新划分广东经济发展阶段。只是基于划分，基本上可以对广东经济发展在几千年来的兴衰形成一个梗概的认识。

（一）逐渐走向一口通商的广东：公元前221—1840年

“南海一号”与“歌德堡号”都曾往来于广东的口岸，直至今天，广州仍是中国的重要港口。广东作为一个临海省份，其对外贸易不但历史悠久，而且还一直保持着活力。实际上，早在西汉时期，广东境内的徐闻港就成为当时“海上丝绸之路”的重要始发港和中转港之一，成为广东交通优势地位的一个重要因素。繁忙的水陆运输使得港口需要大量的劳动力，而商业贸易特别是对外贸易的发达又促进了手工艺品的生产。于是，广东的农业与手工业、交通运输业的分工细化和地域集中开始形成。由于政府一直都采取对外开放贸易的政策，到了隋唐宋时期，广州作为广东的一个重要城市，已经发展成为“海上丝绸之路”的第一大港和世界东方大港。广东地区国内贸易、海外贸易量的增长，使得商品经济因素开始影响到广东当时的各个经济领域。商品经济因素的出现和贸易的进一步发展促进了对手工业的需求，广东地区的手工业得到普及，分工

进一步细化。

相比起这一时期手工业、对外贸易的快速发展，广东的农业发展则较为缓慢。广东的农业耕作以种植稻谷为主。隋唐之前，广东的农业还处在比较落后的阶段。广东地区甚至被封建文人称为“荒蛮之地”。直到宋元时期，农业才得到了显著的发展。此时全国的经济重心逐渐南移，受此影响，广东开始有大量人口迁入并增长，这除了为广东提供了大量的劳动力之外，还带来了中原文化与技术的传入，在此影响下，广东逐渐成为稻米的主要产地之一。

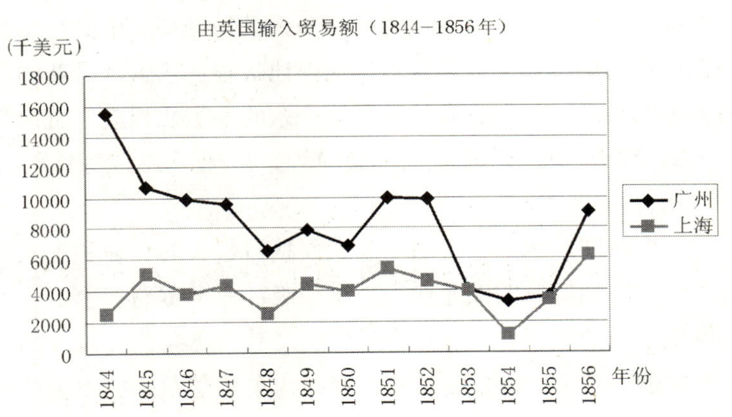

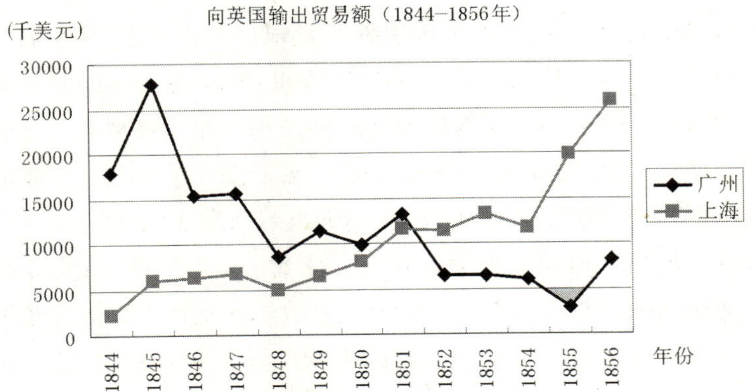

图0－4　五口通商前后广州和上海对英国的进出口总额

注：数据来源于《马克思恩格斯论中国》，人民出版社1950年版，第79页。

14世纪，元末明初，广东的社会经济开始进入到一个新的阶段。到了明清时期，广东省成为“海上丝绸之路”上全中国唯一的对外贸易大省，商业繁荣。与此同时，广东的农业也出现了腾飞，突破了传统的农业模式，表现为农业商品性生产的迅猛发展。明清时期，政府曾几度实行海禁政策，在相当长的时期内只允许在广东进行海外贸易，这使得广东在对外贸易中取得了垄断的地位。即使在政府对对外贸易限制最为严厉的几年中，广东仍存在着一定数量的朝贡贸易与澳门的陆路贸易以及走私贸易，贸易发展也未曾停滞。无论国内贸易还是海外贸易，这段时期内的发展都达到了极盛。在这段时期内，全国各地的产品和大批物资都集中到广东运往海外，外国的商品也只能从这里运往内地各省。接触到最新的技术和最先进的产品，加上收益的提高，广东的手工业相应地迅速发展起来，如缫丝、刺绣、陶瓷、铁器等等，形成了独具特色的“广货”，享誉国内外。

与这个时期广东因一口通商政策而独占鳌头的贸易和手工业相对应，明清时期广东的农业作为一个初级产业和贸易、手工业的基础，发生了质的飞跃——农业商品性生产获得迅猛的发展。如上文中所提到的，在宋元时期，广东已经成为了我国稻米的主要产区之一。但到了明清时代，广东特别是珠江三角洲地区的农业，随着广东的人口增长、整个社会商品经济的繁荣以及广东国内外贸的扩大，使得对蚕丝、甘蔗、水果等农产品和原料的需求进一步加大，因此导致了种植稻米所要求投入的劳动力和土地等要素的机会成本提高。加上种植经济作物的技术进一步成熟，广东生产稻米的“比较优势”开始丧失。于是，这一阶段的广东农业转向了“民富而米少”的发展道路，蚕桑、塘鱼、水果、甘蔗等商品性养殖业和经济作物种植业占了农业生产的主要地位。特别是珠江三角洲人民创造的“桑基鱼塘”这一独特的生产形势，“以蚕沙、残桑为饲鱼饲料，肥大较易，且又借塘泥为种桑肥料，循环利用”，可谓是最早的生态农业。总的说来，明清时期广东农业生产模式最大的特点是其生产目的并非为了自给自足保证温饱，而是为了销售获利，

农业生产已经开始了全面的商品化。

（二）多口通商下的广东经济趋于停滞：1840—1949年

第一次鸦片战争失利后，清政府被迫开放广州、厦门、上海、宁波、福州五个通商口岸。随后在当时列强的压力下又陆续增开了汉口、九江、天津等口岸，广东作为全国一口通商的地位不复存在。茶叶、丝绸等中国主要的外贸商品不必经由广东出口，而是转向更为经济合理的流通渠道输出。例如主要产茶地区福建、浙江、安徽的茶叶已经改由上海、福州出口，1860年代汉口开埠后，两湖、江西的茶叶也改为由汉口输出。腹地的缩小使广州港的贸易额迅速下降，从而全国的贸易中心很快转移到了地理条件更为优越的上海。

广东贸易地位的下降一度使得广东的经济遭到一定的冲击，这一时期面对新的市场需求，广东的商品、农业生产开始了自身的调整。贸易的下降的根本原因在于其他地区的商品不再取道广东，因此，客观上要求广东本土生产增加，以扩大本地区产品输出。最突出的例子是广东蚕桑养殖业的进一步扩大以及机器缫丝业的迅速发展。广东蚕丝的出口增加刺激了桑蚕的养殖，而蚕茧产量的增加又为缫丝业提供了充足的原料。

广东的缫丝工业可以认为是广东近代民族工业的开端。在此时建立的继昌隆缫丝厂被认为是中国第一家民族资本所创办的近代工业，也是广东商品生产近代化的起点。机器缫丝业的兴起后，在19世纪末到20世纪初的二三十年间，广东的近代民族资本企业开始陆续兴起，并一度在国内居于领先的地位。此时大量涌现的侨办企业引进了资金和先进的技术设备，并培养出不少管理人才，带来了近代观念的更新，使广东民族工业具有显著的外向性，且民族资本企业数量众多，其中大多是缫丝厂，使得缫丝产业得以进一步地发展、扩大。

需要明确指出的是，这一阶段广东的民族企业虽然数量繁多，但是高度集中于广州，规模偏小，主要生产轻工业产品，资金较为匮乏，难以采用或发展新技术和新型设备。轻、重工业发展极度不平衡可以说是这一时期广东工业发展的一个特点。当时广东的侨资规模虽然居于全国首位，但是多集中在房地产业、小工商业等领域，投资在每个企业上的资金较少。从自然资源的角度考虑，缺乏煤、铁矿及棉花等重要资源，这也极大制约了广东重化、纺织等支柱产业部门的发展。可以说，直到新中国成立以前，广东工业发展是很不平衡的，并未建立起一个比较完善的工业体系。

专栏0-1　广东侨商陈启沅与继昌隆缫丝厂

18世纪产业革命后，意大利、法国等欧洲国家开展科学养蚕，改进丝绸机械，成为近代丝绸机器工业的发祥地。在中国最先开办近代机器丝绸工业的是外国人，中国丝绸工业最先走入近代化的，则是缫丝工业。

1861年5月，当时英国在华最大的生丝出口商——怡和洋行的派美哲引进了100台西欧缫丝车，在上海开办了纺丝局。这是中国近代史上出现的第一家机器缫丝厂。由中国人自己创办的近代资本主义机器丝织业，则比外国人在中国兴办的晚了11年，最早出现在广东。

19世纪60年代，在清政府与太平天国的战争中，中国生丝的重要产地江浙地区遭到了严重的破坏，生丝的产量一度锐减。而这时法国、意大利等西欧主要生丝产地却被一种叫"微粒子病"的慢性蚕病所折磨，生丝的生产几乎到了瘫痪的地步。因此，欧美的生丝消费者转而向未受到战争破坏的广东地区大量收购。到了70年代，广东土丝的发展和对外输出已达到了高峰。但欧美丝织业者认为中国丝的"品质不纯、货样不符、粗细不匀、价格高昂"，他们迫切需要品质良好的生丝，并且明确提出愿出较高的价格来购买如同欧洲用机器生产的厂丝。

1872年，广东南海华侨商人陈启沅从安南（今越南）回到广东，他的家乡盛产原料茧，当地农民有缫丝传统，因而人员可大量招募。于是，他凭记忆仿效在安南的法国式缫丝机，把机械缫丝机造出来并因地制宜加以改进设计，亲手设计绘制了两套机器图样。全部设备包括蒸汽锅炉、缫丝车和丝釜都由当地制造，其中丝车改为木制，丝釜改用陶制，仿制了"法国式（共拈式）"的缫丝机，于1874年在南海县西樵简村堡创办我国第一家民族资本的蒸汽缫丝厂"继昌隆"。

创办继昌隆缫丝厂的过程十分艰难。首先是资金短缺。陈启沅创办继昌隆的资本全由其兄陈启枢自安南汇回。同时，还受到了封建旧势力的阻挠。1876年，由于欧洲气候不佳，意、法等国蚕茧严重歉收，洋商争先恐后来华采购生丝，一时丝价狂涨，继昌隆也在这一年获得了厚利。另一方面，经过几年之后，机器缫丝工的技艺已日臻成熟，产品质量逐渐稳定。这时候社会上对新缫丝厂的看法才有了转变。

此后机器缫丝业一度成为珠三角地区的工业支柱之一，珠江三角洲也成为中国近代缫丝工业的中心。

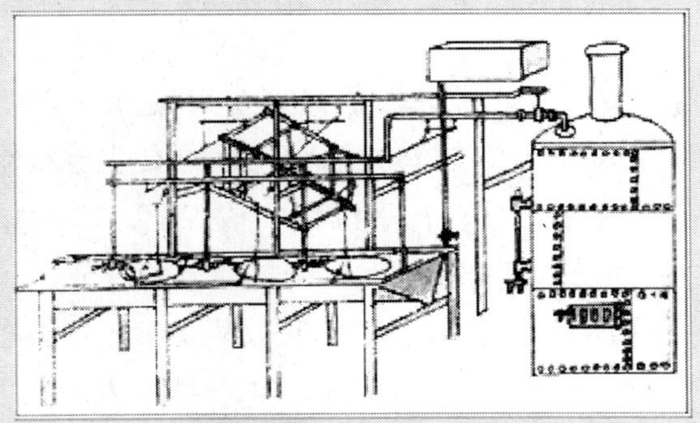

继昌隆缫丝厂缫丝机示意图

陈启沅

陈启沅（1834—1903），字芷馨，南海西樵人。少年好学，但凡诸子百家，天文地理，无所不读，但仕途不顺，青年时两度乡试均不第，便以教学为生。1854 年，陈启沅随在南洋经商的兄长陈启枢到越南堤岸，开设“怡昌荫号”丝绸杂货店，继而扩充经营米行、酱园以及典当生意，经十余年努力，成为当地富商。

广东经济发展缓慢甚至停滞，根植于当时的国内国际大环境。当 17 世纪西方世界迅速兴起之后，中国就远远地落在后面，西方技术上的优势带给中国的是耻辱。自鸦片战争到新中国成立，中国国内的混乱局面使人口和经济福利水平遭受了巨大损害（麦迪森，1999）。殖民主义入侵导致了在租借地向 19 个外国列强割让了治外法权和其他特权，经历了三次对日战争和两次对英法战争，获胜的列强获取巨额赔款、割租土地。帝制王朝和国民政府都无力采取积极有效的措施，回应西方先进技术的挑战。结果，西方世界以工业革命为开端，在走向经济增长、结构升级、生活水平逐步提高的过程中，中国经济发展却相对缓慢，越来越落后于世界经济发展潮流。作为中国的一个省，广东自然无力独善其身。

（三）改革开放前30年，广东经济仍然落后于全国平均水平：1949—1978年

1949年解放时，全省工农业总产值仅达33.43亿元，其中农业总产值27.08亿元，工业总产值只有6.35亿元，仅占总产值的19%，人均年工农业产值为111元。当时的农业也很落后，1949年粮食总产量144多亿斤；几乎没什么重工业，1949年重工业产值仅占工业总产值的0.94%。

1949年广东解放后，并没有立即关闭省港之间的边界。香港的爱国青年等通过各种渠道回到广东，而一些商人、地主、国民党的支持者以及渴望寻找更多工作机会的青年人却涌向了香港。与此同时，商人和寻亲访友的人们则继续往来于省港。1950年，朝鲜战争爆发，在美国等策划下，联合国对中国强行封锁，中国也相应地在省港边境上围栏筑墙。结果，省港间的合法贸易中断了，香港失去了内地市场，内地失去了一个了解外面世界的窗口。①

新中国成立后，广东省就是从这样一个起点开始建设的。整体而言，在改革开放前，经济建设取得了一定的成就，兴建了一批冶炼、机械、纺织、制糖、化肥、造纸等骨干企业，但经济结构包括产业结构、产品结构和所有制结构不合理，各产业的发展也不尽如人意，广东的增长率一直是低于全国平均水平。

这段时期，广东经济发展主要经历了以下几个阶段。

第一个阶段是国民经济恢复和“一五”计划（1949—1957年）。在1950—1952年三年经济恢复时期中，广东共完成固定资产投资3.28亿元，全省工业总产值由1949年的7.58亿元增加到1952年的14.95亿元，年平均增长27.9%。许多主要工业产品产量有了较大的增长，如食糖、卷烟、纱布、水泥、烧碱、金属切削机床等，都超过解放前的最高年产量。

“一五”时期，广东开始有计划地进行社会主义工农业建设。

① 傅高义（1990）对此做了更加详细的描述。

这个时期新建和扩建了一批重点骨干企业，工业基本建设投资额达到5.04亿元，其中有一半是对轻工业的投资，1957年全省工业总产值达到31.89亿元，是1952年的1.13倍，年均增长17.3%，不仅工业生产发展快，而且轻重工业比例关系得到了协调，经济效益好，职工生活有了一定的改善。广东在积极发展工业的同时，努力推进农业、渔业、畜牧业和林业的发展。1957年，全省粮食总产量达到1089万吨，比1952年增长25%，实现了粮食自给，还完成了一些调出任务。在这一时期，广东的经济作物和热带作物，如糖蔗、花生、橡胶、油料等作物的种植发展都很快，渔业、畜牧业、林业产品的产量也有很大的增长。

新中国成立后，广东建立起新的对外贸易体制，担负了我国中南、西南两大区各省市的进出口任务。广东得到国务院准许“主动争取对资本主义国家的贸易，大力推广土特产出口”，积极组织农副产品、土特产及轻工业化工、矿产等出口。1957年春，在广州举办了首届中国出口商品交易会（简称“广交会”），自此，每年均在广州举办春、秋两届交易会。广交会促进了广东省对外贸易的发展，广东努力开展同亚洲、非洲、拉丁美洲和西方国家的贸易，到1978年通商国家达84个。

第二阶段是“大跃进”及其调整（1958—1965年）。1958年掀起的“大跃进”和大办钢铁群众运动，广东各地的小钢铁厂一哄而起，而煤炭工业盲目地在阳春、连阳、罗家渡、大尧山、官窑等地新建煤井几十对，最后几乎全部落空，浪费数亿元的投资。由于急躁冒进，积累挤了消费，重工业挤了轻工业，重工业投资的比例为79.7%，国民经济建设的比例严重失调，轻工业得不到应有的发展。1958—1961年，农业总产值下降了17.8%，粮食大幅度减产，其他农作物、渔业、畜牧业、林业也大幅度减产。

1961年开始，广东认真地调整工农业间的比例关系，把人力、物力、财力更集中地用于保证农业丰收，更好的安排轻工业和市场。广东城乡全面进行劳动力整顿，同时减少粮食征购，加上“共产风”的退赔，从而使广大农民得以休养生息。从1963年开

始广东重新调整工业布局，关闭和改造了一大批低效低质的企业，加快了扭转困难局面的步伐，而在调整农、轻、重比例时，明确提出以发展轻工业为主的方针。1965年轻工业总产值达到4.72亿元（1957年不变价），比1957年增长了80%；全省有60个主要轻工产品保持或赶上全国先进水平。

第三个阶段是“文化大革命”（1966—1978年）。由于经济、社会和政治生活都处于无政府状态，经济秩序遭到破坏，经济活动主体的积极性受到抑制，广东的经济发展受到严重的打击，国民经济比例再次严重失调。不少工厂处于停产、半停产状态，生产紊乱，建设比例失调，流通、分配等领域出现混乱现象。广东的对外贸易遭受严重破坏，出口曾经大幅下降，此后起伏徘徊，发展缓慢。广东的农业生产也受到第二次严重的挫折，各项行之有效的政策措施又被放弃，农村经济处于徘徊不前的状态。

在动荡的十年中，广东并不受全国重视。1960年中苏分裂以及对越战争期间，由于担心沿海地区受到攻击，广东的处境艰难。在60年代和70年代初期，所有的投资都集中于偏远“三线”地区，广东作为最容易暴露的前沿，不仅得不到投资，而且部分工厂变迁内地，部分搬迁到韶关等地。为突出“三线”建设，广东工业实行“山、散、洞”战略，在韶关、梅县、肇庆等地建立了一批“小三线”厂。这些企业虽然在省内，由于贯彻“三边”（边设计、边施工、边生产）做法、供应线较长，生产和职工生活均受到极大的影响。

（四）改革开放30年，广东迅速崛起：1978年至今

经历了“文化大革命”，人们产生了改革的渴望，外界的成就促成了改革开放的产生（傅高义，1990）。在“文化大革命”期间，中国体制的弊端暴露无遗。在60年代的困难时期，人们相信制度的优越性，到了1976年，人们不再这样想了，准备改革。另一方面，中国开始把目光转向苏联等国家以外的世界，美国也想摆脱朝鲜战争的阴影，希望中美关系正常化，以便取得中国支持，结

束越南战争。这些变化促使中国与西方关系得以改善，从而自1950年美国对中国港口禁运以来，中国有可能第一次对外开放。1978年12月十一届三中全会拉开了改革开放的序幕。

中国的改革开放正值东亚邻邦经济创造“经济奇迹”之际，由于各种原因，中国人对外面世界如此巨大变化缺乏心理准备。当他们发现自己已经远远落后时，大为震惊。傅高义（1990）写道：“广东人仰望香港，心中充满苦楚。那些香港人不但比自己富有，而且社会地位亦高。广东人很难相信，香港的成功是有赖于勤劳和美德。不过，他们已不再自傲，而且不得不接受事实真相，他们相应地也开始向香港的亲友们求助。”他们想知道，东亚经济体是怎么样取得成功的？广东怎么才能够学到其中的奥妙？

广东把握了时代赋予的宝贵机遇，运用中央赋予的政策，坚持解放思想，坚持改革开放，经济迅速崛起。从全国的角度看，到2006年，广东经济总量已经连续18年居全国第一；从全球的角度看，按照世界银行最新提供的数据，广东经济总量从1978年的第61位上升到2006年的第24位，超过了香港和台湾。

三、经济体兴衰之谜

从大历史的视野看，广东经历了从盛到衰，最近改革开放30年重新崛起的过程。如何看待广东经济的兴衰？确切地说，如何看待广东经济在改革开放中的迅速崛起呢？这是本书尝试回答的问题，本节给予概述。

（一）国家的兴衰

探索经济发展的动力源泉，国家兴衰之谜，是经济学家和其他学科的学者所一直关注的问题，[①] 并形成了增长经济学和发展经济学等学科，给出的答案是，科学技术是第一生产力，技术进步是经

① 本小节参考了蔡昉、林毅夫（2003）对中国兴衰的阐述。

济增长的引擎。如果是这样，那么技术又是如何生产的呢？诺斯（1994）从产权制度、法律制度以及其他经济组织变迁来解释经济长期增长的原因，认为技术进步等是经济增长的表现，而非经济增长的原因；奥尔森（2001）则从集体行动的逻辑出发把经济增长、社会发展最终根源聚焦到分利集团上[①]。其实，这些问题，至今仍然没有大家一致认可的答案。在思想史上，针对中国经济史提出了两个类似的问题。

一个是“李约瑟之谜”。研究中国科技史的著名英国学者李约瑟和许多经济史学家都承认，18世纪末英国工业革命的主要条件，中国早在14世纪就几乎全部具备了，然而中国却没有发生工业革命。因此，李约瑟提出了这样的问题：为什么中国科技水平和经济发展在历史上一直领先于其他文明，现在却不再领先于世界水平？

另一个是所谓的“韦伯疑问”。在社会学、历史学和经济学方面都作出巨大贡献的德国学者韦伯同样也发出了这样的疑问：为什么工业革命发生在英国，而没有发生在曾经孕育过资本主义胚胎的中国？

李约瑟和韦伯提出的问题，具有相当的挑战性，吸引了许多不同学科的学者的关注，坦白地说，这些问题至今没有大家一致认可的答案。中国经济发展的历史经历了由盛到衰，而改革开放以来的经济增长又展示了再次复兴的趋势，一个大国和平崛起的趋势。无论是一些国际组织还是学者都做了类似的估计，如果中国能够保持目前的经济增长速度，在21世纪中叶就会成为世界上规模最大的经济体[②]。无论怎样，中国迄今为止最有希望成为世界上唯一的一

---

① 奥尔森在其生前的最后一本著作《权利与繁荣》中，更是明确指出，政府在经济发展过程中起着至关重要的作用，即对私人契约与个人财产的可靠保护，取决于政府要足够强大以保护这些权利的实施，同时政府又要受到足够的限制以免这些权利受到侵蚀。

② 在1978—2007年，中国平均经济增长接近10%，远远高于其他大国经济体的增长速度。如果今后数十年间全球经济体都按照现在的速度增长，我们完全有足够的理由期待这种乐观的预期。但问题是，中国的高速增长能够持续多久？我们并没有明确的答案。

个经历了由盛到衰，再由衰到盛的大国。研究中国经济，自然有助于我们理解国家兴衰之谜。

不可否认李约瑟和韦伯提出的问题是让人着迷的，但更让人着迷的问题是，最近30年，中国经济缘何而起？有没有大国发展（崛起）之道[①]？人们迫切想知道问题的答案。显然，这里仍然没有一致的答案。一部分学者如同置疑东亚经济增长奇迹一样，中国的经济增长还是源于勤劳和节俭这些传统美德，源于生产要素的大量投入，并没有什么奇迹。显然，这远远不能够满足人们的好奇心，原因很简单，中华民族是最近30年才勤劳和节俭的吗？显然不是，勤劳和节俭是我们的传统美德；在这个世界上，只有中华民族才勤劳和节俭吗？显然不是，勤劳和节俭并非中华民族专有的传统美德。

一种比较流行的解释是，最近30年来，中国经济迅猛发展源于发展战略的改变。每个国家都面临着如何选择本国发展战略的问题，对于发展中国家而言，这个问题更加紧迫，因为如何实现工业化并赶上发达国家一直是发展中国家政府所面临的难题。林毅夫教授根据是否符合一个经济体的比较优势，将可供选择的发展战略分为遵循比较优势的发展战略和违背比较优势的发展战略（Lin, 2003）。“二战”后，绝大多数发展中国家所实施的发展战略都是一种典型的违背比较优势的赶超战略，即不顾自身资源约束，推行超越其发展阶段的重工业优先发展战略，尽管实施该发展战略的初衷是赶超发达国家，但结果却是在沿着错误的方向狂奔，结果与发达国家渐行渐远，与发达经济体之间的差距是越来越多。与实行赶超战略不同，采取符合自身比较优势的发展战略，经济体在每个阶段都能够充分发挥当时资源禀赋的比较优势，沿着正确的方向，小步快跑，结果不断缩小与发达经济体之间的差距。最近浙江大学的年轻学者潘士远和金戈（2008）基于中国1949年以来的实践，系

① 有些年轻的学者，直接给出了《大国发展之道：来自经济学家的声音》这本探索性的专著。

统地考察了中国的发展战略、产业政策的变迁及其相应的绩效。

最近才兴起的一种解释则强调，中国“把发展经济的激励搞对”了。一般来说，在高度集中的计划经济体制下，地方政府基本上是中央计划的执行者，并没有什么地方的独立自主性（林毅夫等，1994）。自1978年，中国开始对早已显示出多种弊端的中共高度集权的计划经济体制进行改革，权力下放、分权、放权让利就提上日程，地方政府开始扮演发展型政府（developmental state）的角色（郑永年等，1994）。

在产权地方化、财政分权和任命制度等制度背景下，发展型地方主义兴起，地方政府致力于发展当地经济，供给“经济增长”。另一方面，改革开放以来，中央政府为了加强自己的合法性，开始把发展经济当作首要目标，“发展是硬道理”。全国的经济增长是由全国各省区的经济增长构成的，中央致力于发展经济，自然对各省区的经济增长有需求。这意味着，我国出现了经济增长市场，中央政府是经济增长的需求方，支付的是政治晋升等；众多的地方政府是经济增长的供给方，得到的是政治晋升等（徐现祥，2005；2008）。

这个经济增长市场为地方政府发现辖区经济提供了强大的激励，从而把人们发展经济的激励搞对了。在经济增长市场上，需求方只有中央政府一家，而供给方却众多，因为中国是一个由众多地方政府构成的大国，这意味着经济增长市场是买方垄断的，地方政府官员自然为增长而竞争（张军，2005），而且是锦标赛竞争（周黎安，2007），从而解决了地方政府发展辖区经济的动力动能问题。

（二）广东的兴衰

广东地处南海之滨，很早就向海洋发展。自宋代以来，广东一直是中国重要的港口之一，而且是唯一一个一直未曾中断的通商口岸，商业及对外贸易发达。从很大程度来讲，这是有赖于其“偏远”又“方便”的地理位置。当时闭关锁国的中国的政治文化及经济的中心是紫禁城，这个中心最为需要的是安全和稳定。广东这

一远离政治中心的地理特点，一方面为其带来了通商的机遇，另一方面也造就了广东人务实开放的人文传统。

因此，广东作为一个省，从发展趋势上，必然随着中国的兴衰崛起而兴衰崛起，但未必完全同步，有自己的特色。比如在鸦片战争中，三元里人民的英勇抗争并不能够改写中国战败签订《南京条约》的历史，从此国门大开；再比如，在中国通过改革开放重新崛起的过程中，广东创造性地向中央提出先行一步的建议，中央授权广东等设立经济特区积极试验，探索如何改革开放以促进经济发展的方法、模式，从而率先崛起。其实，从历史上看，如表0－1所示，地方政府和中央政府在中国对外开放的态度上并不是一致的。

表0－1　　中国开放的历史

阶段	中央政府	地方政府	外国投资者	双方紧张程度	制度特征
1368年前	漠不关心	漠不关心	热心	中国强势，较弱	朝贡制度，外贸严格管制
1368—1842年	不情愿	正面	扩张性	中国弱势，较强	朝贡制度，外贸严格管制
1842—1911年	不情愿/敌意	正面	扩张性、剥削	外方强势，很强	不平等条约，对港口以外的微弱控制
1911—1949年	爱恨交织	正面	扩张性、剥削	外方强势，很强	继续海关条约制度，对港口以外的微弱控制
1949—1978年	敌意	敌意	敌意	双方敌意，很强	隔离、自给自足
1978年后	友好和需要，警惕负面影响	积极	从忧虑到正面，正面但批评	中国吸引力和外资技术领先，很强	自愿开放；共赢；自给自足

资料来源：罗长远和张军（2008）。

广东的发展离不开世界，更离不开全国给予广东的定位。最近30年来，广东经济的迅速崛起，就是在中央政府培育的经济增长市场上创造的一个经济奇迹。因为，尽管中央通过财政、人事改革等培育出经济增长市场，但到底如何“生产”经济增长呢？在20世纪70年代末，我国选择了改革开放促进增长。但如何改革开放才能促进经济增长呢？这同样是一个棘手的问题，也是一个巨大的挑战。广东省抓住了这个历史机遇，大胆解放思想，创造性向中央建议广东先行一步，进行试验、筛选如何改革开放才能够促进经济增长的方式、方法。好在，中国的行政结构几乎一直是M型的，如表0－2所示，适合做试验。中央赋予广东“特殊政策、灵活措施”，批准设立经济特区，实行市场调节为主的政策，从而成就了一个春天的故事，改革开放富起来，广东率先富起来。

表0－2　　中国历代政区沿革

时期	高层政区	统县政区	县级政区
秦		郡	县、道
汉		郡、王国	县、道、邑、侯国
魏晋南北朝	州	郡、王国	县、国
隋、唐前期		州（郡）	县
唐后期、五代	道	州、府	县
辽	道	府、州	县
宋、金	路	府、州、军、监	县
元	省	路、府、州	县
明	布政使司、省	府、直隶州	县
清	省	府、直隶州、直隶厅	县、州、厅
民国初年	省	道	县
新中国	省、自治区、直辖市	市、盟、自治州	县、旗

注：转引自罗震东（2007）；原始数据来自周振鹤：《中国历代行政区划的变迁》，商务印书馆1998年版。

四、全国视野下的广东经济体制变迁

今天回首改革开放30年的历程，广东的改革开放、全国的改革开放都是一场大规模的社会实验和制度变迁过程。尽管现在几乎

每个人都可以做事后的诸葛亮，但是，对于30年前的中国而言，制度变革并不是一个可以事先设计得体的试验，没有人对此有足够的知识准备。当改革的领导人邓小平决定让广东等先行一步，把一个临近香港的南方小镇辟为中国整体经济体制改革的一个试验场的时候，迎来的还多半是阻力、怀疑、挑战和指责。

广东先行一步，创办经济特区，是名副其实的试验场。它有1979年第一个引进香港的“外资”兴办的来料加工企业；它有1981年在蛇口第一个采用的建筑工程招标制度；它有1983年向社会公开发行（IPO）的全国第一张宝安联合投资公司的股票；它有1985年成立的第一个外汇交易中心；它有1987年第一个土地使用权的拍卖会；它有全国第一个劳动力市场和工资制度的改革；它还有1990年第一个探索出的国有资产三级授权经营的模式；它是建立劳动服务公司和实行劳动就业合同制的第一个尝试者，是最早进行外汇管理体制改革的，也是实行党、政、企业分离，废除干部职务终身制和引进招聘上岗制度的先锋。

如何看到广东省这段波澜壮阔、风雨坎坷的30年改革开放历程呢？不同领域的专家学者、政府官员等早已给出了不同的归纳总结，比如哈佛大学的著名学者傅高义，深入广东实地调查，系统阐述广东在1979—1988年经济起飞的动因、历程和特点，系统地阐述了广东改革开放前10年间的试验探索，并言简意赅地概括为《先行一步：改革中的广东》，这是外国学者研究和报道中国改革的第一本书[①]。从全国范围看，把广东在改革开放前10年的探索、试验概括为“先行一步”，无疑是非常到位的。如果说，前10年是先行一步，那么后20年呢？至少在我们的知识范围内，至今还

① 傅高义教授在 *One Step Ahead in China*：*Guangdong under Reform* 旨在向西方读者介绍广东改革开放前10年的成就。1989年11月哈佛大学出版社出版了英文版。据《先行一步》中译本的翻译者凌可丰在《译后记》中记载，台湾天下文化出版社在哈佛大学出版社付印之前就完成了中文版的译稿，中文标题为《广东改革——中国大陆跨出的第一步》，1989年11月同步在台湾和香港发行中文版。1990年，傅高义教授委托凌可丰翻译为中文，在中国大陆出版发行，1991年5月广东人民出版社出版发行。

没有看到内在逻辑一致的提炼。因此，本章尝试从全国的视角看待广东的经济体制变迁试验的30年历程，力争给出内在逻辑一致的总结与前瞻。

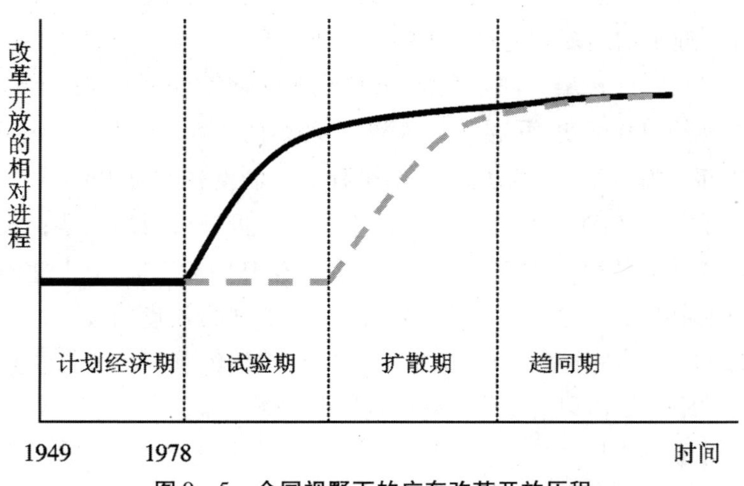

图0－5　全国视野下的广东改革开放历程

注：在试验期，广东先行一步，对全国而言，是从旧体制的薄弱环节入手，培育新体制的生长点；在扩散期，广东成为学习对象，对全国而言，是空间渐进改革开放，经济体制双轨并存；在趋同期，广东试验田的历史使命趋于终结，全国跨越了新旧体制的"分水岭"。（黑色和灰色分别表示广东和全国其他地区）

我们之所以相对地考察广东经济体制变迁历程，是因为，坦白地说，考察广东经济体制变迁的历程并不是一件很容易的事情。原因很简单，自1978年以来，中国一直处于改革开放的进程中，尽管古语云"有始有终"，到目前为止，我们知道了中国的改革开放始于1978年，知道了中国经济体制改革的目标是建立社会主义市场经济体制，但并不知道中国何时能够建立起完善的社会主义市场经济体制。在对经济体制改革全部进程缺乏了解的情况下，绝对地划分经济体制改革进程难免会有偏。其实，樊纲和王小鲁（2001）早已发现这个问题，强调"如果要想数理化地衡量市场化的绝对

程度，即回答离纯粹的市场经济还有多远这个问题，我们就得假定存在一种状态为100%的市场经济或理想的市场经济。但这个100%的市场经济的概念是难以成立的。我们所知道的并可以比较有把握确定的是，不同地区在市场化改革这一进程中，哪个进展程度相对高一些，哪个相对低一些"①。因此，我们对广东经济体制改革进程的梳理，旨在标明各个省区间在市场化进程中的差异，而不在于说明各个地区"离纯粹的市场经济还有多远"。

相对于全国其他地区的经济体制变迁，广东的经济体制变迁历程可以概括为"试验—扩散—趋同"模式。如图0－5所示，1978年中国开始改革开放时，广东创造性提出"先行一步"的建议，中央授权广东率先试验如何改革开放才能够促进经济发展，从而广东的经济体制进入了试验期。在试验期，无论是经济特区还是小珠江三角洲都积极试验，从而创造了引人注目的经济增长绩效。在经济增长市场上，一旦广东试验出改革开放促进经济发展的模式、经验，国内其他地区有强烈的动机学习这些成功的做法，而且中央也有意识地推广这些做法时，则中国的改革开放在空间上渐进展开，广东的改革开放进入了扩散期。在扩散期，随着改革开放在全国范围内的逐渐展开，甚至重心转移，其他地区的市场化改革进程快速推进，追上甚至赶超了广东的市场化改革进程，结果广东先行一步的优势逐步消失，经济体制与全国其他地区趋同了，相应的，广东的改革开放也就进入了趋同期。

（一）设立经济特区是我国渐进改革开放的起点

广东先行一步的改革试验无疑始于经济特区。1978年决定进行经济体制改革，广东在传达落实十一届三中全会精神过程中产生了设立经济特区②，先行一步的设想，中央接受了广东的建议，1980年起建立了四个经济特区，拉开了中国改革开放的序幕。

① 樊纲和王小鲁（2001），第9页。

② 当时没有想到经济特区这个名称，在后面章节中我们将详细考察这段历史。

为什么会选择了广东？这种选择是历史的巧合？还是一种必然的选择？“文革”结束后，中国清醒意识到，在人民致富的目标上，已经落后于许多西方国家，也落后于中国周边的一些在50年代发展水平差不多的新兴工业化国家。面对这严酷的局面，邓小平做出了石破天惊的判断，“贫穷不是社会主义”①。因此，中国领导人开始思考变革长期实行的计划经济体制，推行改革开放政策。坦白地说，70年代末的重新开放对整个体制的冲击，并不亚于新中国成立后闭关的震动。傅高义写道：“习惯于执行毛泽东主义的领导人，这时不得不研究西方的管理与技术，搞政治斗争的人加入了为工业效率而斗争的行列。还有那些一直谴责资本主义的人，现在也反过来向曾经被他们谴责过的人学习。这种转变绝对不会是轻而易举的和皆大欢喜的，因为并非所有的西方模式都能够被人们认可。”② 如何从众多的外国经验中筛选出对中国有用的东西，显然是一个很棘手的问题，中央需要试验，而且最好是可控的试验。由表0-2可知，中国的行政组织结构是M型的，恰好适合做试验③。

广东领导人意识到这个千载难逢的机会，创造性地提出模仿国外现有的出口加工区，划出一块地方建设“贸易合作区”的设想。在诸多沿海省份中，广东省具有独特的优势。在地理位置上，它远离北京，处于中国最南部，用它做实验不必担心政治或经济的混乱对全国带来威胁；无论是在重工业还是在国家财政收入方面，广东所占比例不大，危及国民经济的风险很小；由于毗邻香港，广东是中国通向世界的最方便之路，最有条件试验国外对中国有用的技术和管理方法④。另外，深圳等经济特区通过新体制试验和吸引港澳资本，最终向西方投资者证明，中国的开放政策和推进经济市场化的改革是一个可信的承诺（credible commitments）。因此，中央接

① 《邓小平文选》第3卷，人民出版社1993年版，第225页。

② 傅高义（1991），第4页。

③ 在第二章，我们会进一步考察这个问题。

④ 讲到开放，引用外资，当时中国条件最好的省份是广东和福建。当时，在香港的人口中，80%祖籍都是广东人（虹霞，1999）。

受了广东的设想，创造性地把出口加工区表述为经济特区，赋予更丰富的内涵，授权广东，先行一步，带头试验，从众多的外国经验中筛选出对中国有用的东西，试验出如何改革开放才能促进经济增长的方法、模式。从这个意义上讲，选择深圳等作为特区试验场其实是一个典型的经济社会成本—收益分析的理性结果，并不是一个偶然的选择①。

（二）“先行一步”、培育新体制的生长点，广东进入了试验期

傅高义（1991）在《先行一步——改革中的广东》中对广东的率先试验作了生动的描述，并强调，广东产生真正的变革激情，是因为有机会看到在过去闭关自守的几十年中香港所发生的一切。广东人对自己能否实现现代化无论有过什么疑虑，在了解过香港的进步之后，所有的疑虑都烟消云散了。既然香港的广东老乡能够做到，还有什么可以阻碍广东呢？更为重要的是，香港人不断炫耀他们的经济进步所带来的物质利益，使广东人对自己的落后状况大为不满，从而行动起来，去追求毗邻的老乡们所获得的一切。同时，傅高义（1991）也强调，要想把广东的改革与其他省份的改革作系统性比较，尚有待对其他省份的改革作进一步的研究，但在下列领域，广东无疑走在全国前列。

建立了深圳、珠海和汕头三个经济特区。特区在计划体制、企业体制、价格体制、流通体制、财政体制、信贷体制、外经贸管理体制、外汇管理体制、劳动人事制度、工资制度、基建管理制度等方面率先进行了积极试验②。

在对外贸易方面，广东省享有更多的自由。允许许多广东分公司从全国性的外贸公司中分离出来，成为独立的公司。广东生产的

① 傅高义在《先行一步——改革中的广东》强调，广东先行一步主要是广东与香港的特殊关系和香港经济在广东经济起飞中所起的特殊作用。张军（2008）在其《改革记述》之《特区试验场》给予了详细描述。

② 在后面章节中，我们将详细考察。

出口产品，可以自行定价等作决策。广东可以在港澳设立分支机构，以促进贸易和收集信息，增加的外汇收入大部分可以留成自用。

广东在财政方面享有新的自主权。自1980年起，广东不再向中央政府上缴一定百分比的税收，除了关税和其他由中央直接征收的税之外，广东只需向中央上缴一笔为期五年不变的固定包干款项①。

广东享有更大的金融独立权。广东的银行享有更多的投资自主权，如果省政府计划动用外汇，只需知会中央而无需请求批准，银行将据此付款。广东被允许建立独立的省信托投资公司，直接处理与海外商业、金融机构的业务。

在商业管理方面，广东享有更大的权力。包括接管原隶属中央五大公司的广东分公司，使之成为独立的企业。

在工资管理上，广东享有更大的灵活性。广东可将工资水平提高到国家标准之上，同时还有权决定如何调整工资，包括奖金占工资的比重。

这些指导方针使得广东，尤其是经济特区，成为改革的先驱。广东并不是在所有领域都走在前列，许多改革方案被引入广东的时间与其他省份大致相同，甚至还有些是在其他省份实行之后才在广东实行的。尽管人们对于哪些地区最先进行了哪些具体的改革措施有不同的看法，但是，平均而言，与其他省份相比，广东迈出的步子更大胆，他们的思想更解放，而且有了特殊政策，不管在哪一方面，广东人更能够将自己的改革热情付诸实践。

当然，广东先行一步的实践也面临着一些质疑、阻力和挑战等。1982年，几起重大的走私和投机倒把案件曝光后，中央发动了一场声势浩大的“反走私、贩私运动”，广东成为全国攻击的主要目标。1984年，又发起一场类似的反贪污腐败运动，这次的重点是广东省的海南。1988年，为了抑制通货膨胀，中央制止了广东的一些过量巨额投资，禁止进一步放松财政控制。在每一次运动中，以前被迫保持沉默的广东“特殊政策”的反对者都不再沉默，

---

① 规定是10亿元，但并没有上缴这么多。

但是广东在一片抱怨声中坚定不移地前进，获得了中央主要领导的支持。赵紫阳、韦国清、习仲勋和杨尚昆，这些曾经在广东担任过要职的领导，以及改革时代承上启下的谷牧，在保持中央对广东支持方面做了大量工作。而那些曾经持有怀疑态度的中央领导，在了解广东改革开放的成绩后，也都保持了中立立场。

总之，除了1982年、1984年和1988年的三次间歇之外，广东以极快的速度进行了根本性的改革。改革几乎触动了广东的每一个领域和每一个角落，并获得了如此瞩目的成功，赢得如此广泛的支持，以至于基本方针政策的反复，都变得令人难以想象。

（三）“空间渐进改革”、全国经济体制双轨并存，广东进入了扩散期

由于广东的改革开放试验主要是在以深圳为主的经济特区进行的，扩散不可避免地是在两个层面上进行的：省内的其他珠江三角洲地区学习特区的某些成功做法和省外的地区学习广东改革开放的经验。考虑到在后面章节中，我们将重点考察小珠江地区的改革开放历程，在本小节，我们主要是考察全国其他省区对广东的学习。

1987年10月，中共十三大充分肯定了在广东和其他地区实施的改革试验，同年11月，在广州举行的第六届全运会，更突出了广东的成功。在这届全运会上，广东得分比其他任何省份都高，更为重要的是，她向所有参赛的代表队和来宾展示了她的现代化形象：一座漂亮的新体育场和各种电子化设备，成功地模仿了洛杉矶奥运会，让所有运动员下榻于一家世界一流的全新宾馆内。对于一个不久前还陷于斗争、贫困和低效率的省份来说，这次全运会无疑是一次展示经济社会进步的展览会①。1988年，广东被指定为全国综合改革试验区，并号召其他省份向广东学习。

---

① 据傅高义（1991）考证，在这次全运会上，作为下一届全运会的东道主，四川接过了火炬，由于担心无法举办一次与之相媲美的运动会，几周后，遗憾地宣布，四川不宜作为下一届全运会的东道主。甚至两年以后，也只有北京和上海表示愿意提供可与1987年广州全运会相比的设施。

其实，在邓小平第一次南方视察后，就已经开始推广特区的成功做法了。1984年，邓小平视察经济特区，不但肯定了特区经济建设的成绩，而且酝酿推广特区的某些做法，实施更宏伟的开放战略。1984年进一步开放了14个沿海城市；1985年后又陆续形成了沿海经济开放带；1988年海南省办特区；1990年开发、开放上海浦东新区，并进一步开放一批长江沿岸城市，形成了以浦东为龙头的长江开放带。1992年邓小平再次视察深圳等经济特区，南方讲话震撼了中国大地。以此为契机，中国形成了沿海、沿江、沿边、内陆地区相结合的全方位、多层次、宽领域对外开放的格局；市场经济终于取得合法地位。十四大报告第一次明确“我国经济体制改革的目标，是建立社会主义市场经济体制”。中国改革以市场经济为取向，等于把经济特区最“特”的一点推广到全国。毋庸置疑，在全国范围内推广广东的成功做法的过程，其实就是中国渐进改革的过程①。这说明，我国改革开放路线图是一种渐进改革开放的路线图，而起点就是经济特区。

对此，傅高义（1991）在《广东改革的影响超越国界》中专门论述。强调广东的影响至少部分是来自市场的力量，并写道，“80年代末期，到全国各地旅游的广东居民发现，外地对广东的兴趣和尊重提高了，甚至包括过去一向瞧不起广东的上海。外地年轻人追求广东的时髦，唱流行歌曲，有人甚至用发音不准的粤语唱。有些已经与广东和香港有生意往来或企图发展商业关系的北方人，开始学说广东话。消费者到处找广货。……其他省份对广东的妒忌和批评仍很强烈，因为人们对广东购买最好的物品和资源的能力十分关注，但这一切并不能够削弱广东的影响”。

---

① 邓小平在1978年12月13日中共中央工作会议闭幕会上就明确指出了中国改革开放路线图——“在经济政策上，我认为要允许一部分地区、一部分企业、一部分工人农民，由于辛勤努力成绩大而收入先多一些，生活先好起来。一部分人生活先好起来，就必然产生极大的示范力量，影响左邻右舍，带动其他地区、其他单位的人们向他们学习。这样，就会使整个国民经济不断地波浪式地向前发展，使全国各族人民都比较快地富裕起来。”

（四）“特区不特了”，全国跨越新旧体制的分水岭，广东进入了趋同期

随着中国改革开放的深入，中国经济发展从局部试验性的阶段开始向普遍改革推进。搞市场经济、对外开放、与国际市场接轨，已经成为全中国的要求，不能再把优惠局限于几个特殊的区域。另外，随着渐进改革开放的空间扩散，趋同就成为一个必然的趋势。这意味着，包括深圳等经济特区在内的广东越来越失去其特殊性，尽管每一个经济特区都不愿意放弃其特殊性，但它们仍然不得不接受一个越来越明显的现实：改革开放的试验田或窗口的历史使命已经完结。

1992 年是中国经济体制改革进程中关键性的一年，邓小平南方讲话力挽狂澜，掀起中国发展与改革的新高潮。1992 年 10 月十四大根据邓小平南方讲话精神明确提出中国改革的目标是建立社会主义市场经济体制，1993 年十四届三中全会颁布了《关于建立市场经济体制若干问题的决定》，对社会主义市场经济体制的框架做出了全面、系统的规定。到 1994 年底，在全部商品中，由国家定价的部分从改革前的 95% 以上降到不足 20%，即 80% 的商品是由市场定价；在国内生产总值中，国有经济成分的比重，已从改革开放前的 55% 以上降到 40% 以下；宏观经济调控也从行政手段改为经济、法律手段为主①。正是基于这些事实《中国改革与发展报告》专家组撰写的中国改革与发展报告（1978—1994 年）《中国的道路》形象地称之为全国跨越了新旧体制的分水岭②。进入新千年后，中国加入世界贸易组织，全面对外开放，窗口作用显著

① 数据来自《中国改革与发展报告》专家组撰写的中国改革与发展报告（1978—1994 年）《中国的道路》，第 31 页。

② 《中国的道路》是为了适应进一步推进改革开放的需要，力求系统、全面地总结中国在 1978—1994 年经济改革与对外开放的经验，由在京的理论界和政府部门的专家学者共同撰写。

下降[①]。

表0－3　广东市场化相对进程在全国30个省区中的排名

年份	1997	1998	1999
政府与市场的关系	1	1	1
非国有经济发展	3	3	2
产品市场的发育程度	1	2	9
要素市场的发育程度	2	1	1
市场中介组织发育和法律制度环境	4	4	4
综合	1	1	1

注：数据来自樊纲和王小鲁（2001）第111页。

关于其他省区对广东的赶超，樊纲和王小鲁（2000）提供了一些证据。他们曾经连续几年发布中国30个省区市场化相对进程报告，但略微遗憾的是，他们选择的样本起点是1997年，而不是改革开放元年的1978年。1997—1999年，整体而言，广东的市场化相对进程指数在全国30个省区中仍然排名第一；但具体到市场化的某些方面来说，尽管在政府与市场的关系和要素市场发育方面仍然排名第一，但是在非国有经济发展、产品市场的发育程度、要素市场的发育程度和市场中介组织发育和法律制度环境等方面已经被其他省区所赶超了，如表0－3所示。

广东进入了趋同期，还表现为全国其他省区与广东在市场化进程上的差距越来越小。这一点，也能够得到数据的支持。具体而言，我们基于樊纲和王小鲁（2001）测评的全国30个省区的市场化相对进程指数，计算了全国在市场化进程的差距变化情况，如图0－6所示。在图0－6中报告了全国各省区市场化相对进程指数的极差和标准差。显然，二者都呈现下降态势，这反映了全国市场化进程在趋同。

① 当然，对深圳经济特区打击最大的还是2000年深圳交易所停止发行新股，导致深圳的资金流量减少，直接影响了深圳金融业以及整体经济的发展。

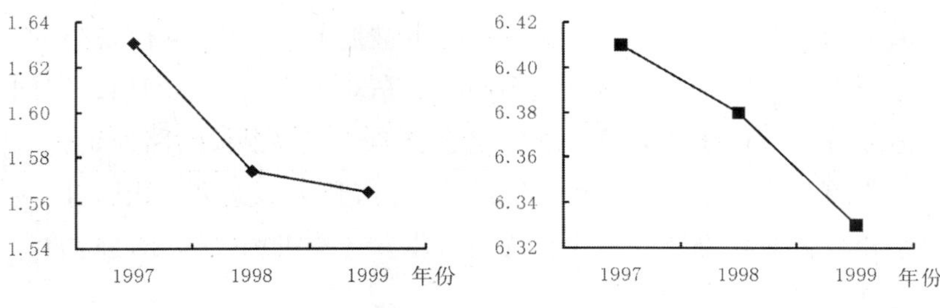

图0－6　全国市场化相对进程趋同

左、右图是全国30个省区市场化相对进程指数的极差和标准差，二者都呈现下降态势。

注：数据来自樊纲和王小鲁（2001）。

其实，中国改革从局部试验转向普遍改革阶段，已经隐含着广东已经没有进行“局部”试验改革的空间了。这隐含着，广东经历了扩散期后必然会进入趋同期。当然，对于全国而言，这未必是一件坏事情，因为，广东进入了趋同期，则意味着全国其他地区的经济体制改革进程逐步赶超了原本先行一步的广东。

正是因为进入了趋同期，在新一轮区域经济竞争中，广东几乎有点压抑：周边省份一个个试验区、城市群、经济区，渐成合围之势。与湛江毗邻的广西北部湾经济区风生水起，是我国西部大开发地区的重要出海通道，加上中国—东盟自由贸易区从战略高度把其推上改革开放最前沿。广东西北方向的四川、重庆，则是中国统筹城乡综合配套改革试验区；向北则是长株潭城市群和武汉城市圈；在广东东面的台湾海峡西岸，则是以福建为主体的海峡西岸经济区，福建以北则是长三角城市群。进入新千年的“新特区”时代，广东人不难发现，在全国经济版图上，已经呈现出群雄崛起、百舸争流的竞争生态。

五、全国视野下的广东改革和发展前瞻

回顾广东改革开放30年来的发展历程，我们概括为“试验—

扩散—趋同”，曾经先行一步，但逐步被赶超，最近还有点压抑。站在历史新的起点上，面对趋同局，广东对现实已不抱幻想，用国际标准看，广东在社会主义现代化进程中仍然有很长的路要走：人口、资源与环境之间还不够和谐，经济增长方式还没有根本性转变，经济腹地和海外市场还有待进一步开拓、巩固，区际之间的竞合还有待进一步完善。

这些都不是容易解决的问题。不过改革开放30年来的发展给了广东动力，也使得广东在全力解决这些问题中增添了几分乐观。在中央的支持下，广东正在进行新一轮的解放思想，有信心、有能力破趋同局，取得新的突破。

六、本书导航

本书将围绕着改革开放30年来广东经济是如何崛起的这个问题展开，我们的目标是系统阐述广东改革开放以来的经济发展模式。在改革开放30周年之际考察广东经济的崛起，旨在一叶知秋，为探索中国的大国崛起提供鲜活素材。本书的结构安排，如图0－7所示，包括一个绪言和三部分内容。在绪言里，我们主要是系统阐述广东在改革开放中崛起，从而提出本书要回答的问题，并给出初步的回答。第一部分由三章内容构成，主要是从特区、小珠江三角洲、广州三个视角考察，广东省在改革开放中，积极探索如何改革开放促进经济发展的足迹。第二部分由三章构成，主要考察广东探索如何改革才能够促进经济发展的主体是谁？先后考察了党政创业者、企业创业者、个体户、职业经理人、农民工及以开放促改革等。第三部分由四章构成，主要是从经济结构变迁、区域协调发展以及可持续发展的角度探索广东在改革开放30年中取得经济绩效及其存在的问题，在此基础上，为广东今后10年、30年、50年的发展提出一些前瞻性的思考。

1978年，中国主动打开国门，进行改革开放。2008年，北京的奥运会无疑是向世界展示中国人“唱着春天的故事，改革开放

图 0－7　本书结构导航

富起来”的博览会。改革开放 30 年，对人类历史而言，弹指一瞬间，但对于进入近代以来多灾多难的中华民族而言，是波澜壮阔、风雨坎坷的重新崛起的 30 年。繁华的历史并不会简单地重演，创造历史的中国人必须在借鉴以往经验的基础上把握自己前进的方向。

大国崛起必然是建立在一个个大省崛起的基础之上的，截至2008年，广东无疑是我国真正经历改革开放30年的为数不多的省区之一，正如本章开篇《两条船的故事》所讲述的，广东改革开放以来的经济成就使其重新雄起于国际舞台。广东改革10年的时候，哈佛大学的著名学者傅高义，系统阐述了广东在1979—1988年经济起飞的动因、历程和特点，并言简意赅地概括为《先行一步——改革中的广东》。如果说，前10年是先行一步，那么后20年呢？至少在我们的知识范围内，至今还没有看到对于广东发展给出内在逻辑一致的解释。因此，本书尝试从全国的视角考察广东改革开放30年历程，力争给出内在逻辑一致的总结与前瞻，一叶知秋，为窥探中国的崛起提供鲜活的素材。

重要事件

- 公元前221年，秦始皇统一中国，广东封属南海郡和象郡。
- 康熙二十三年（1684年），在广东巡抚李士桢的开海贸易政略和康熙的大力支持下，禁海令被取消，设立粤海关负责管理海外贸易，次年，设金丝行和洋货行（即十三行），分别掌管国内商业贸易和进出口贸易，广州复盛为全国最大港市，全国最大的贸易中心。
- 1842年，中国在鸦片战争中战败，被迫五口通商，终结了广州一口通商的历史。
- 1949年，全国解放，广东解放；1950年，美国等对中国强行封锁，省港间的合法贸易中断了。
- 1978年，中国开始改革开放，广东先行一步。
- 自20世纪90年代中期以来，广东先行一步的相对优势逐渐丧失。

第一部分

改革开放的模式

第一章 经济特区：中国渐进改革开放的起点

袁庚和蛇口工业实验区①

袁庚是地地道道的深圳人，1917 年出生于宝安大鹏。他早年参加以曾生为司令的东江纵队，是一位精干的情报科长和联络处长。东江纵队北撤后，他随部队编入第三野战军，在陈毅麾下参加过济南战役和淮海战役。1945 年 9 月，侵华日军投降以后，袁庚奉命以华南游击队上校军官的身份，与驻港英军旅长夏悫少将展开谈判，讨论华南抗日游击队撤出香港以及在香港设立办事处等问题。1949 年 10 月 11 月间，解放军挥师南下，扫除盘踞在广东各地的残敌。袁庚身为中国人民解放军两广纵队炮兵团团长，率领部队打回深圳。1955 年，周恩来总理率中国政府代表团赴印尼参加万隆会议时，袁庚是中国驻雅加达领事馆总领事。1978 年底，袁庚在经历了军界、政界和外交界的几十度春风秋雨以后，以花甲之年进入商界和实业界，成为李鸿章创办的香港招商局的第 29 代“掌门人”。

根据中央同意的“立足港澳、背靠国内、面向海外、多种经营、买卖结合、工商结合”24 字经营方针，袁庚准备选择蛇口作为实验区。1979 年 1 月 3 日，由袁庚起草并被中央迅速批准的

① 这个案例是储小平教授等人完成的。

《关于充分利用香港招商局问题的请示》，成为香港招商局重获新生的转折点。1979年1月31日上午，李先念在中南海办公室会见了袁庚和彭德清。袁庚拿出一张地图细心地指着地图请李先念副主席看，说："我们想请中央大力支持，在宝安县的蛇口划出一块地段，作为招商局工业区用地。"李先念说："给你一块地也可以。"李先念用铅笔在地图上一画："就给你这个半岛吧！"。但由于各种现实情况，袁庚只接受了2.14平方公里的土地。1979年4月1日，招商局正式成立蛇口工业区筹建指挥部（不久改称"建设指挥部"）。7月20日，获深圳市委批准：由张振声出任工业区建设指挥部临时党委书记兼总指挥，许智明任副书记兼副总指挥，郑锦平、林运生为副总指挥。9月21日，蛇口工业区成立党委，张振声任党委书记，许智明、李新庭任副书记。

袁庚作为蛇口工业区的支持人，他对新思想反应非常敏捷，并且对市场经济的理解也非常深刻。在蛇口工业区的建设过程中，他提出了"时间就是金钱，效率就是生命"。这个口号的提出在当时的确需要勇气和胆识。它不仅打破了人们谈钱色变的传统观念，更带给人们符合市场经济规律的效率观、价值观。更有学者认为，这个口号是"冲破思想禁锢的一声春雷"。1984年，邓小平在中央负责人会议上就曾强调过这个口号。同年10月1日，在共和国35周年国庆时，"时间就是金钱，效率就是生命"的彩车出现在天安门游行队伍中。随后，这个口号迅速传遍全国各地，引起了巨大的反响。1984年11月28日，在蛇口召开的全国当代香港经济研讨班上，面对数百名来自香港和全国各地的专家、学者，袁庚站在讲台上发表以《蛇口建设教训》代替《经验总结》的演讲。两个月后，袁庚进一步自我出台亮相，同意《蛇口通讯》发表"甄明伲"指名道姓批评他的文章。正是由于袁庚构建了这种比较公平、平等的环境，才使得社会各界对蛇口的经济建设能够自由地献计献策，从而以集体的智慧创造了不一样的蛇口工业区。

招商局除了开发蛇口工业区外，还率先创办了中国第一家股份制中外合资企业——中国南山开发股份有限公司，全国第一家由企

业创办的保险机构和银行，即平安保险公司和招商银行。毋庸置疑，招商局在蛇口工业区的开发建设，对全国的改革开放，产生了巨大而深远的影响。

一、引　言

“在经济政策上，我认为要允许一部分地区、一部分企业、一部分工人农民，由于辛勤努力成绩大而收入先多一点，生活先好起来。一部分人生活先好起来，就必然产生极大的示范力量，影响左邻右舍，带动其他地区、其他单位的人们向他们学习。这样，就会使整个国民经济不断地波浪式地向前发展，使全国各族人民都能比较快地富裕起来。”①

这是我国经济体制改革总设计师邓小平同志，在1978年12月13日中共中央工作会议闭幕会上明确指出的中国改革开放路线图。我国改革开放也大致是按照这个路线图展开的，1978年决定进行经济体制改革；1980年起建立了4个经济特区；1984年进一步开放了14个沿海城市；1985年后又陆续将长江三角洲、珠江三角洲、闽南三角地区、山东半岛、辽东半岛设立为经济开放区，从而形成了沿海经济开放带；1988年海南省办特区；1990年开发、开放上海浦东新区，并进一步开放一批长江沿岸城市，形成了以浦东为龙头的长江开放带；1992年以来，又决定对外开放一批边疆城市和进一步开放内陆所有的省会、自治区首府城市。这样，中国已形成了沿海、沿江、沿边、内陆地区相结合的全方位、多层次、宽领域对外开放的格局。这说明，我国改革开放路线图是一种空间渐进改革开放的路线图，而起点就是经济特区。至今，改革开放已经30年了，系统地探讨、总结、阐述经济特区在我国改革开放中的历程、功能及其机制，展望特区的发展前景，显然是必要的。

① 《邓小平文选》第2卷，人民出版社1994年版，第152页。

具体而言，本章基于我国空间渐进改革开放的实践尝试回答三个问题，是什么激励了特区自发进行试验？是什么激励了其他省区愿意学习特区的经验模式？中国的特区模式有何利弊？关于特区试验问题，在设立经济特区之初中央已经给予了明确的定位：先行一步，试验出可供推广的如何改革开放才能促进经济增长的方法、模式。但问题是，这些成功的方法、模式具有非竞争性和非排他性，是公共物品。按照经济学的逻辑，这种公共物品一般应由中央政府提供，特区为什么愿意提供呢？

本章首先考察特区的发展历程，发现特区的发展大致经历了三个阶段：试验期、推广期和趋同期。在试验期，特区在中央的授权下，积极地进行试验，从众多的外国经验中筛选出对中国有用的东西，试验出如何改革开放才能促进经济增长的方法、模式，从而使特区经济快速增长，“生活先好起来”，“生产极大的示范力量”。中央认可了特区的试验结果，开始推广这些成功的方法、模式，其他地区积极学习，特区的成功做法被推广到全国，从此特区的发展进入了趋同期。接着，本章分析了这种试验—推广—趋同三阶段背后的机制。改革开放以来，中国出现了一个经济增长市场，中央政府是经济增长的需求方，支付的是财政收入、政治晋升等；众多的地方政府是经济增长的供给方，得到的是政治晋升等。由于这个经济增长市场是买方垄断的，地方政府官员为增长而竞争，而且是锦标赛竞争。在试验期，中央划出一块区域设立特区，授权在该区域内先行一步，把特区与国内其他地区隔离开来，从而特区的试验结果具有“暂时”的排他性，试验结果的私人收益与社会收益并不会发生大的背离。因此，特区积极试验。一旦特区试验出如何改革开放促进经济增长的方法、模式，并通过这些方法、模式取得示范性的增长绩效，为增长而竞争的其他地方政府官员，自然有动机学习特区的成功做法以促进本地区的经济增长。因此，当中央政府开始推广特区成功的做法时，其他地区会积极响应，最终全国各地改革开放促进经济增长的方法、模式趋同。最后要强调的是，这种试验—推广—趋同模式不仅使中国经济快速增长，而且是相对平稳地增长。

二、中国经济特区的诞生

专栏1－1 世界经济特区的发展历程

在世界范围内，经济特区的产生和发展，大致经历了三个阶段。

第一个阶段：20世纪50年代前，是自由港和自由贸易区在世界范围内的发展时期。经济特区的最初形式是自由港和自由贸易区。尽管它的历史可以追溯到古希腊时代，但一般认为，世界上第一个正式以“自由港”命名的是意大利热那亚湾的里窝那（佛罗伦萨的外港）。1547年，里窝那被宣布为自由港。随后，自由贸易区在欧洲地中海一带陆续出现，18、19世纪随着西方殖民的拓展而逐渐传播到世界各地，例如1842年英国占领香港岛后宣布为自由港。截至“二战”结束前，世界上有26个国家或地区设立了75个以自由港和自由贸易区为主要内容的经济特区。

第二阶段：“二战”后到20世纪70年代中期，是出口加工区在世界范围内的发展时期。尽管出口加工区最先在欧洲出现，但是典型的出口加工区诞生在亚洲。1966年，台湾创办了高雄出口加工区，这是亚洲第一个出口加工区，也是世界上第一个正式以“出口加工区”命名的地区。70年代出口加工区方兴未艾，除了澳洲外，出口加工区几乎遍布全球，据不完全统计，截至1980年，全球出口加工区已经发展到70多个，分布在40多个国家和地区。

第三阶段：20世纪70年代末至今，是经济特区向科学化和综合化发展的时期。20世纪70年代末80年代初，许多出口加工区开始转型升级，向技术知识密集型发展。比如美国1951年建立的第一个专门化的科学研究公司——斯坦福研究公园，后来发展成为“硅谷”中心；自80年代以来，科学工业园在一些新兴工业国家或地区也迅猛发展，如台湾的新竹科学工业园区，新加坡的肯特科学工业园区等。科学工业园能够实现产学研三位一体的发展，在促进产品升级换代和产业结构调整、升级中发挥着先导作用，因而成为当今世界经济特区发展的主要方向。

——资料来源于钟坚（1994）

（一）中国的改革开放需要一个突破口

经济特区并不是中国特有现象，世界上有各类经济特区成百上千。只是各国赋予经济特区的名称、类型、功能不一样，比如自由贸易区、出口加工区等；再比如，有些是贸易型经济特区，有些是工贸型经济特区，有些是科技型经济特区，有些是综合经济特区。

中国的经济特区诞生于20世纪70年代末80年代初。从世界经济特区的发展历程看，恰处于世界原有的经济特区——出口加工区开始转型升级，产业结构再次开始调整、升级阶段。封闭了20多年的中国正面临着世界上许多国家产业调整的大好时机，时不我待，中央清醒地意识到中国的发展离不开世界。1978年，中国对外交往出现了少有的活跃景象。一年之中，邓小平4次出访，先后访问了缅甸、尼泊尔、朝鲜、日本、泰国、马来西亚、新加坡等国家。在这一年当中，还有13位副总理和副委员长以上的领导人，先后21次访问了51个国家①。值得强调的是，谷牧副总理根据中央安排，分别派代表团到港澳地区、西欧五国（西德、英国、瑞士、丹麦和比利时）和南斯拉夫进行实地考察②。7月中旬三路考察团先后回到北京，提交了3个考察报告，对于创办经济特区及对外开放提供了可供借鉴的经验、实际资料和建议③。通过这些访问考察，中国高层领导人的眼界变得开阔了，对于中国与发达国家之间的差距感受更加强烈了。机遇难求，中国再也不能坐失良机了④。1978年12月18—22日中共十一届三中全会召开，会议决定把全党的工作中心转移到发展生产力上来，实行改革开放。

尽管达成了发展经济的共识，而且是采取改革开放促进经济发展的共识，但是如何开始开放，如何改革一个形成了几十年的僵化的计划经济体制？改革开放从哪开始？什么是突破口？应该保留多

---

① 数据来自虹霞（1999），第39页。

② 西欧五国考察团，是中华人民共和国第一个政府考察团，谷牧副总理为团长（虹霞，1999）。

③ 特别是对南斯拉夫的考察报告指出，同样是社会主义基本经济制度，可以有多种模式，对日后的改革开放可以说是具有启发意义的。

④ 新中国成立后，中国也曾经面临过一个好机会。1955年的亚非会议后，受民族解放运动的影响，东南亚的富贾们将资金转移至香港，部分资金一时难以找到客户。1956年5月，毛泽东在解放后第三次到广州，听取了广东省港澳工委副书记黄施民报告香港方面的情况，当了解到香港各银行游资充斥，存款利息急剧下跌，以至到了存款者要倒贴利息给银行的“负利息”的地步时，指示说：“海外的游资这么多，可以利用嘛，办一个轻工业厂，两三年内就可以赚回一个工厂，再把钱还给人家……”转引自《“毛泽东在广州”史实举要》，http：//www. gzsdfz. org. cn/ycjg/rwcq/rwcq053. htm。可见，中国的发展离不开世界，毛泽东主席也曾想过，只是他让当时的中共广东省委书记陶铸以及其他中国人足足等了20年（虹霞，1999）。

少计划？引进多少市场？改革的目标模式到底是什么？对于政府而言，这些还都是未知数。因为，在当时的理论界，以苏联经济学教科书为教条的马克思主义政治经济学是经济理论界的正统，绝大多数学者考虑的是社会和经济制度的性质（或者主义）问题，并不能够为即将开始的改革开放提供前瞻性的理论指导。也许正是在这种背景下，才有了“无论白猫还是黑猫，抓住老鼠就是好猫”的论断，中央需要找到一个突破口，进行改革开放的试验。

（二）广东创造性地提出“先行一步”的建议

中共十一届三中全会后，广东省创造性地向中央提出广东“先行一步”的改革开放建议①。1979 年 1 月底，中共广东省委书记吴南生带领工作组到汕头市传达精神，开展调查工作。② 吴南生在汕头期间产生了一个大胆的设想，汕头现在的情况与台湾当年创办经济高雄出口加工区的情况类似，可否仿照台湾的做法也办一个出口加工区？吴南生的设想不仅得到汕头地方领导认可，而且也得到广东省省委常委的一致同意，不仅汕头要搞，全省都要搞。③ 会后，习仲勋④和吴南生一起向在广州的叶剑英副主席汇报这个设想，叶帅听了非常高兴，希望广东省委尽快向小平同志汇报。

1979 年 4 月中旬，在中央召开的专门研究经济建设问题的工作会议上，习仲勋代表广东报告了这个设想。邓小平十分赞同这个

---

① 当然，这里还有一段关于深圳的蛇口与香港招商局的插曲，而蛇口工业区的成立要早于深圳特区。

② 汕头是我国南部一个对外开放历史悠久的港口城市，在五口通商时代就开始了。恩格斯曾写道：“其他的口岸差不多都没有进行贸易，而汕头这个唯一有一点商业意义的口岸，又不属于那五个开放的口岸。”［转引自卢获（2000）］，解放初期，汕头还是一个商业繁荣的地方，与香港的差距并不大。

③ 广东省委对在深圳、珠海和汕头搞出口加工区是明确的，但名称一时还定不下来，叫“出口加工区”，与台湾的名称一样；叫“自由贸易区”，又怕被认为搞资本主义；叫“贸易出口区”，又不像。最后勉强安了一个名称：“贸易合作区”。

④ 习仲勋当时是广东省委第一书记、中央委员。他早在 1956 年的中共八大上就是中央委员，曾任国务院副总理，1962 年遭迫害，16 年后得到平反，到广东工作。

富有新意的设想，当听说这样一块地方的名字定不下来时说，“就叫特区嘛，过去陕甘宁就是特区”。谈到配套建设资金时，邓小平说：“中央没有钱，你们自己去搞，杀出一条血路来！”中央工作会议决定在广东的深圳、珠海、汕头和福建的厦门试办出口特区，作为华侨和港澳商人的投资场所。1979 年五六月，谷牧副总理率领工作组先后到达广东和福建，对办特区的有关问题进行实地考察、研究。1979 年 7 月 19 日，中央下发“中发〔1979〕50 号文件”，这是中央关于创建经济特区的第一个书面文件，对广东、福建两省实行特殊政策和灵活措施，正式批准在广东的深圳、珠海、汕头和福建的厦门划出一定的区域试办“出口特区”，并指出，“关于出口特区，可先在深圳、珠海两市试办，待取得经验后，再考虑汕头、厦门设置的问题”。

国务院将为特区创办提供基本规章的重任交给了刚成立的国家进出口管理委员会①。创办特区，在中国是一项前无古人的伟大事业，没有现成的路径可走，只能深入实际，调查研究，“观察、学习、试验”②。1980 年 3 月 24—30 日，谷牧副总理在广州召开广东、福建两省会议，检查总结 50 号文件的具体执行情况，会议采纳了广东提出的建议，并报中央同意，将出口特区改为具有丰富内涵的经济特区③。1980 年 8 月 26 日，第五届全国人大常委会第十五次会议批准了国务院提出的《中华人民共和国广东省经济特区条例》，正式宣布在深圳、珠海、汕头划出一定区域设置经济特

---

① 国家进出口管理委员会成立于 1979 年 8 月，是国家具体负责对外开放工作的机构。管委会主任由谷牧兼任，常务副主任是周建南，江泽民是这个委员会的副主任之一兼任秘书长。

② “观察、学习、试验”是广东省委试办经济特区所遵循的六字方针（曾牧野，1990）。

③ 特区的“特”主要表现为：经济发展主要是吸收外资和利用外资，产品主要是出口，以三资企业为主；经济活动主要发挥市场的调节作用；实行与内地不同的管理体制，有更大的自主权。

区。从此，经济特区通过国家立法程序正式诞生。[①]

1980年9月下旬到10月份，在联合国有关机构的资助下，江泽民率领中国政府派出的第一个考察国外经济特区代表团，到斯里兰卡、马来西亚、新加坡、菲律宾、墨西哥和爱尔兰6国的9个出口加工区、自由贸易区进行考察。途径日内瓦时，邀请联合国组织的10多位专家举行了两天的讨论。考察组对国外经济特区的基本经验进行归纳，对我国经济特区的建设提出了全面的政策性建议，这为国务院在1981年5月27日到6月14日顺利召开广东、福建两省和经济特区会议奠定了基础。7月中共中央、国务院批转了《广东、福建两省和经济特区工作会议纪要》，明确指出，深圳、珠海经济特区应建成兼营工、商、农、牧、住宅、旅游等多行业的综合经济特区；厦门经济特区应建成以出口加工为主，同时发展旅游等行业。这次会议从中国实际出发，对举办特区的指导思想、基本方针和重要的政策措施，进行了深入讨论，提出了系统意见，为特区的创办和发展奠定了基础。

（三）设立经济特区本身就是一个试验

“文化大革命”结束后，中国清醒意识到，在人民致富的目标上，已经落后于许多西方国家，也落后于中国周边的一些在50年代发展水平差不多的新兴工业化国家。面对这严酷的局面，中国领导人开始思考变革长期实行的计划经济体制，推行改革开放政策。这显然并不是一件很容易的事情。傅高义写道：“习惯于执行毛泽东主义的领导人，这时不得不研究西方的管理与技术，搞政治斗争的人加入了为工业效率而斗争的行列。还有那些一直谴责资本主义的人，现在也反过来向曾经被他们谴责过的人学习。这种转变绝对不会是轻而易举的和皆大欢喜的，因为并非所有的西方模式都能够

① 1980年10月7日党中央国务院决定在厦门岛北部湖里划出2.5平方公里，设立厦门经济特区。

被人们认可。”[1] 如何从众多的外国经验中筛选出对中国有用的东西，显然是一个很棘手的问题，中央需要试验，而且最好是可控的试验。

广东领导人意识到这个千载难逢的机会，创造性地提出模仿国外现有的出口加工区，划出一块地方建设“贸易合作区”的设想。在诸多沿海省份中，广东省具有独特的优势。在地理位置上，它远离北京，处于中国最南部，用它做实验不必担心政治或经济的混乱对全国带来威胁；无论是在重工业还是在国家财政收入方面，广东所占比例不大，危及国民经济的风险很小；由于毗邻香港，广东是中国通向世界的最方便之路，最有条件试验国外对中国有用的技术和管理方法。另外，深圳等经济特区通过新体制试验和吸引港澳资本，最终向西方投资者证明，中国的开放政策和推进经济市场化的改革是一个可信的承诺（credible commitments）。因此，中央接受了广东的设想，创造性地把出口加工区表述为经济特区，赋予更丰富的内涵，授权广东，先行一步，带头试验，从众多的外国经验中筛选出对中国有用的东西，试验出如何改革开放才能促进经济增长的方法、模式。从这个意义上讲，选择深圳等作为特区试验场其实是一个典型的经济社会成本—收益分析的理性结果，并不是一个偶然的选择[2]。

至此，尽管人们对何时何地、以何种规模开始改革开放持有不同的看法，但是在1980—1985年深圳等经济特区获得了进行体制改革试验的机会，成为测定何种国外经验最适合于中国的一个大型实验室，也是中央领导人视察改革进展程度的最佳场所。叶剑英元帅在1980、1981年来此视察；赵紫阳总理在1980年来过，以后又来过好几次；胡耀邦书记于1983年来过；邓小平于1984年第一次亲临深圳视察。

① 傅高义（1991），第4页。

② 张军（2008）在其《改革记述》之《特区试验场》给予了详细描述。

三、经济特区的试验

（一）经济特区的经济体制改革试验

毋庸置疑，特区对于中国经济转型最大的贡献就是经济体制改革试验。在本小节，我们重点考察经济特区早期的经济体制改革试验。

特区的试验是从城市基建开始的。由于深圳一直是经济特区的样板①，我们将重点考察深圳经济特区在经济体制上的试验②。在设立特区之前，深圳是我国当时计划经济体制最薄弱的环节之一③。1979 年，保安县改制为深圳市，城区面积只有 3 万平方公里，城镇人口两三万人，市容陈旧破烂，连交通指挥岗和红绿灯都没有，确实是一个“小渔村”，一个“不安分”的“小渔村”④。因此，经济特区的开发是以大规模的基建为先导。

1980 年，深圳特区的基本建设全面展开⑤，首先要实现通电、通水、通车、通电信和平整土地。这谈何容易。在传统基建体制

---

① 正如傅高义（1991，第 168 ~ 169 页）所指出的，其他经济特区，比如珠海并不像深圳那样充当经济体制改革试验的先驱，而是基本上仿效深圳的改革。

② 回顾深圳经济特区经济体制试验历程的文献非常多，本文主要采用了周溪舞（2006）。周溪舞 1981 年调到深圳工作，负责市政府的常务工作。由于工作关系，周溪舞亲历了深圳经济特区建设初期经济体制改革的过程，是这段历史的当事人，2006 年在《特区实践与理论》上撰文回顾了深圳经济特区初期的经济体制改革。

③ 深圳是 1949 年 10 月 19 日解放，自 1951 年封锁了边界。随着香港的发展、崛起，深圳河两岸的经济形成鲜明对比，于是深圳人选择了“用脚投票”：偷渡到香港。新中国成立 30 多年来，逃港一直是困扰深圳的痼疾。先后在 1957、1962、1972 和 1978 年形成四次偷渡高潮，合计 119274 人次外逃，其中逃出 60157 人（苏东斌，2001，第 38 页）。1977 年 11 月 11 日，邓小平到广州视察，听到深圳一带的逃港热潮后指出“这是我们政策有问题”，“此事不是我们部队能够管得了的”。果然，当《广东省经济特区条例》公布后，大规模的逃港现象顿时随之消失了。

④ 1979 年，在第一任市委书记张勋甫上任的头一个月，就有 3054 人次逃港，其中逃出 1855 人（苏东斌，2001，第 39 页）。

⑤ 尽管存在争论，首战最终还是选择了外商从港进入中国的第一站：罗湖，即“搬掉罗湖山，填高罗湖区”。

下，设计、施工、资金来源以及物资供应等都取决于行政分配。在筹备特区之初，邓小平就明确了“中央没有钱，你们自己搞，要杀出一条血路来”。为了完成繁重的基建任务，深圳确实“杀出了一条血路”：率先在基建中引入市场机制、开放建筑市场、实行开发性建设。利用银行贷款“借鸡生蛋”，边投资边收益，再投下去扩大收益的“滚雪球”办法解决了深圳特区建设初期的资金问题①。允许内地乃至国外设计、施工队伍进入深圳，逐步开放建筑材料市场，推出了“设计搞评选、施工搞招标”，保工期、造价、质量的工程大包干，实行工资奖金“上不封顶、下不保底”的分配办法，给承包单位极大的自主权，充分调动了建设者的积极性和创造性。结果在深圳国贸大厦建设中出现了三天一层楼的速度，成为深圳速度的标志。基建体制改革的成功，为深圳全面引入市场机制开辟了道路。

特区在基建过程中，特别是完成城市“四通一平”后，开始招商引资，开展对外经济合作，发展外向型经济。特区的经济体制改革就是从引进外资最需要的地方开始，然后按照和国际市场接轨的方向逐步深入：经历了一个从生产要素市场改革到产品市场改革、局部改革到全改革的发展过程。

外资进来了，首先碰到的问题是，怎么招工人，怎么发工资。因为在当时的劳动工资体制下，劳动是计划配置的，而且是“铁饭碗”。外资企业有一定的经营期限，不适用“铁饭碗”制度，于是便制定了合同工制度。企业根据需要自主招工，工人根据自愿原则签订合同，工资待遇都在合同中明确②。

大量外资进来后碰到的另一个问题是，如何取得土地建厂房。

---

① 这种量力而行、讲求效益的城市基建路子，为其后的珠海、汕头等特区建设解决资金问题提供了经验。

② 在深圳，当时一般工人发劳动服务费，大约700港元，其中50%是作为工资，另外50%是作为个人保险。个人保险部分以个人名义存入银行，平时不能支取，只能在生病、离职或生病时支取。当时，国营企业工人工资平均大体为60元。特区工人350港元的工资，按当时的汇率计算，约为100元，比国营工人的高些，但没有公费医疗和劳动保险。因此，国营职工队伍比较稳定，受到的冲击不大。

在计划经济时代，企业根据国家批准的基建项目向当地政府提出征用土地的地点和数量，经与农民协商和政府批准后，支付一定的征地费用，取得土地使用权。外资进来了，经过政府批准的土地不能再无偿划拨，怎么办？深圳创造性地开始收取土地使用费。这意味着，土地所有权是国家的，使用权是企业的，后来就形成了以土地使用权转让为内容的土地市场。

另外，随着招商引资工作的开展，特区很快就面临着外汇管理问题。在特区建设初期，港币在市场上大量流通。如果用行政命令禁止，对深圳经济发展也不利，于是在 1985 年创造性地成立了外汇调剂中心。当时按照“管住两头，开放中间”的原则进行管理，即到中心调剂的外汇，一头是看其来源是否正当，另一头是看其用途是否正当，调剂价格可以双方议定。这是全国第一个外汇调剂中心，事实上是一个汇率自由浮动、货币自由兑换的外汇市场。

就这样，在招商引资、对外开放的过程中，到 1986 年，深圳已经初步形成了资金、劳动、土地、技术、信息等生产要素市场（周溪舞，2006）。

局部改革必然引起连锁反应，进而推动特区经济体制试验从局部改革到全面改革。改革了劳动、工资、土地使用制度等，人口急剧增长，生活日用品紧缺。当时，全国是两个市场、两种价格、一种货币，① 深圳是两个市场、三种价格、三种货币。具体而言，两个市场是计划市场、自由市场；三种价格分别是国家牌价、国家指导价格和自由市场价格；三种货币分别是人民币、人民币外汇兑换券和港币。经济特区要解决商品短缺问题，只能够运用国家给特区

① 在计划经济时期，全国商品分为三类：第一类是统购统销，价格由国家定；第二类是国家计划收购、计划销售，完成计划后商品可以上市，价格可以随行就市；第三类是国家没有计划收购的商品，国家也收购，是随行就市收购。在流通方面是三级采购供应站，一级采购供应站是在省会城市、大城市，可以根据计划在全国范围内采购；二级采购供应站是部分中等城市和历史上形成的商业枢纽城市；三级采购供应站是一些主要的县市。宝安县连三级采购供应站都不是。销售渠道有四条，一是城市的商业系统、二是农村的供销系统、三是在国内采购对外销售的外贸系统、四是经营生产资料的物资系统，主要是按照国家计划向企业调拨物资，不公开在社会上销售。

的特殊政策想办法解决。于是深圳成立了一个进出口服务公司，它不属于商业系统，也不属于外贸系统，就是深圳靠特区政策搞起来的，利用它四处采购，解决市场供应问题。但在统购统销的三级流通体制下，进出口服务公司到国内采购困难重重。因此，便创造性地"打外汇牌"，绕开国内计划经济的限制来解决商品不足问题。一方面，利用手中的外汇到广交会上采购商品。这是可行的，因为各省外贸企业旨在创汇，卖给深圳也算完成出口计划。另一方面，深圳特区加强和内地商业部门的经济联合，用可以收取港币吸引他们和深圳企业联合办商业，把他们的商品吸引到特区来。"此举动实际上已经打破了自50年代以来一直实行的三级采购、统购统销的流通体制，这一突破势必引起市场领域中的连锁反应。深圳的商品丰富了，但市场的价格却再也无法用行政命令来协调统一了。就是在这种情况下，深圳经济特区开始提出了按市场规律办事，改革商业、物资体制和改革物价管理，深圳的物价闯关比1988年全国范围的物价改革整整提前了5年"①。

总之，经济特区的经济体制试验从引进外资最需要的地方开始，从要素市场到产品市场、从局部改革到全面改革，逐步引进了市场经济体制。到了1987年的时候，深圳已经在计划体制、企业体制、价格体制、流通体制、财政体制、信贷体制、外贸外经管理体制、外汇管理体制、劳动人事制度、工资制度、基建管理制度等方面进行了改革试验。②

（二）经济特区建设初期的经济绩效

在特区建设过程中，特区人逐步突破传统计划经济体制的羁绊，引入市场经济体制，取得了引人注目的经济增长。

---

① 这是广东省委在经济特区15周年时所拍摄的纪录片《中国特区》中的一段旁白，转引自周溪舞（2006）。

② 这些方面的改革是周溪舞在1987年全市（深圳市）基建体制改革经验交流会上的概括（周溪舞，2006）。当然，也有不同的概括，比如魏达志（2006）就把深圳经济体制改革试验概括为20个方面。

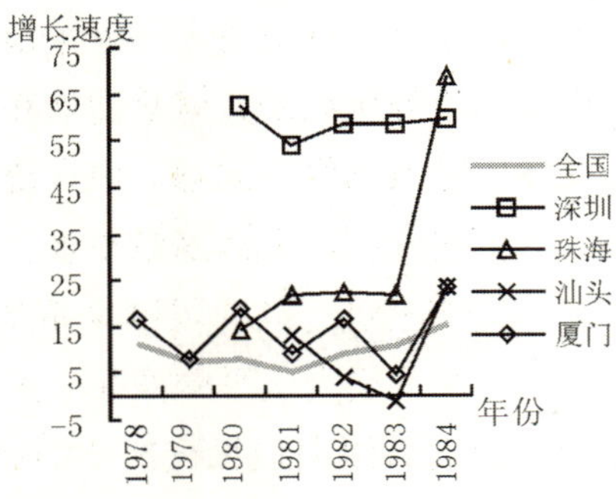

图 1-1　特区的经济增长速度

数据来源：《中国统计年鉴》（2005）、《深圳统计年鉴》（2006）、《珠海统计年鉴》（2006）、《汕头统计年鉴》（2006）、《厦门统计年鉴》（2006）。

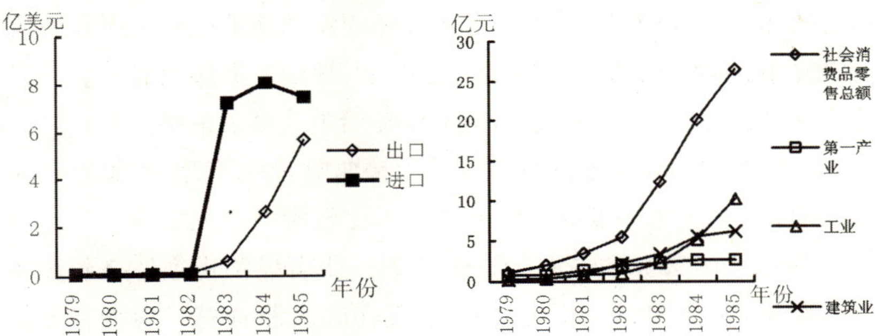

图 1-2　深圳的经济结构

数据来源：《深圳统计年鉴》（2006）。

图 1-1 报告了 1978—1984 年全国以及经济特区的经济增长绩效。由于经济特区是 1980 年正式设立的，我们着重考察 1980—1984 年的经济增长绩效[①]。在 1980—1984 年，全国年均增长速度为 10%，而深圳、珠海的平均经济增长速度则分别为 58% 和 32%，远远高于全国的增长速度；另外两个特区汕头和厦门的平均经济增

① 之所以考察该期间的增长绩效，还有两个原因：一是，经济特区的数据一般始于 1979 年或 1980 年，因此样本的初始年份也只能够是 1979 年或 1980 年；二是，1984 年，邓小平第一次视察经济特区，视察特区成立以来的建设成绩，并基于特区的经济绩效平息了关于经济特区性质的有关争论，开始推广特区的模式及其经验，因此样本的终点定为 1984 年。

长则分别为9%和13%，与全国增长速度不相上下。这种经济增长绩效差异，反映在图1－1右中，则表现为在1980—1984年，全国的经济总量增长了1.5倍，深圳经济总量增长了6倍多、珠海经济总量增长了3倍多、汕头的是1.4倍、厦门的是1.6倍。

（三）经济特区建设引发的争议

尽管广东省制订了特区条例，但执行这个条例，则需要解放思想，创新体制，打破原来的管制，需要得到特区之外的旧体制在很多方面的容忍、让位和配合。可以说，设立深圳等特区一开始就必然遭遇整个经济管理体制的制约，在发展中伴随着各种争议。毕竟，在上世纪80年代初期，特区进行特殊的制度试验和开放，在政治上有一定风险。每当在姓“资”姓“社”问题涌起时，特区难免首当其冲——特区的制度是否不符合社会主义的性质？

老一代经济学家于光远先生认为深圳特区的制度是符合社会主义性质的[①]。但大多数老一代经济学家比较倾向于认为深圳特区的性质就是“国家资本主义”这个论断。著名经济学家许涤新先生在《北京周报》1984年1月21日发表的文章具有代表性，他认为，设立深圳特区的目的是通过收买政策实施同国外资本和华侨资本的合作，引进它们的技术和管理，最终是发展社会主义[②]。

尽管邓小平一直强调“不争论”，但这种争论在相当长的一段时间内总是周期性的涌起。为什么会这样呢？正如张军（2008）所指出的，局部性的改革和试验改革，尽管有其策略性的意义和价值，的确会产生局部与整体经济体制的落差，如果处理不当，将引发普遍的“寻租”现象。比如建设初期的深圳特区。在建设初期，深圳特区尽管取得了令人瞩目的经济绩效，但似乎有点偏离设立经济特区的最初定位，并没有实现产品以出口为主、产业结构以工业

① 于光远：《谈谈对深圳经济特区的几个问题的认识》，《经济研究》1983年第2期。

② 转引自张军（2008）。

为主等[①]。如图 1－2 所示，在 1979—1982 年，深圳在外贸方面处于顺差状态，但 1983 年发生了逆转，出口为 0.6 亿美元，进口却高达 7.2 亿美元；到了 1984 年，出口增加到 2.6 亿美元，但进口高达 8.1 亿美元，仍然是逆差。这意味着，深圳并没有做到产品以出口为主，大量的进口可能是转口贸易，以内销为主。图 1－2 中的右图进一步验证了这个判断。在 1979—1984 年，社会消费品零售总额远远超过工业。这意味着，深圳的经济结构并不是以工业为主，而是以贸易为主。显然，相当一部分是对国内其他地区的转口贸易。

尽管人们倾向于争论有关特区的姓“资”姓“社”问题，但是特区建设的实践也促使了一个关于转型经济学的领域迅速成长。由于“对于正统经济学来说，近年来在原计划经济国家发生的市场化改革，与其说是胜利，不如说是挑战[②]”。上世纪 90 年代初，国内外的经济学家都对中国在 80 年代以来的改革策略表现出了浓厚的兴趣。中国自己的经济学家也是在这个时候开始研究和总结中国经济改革方式的，形成中国的过度经济学（Transitional Economics of China），并一度流行起来。[③] 张军（2008）作为这段历史的当事人之一，在谈及这段历史时明确指出，在经济学家总结的中国经济改革策略的经验当中，增量改革（incremental reforms）和试验改革（experimental reforms）成为最没有异议的两个新概念。而“试验改革”所描绘的不仅是一种在改革中央计划经济管理体制上遵循的所谓试错（trial and error）的经验主义的方式，而且显然也刻画出了 80 年代经济学家所观察到的在广东、福建和沿海一带的改革开放。

---

① 这一点最早为香港大学亚洲研究中心的陈文鸿博士所指出。陈文鸿（1985）以翔实的数据说明，深圳特区并没有做到以工业为主、以出口为主，特区是在赚内地的钱。

② 这是盛洪（1994）在《中国的过度经济学》这本论文集中的开篇第一句话。

③ 盛洪（1994）把上个世纪 90 年代初研究中国经济转轨的中文文献汇集成册，出版了《中国的过度经济学》。

四、中央对经济特区试验的监管

本部分重点探讨中央对经济特区建设的监管。具体而言，中央政府在特区经济体制试验中至少扮演着如下角色：政策的提供者、过程的纠偏者、成效的鉴定者、经验的推广者。

（一）政策的提供者

特区建设是在中央授权下进行的，无疑，中央是特区政策的最终提供者。经济特区执行的“特殊政策、灵活措施”是中央授予的。中央关于创建经济特区的第一个书面文件“中发〔1979〕50号文件”明确，广东、福建两省对外经济活动实行特殊政策和灵活措施，给地方以更多的主动权，使之发挥优越条件，抓紧有利的国际形势，先走一步，把经济尽快搞上去。另外，经济特区的法律框架《广东省经济特区条例》，不是由广东省人大审议通过的，而是由国家进出口委员会副主任江泽民代表国务院向全国人大常委会作说明，全国人大常委会审议通过的。

专栏1-2　毛泽东论中央和地方的关系

我们的国家这样大，人口这样多，情况这样复杂，有中央和地方两个积极性，比只有一个积极性好得多。我们不能像苏联那样，把什么都集中到中央，把地方卡得死死的，一点机动权利也没有。……正当的独立性，正当的权利，省、市、地、县、区、乡都应当有，都应当争。这种从全国整体利益出发的争权，不是从本位利益出发的争权，不能叫做地方主义，不能叫做闹独立性。

——节选自毛泽东：《论十大关系》

在后来的经济特区建设中，所有的政策无一例外，都是中央授予的。海南经济特区是如此，上海浦东新区建设是如此，天津新区亦是如此。

另外需要明确的是，这些政策都是有边界的，仅在特区内施行，特区的行政边界就是特区政策的边界。因此，从一定意义上说，特区被隔离出来，但恰是这种“隔离”赋予了特区试验结果

的排他性。

（二）过程的纠偏者和成效的鉴定者

特区建设本身就是一项试验，所进行的经济体制创新更是一项试验。中央政府责无旁贷地成为最终裁判，鉴定经济特区建设的成效，纠正经济特区在建设中出现的偏差。

经济特区所进行的经济体制试验，是否结合我国实际，从众多的外国经验中筛选出对我国有用的东西，中央政府是最终裁判。当第一个经济特区诞生时，特区姓“资”还是姓“社”的争论在当时的环境下自然而然地产生了。[①] 而且在特区创立之初，从中央到地方，从理论界到普通百姓，对经济特区的性质也都持有不同的观点，迟迟未能够达成共识。因此，造成“姓资姓社”之争持久不休的局面，而且是周期性涌起。

1984 年初，邓小平亲自了解经济特区的发展情况：“经济特区是我提议的，中央决定的。五年了，到底怎么样，我要来看看”。先后视察了深圳经济特区、珠海经济特区和厦门经济特区。特区的发展得到邓小平的认可，对深圳经济特区题词“深圳经济特区的发展和检验证明，我国建立经济特区的政策是正确的”。这次视察虽然没有给“姓资姓社”问题下一个定论，但邓小平对特区的评价，给有关特区的争论基本画上了句号。

中央对深圳等经济特区自身存在的问题其实也有察觉。1985 年 4 月 25 日姚依林副总理视察蛇口时就强调特区的经济发展长期靠国家“输血”来维持是不可能的。[②] 陈文鸿（1985）的文章发表后，中央对特区存在的问题给予了更大的关注。1985 年 8 月 1 日邓小平在会见日本公明党第十三次访华代表团时说，“我们特区的经济从内向转到外向，现在还是起步，所以能出口的好的产品还不

---

① 邓小平坦言，“对办特区，从一开始就有不同意见，担心是不是搞资本主义”。（引自《邓小平文选》第 3 卷，第 372 页）

② 转引自苏东斌（2001），第 80 页。

多。只要深圳没有做到这一步，它的关就还没有过，还不能证明它的发展是很健康的”。[①] 这一年中央对深圳进行全面整顿，在人事上进行调整，免去梁湘深圳市长的职务，[②] 任命国务院副秘书长李灏为深圳市长。国务院于1985年12月25日到1986年1月5日在深圳召开“全国特区工作会议”，会议认为，虽然当前在特区建设方面还存在问题和困难，但过去的五年总的来说是成功的，深圳、珠海、汕头和厦门特区成绩显著，在中国对外开放和经济体制改革中开始发挥作用，为国内外瞩目。会议明确指出，在“七五”期间，经济特区的发展目标是，建立以工业为主、工贸结合的外向型经济。全国经济特区工作会议结束后，各特区总结了奠基阶段的经验教训，通过“七五”期间的建设，特区经济结构发生根本性转变，逐步建成了以工业为主的外向型经济。

（三）经验的推广者

我国建立经济特区的初衷就是，先行一步，带头试验，从众多的外国经验中筛选出对中国有用的东西，推广到全国。因此，中央对于特区模式以及其所试验的经济体制在鉴定后都给予了及时的推广。从一定意义上说，向全国推广特区的成功经验就是对特区建设的最好鉴定。另一方面，中央推广特区成功经验能够得到特区以及特区以外的其他省区的积极响应。特区尽管能享有率先改革的收益，但也面临姓“社”姓“资”的政治风险。因此，他们只有通过将经验外传，以此加速中央认可其合法性。特区以外的地方政府也会试图借助特区的经验模式，甚至特区本身，促进本地区的经济增长，从而可能在中央官方认可和推广特区经验前就提前实施相关的体制改革。

在下一节，我们将重点考察特区经验的推广。

---

① 《邓小平文选》第3卷，第133页。

② 吴南生兼任深圳经济特区第一任市长、市委书记，1982年病倒在工作岗位上，梁湘接任深圳市长、市委书记，一直到1985年。

五、经济特区试验的推广

经济特区的意义不仅在于创造了经济高速增长的绩效，更重要的是，特区探索出来一条如何实现这种经济绩效的途径：经济特区基建、招商引资的经验，以及为创造一个有利于外商投资的环境而实行的基建、劳动、人事、工资、市场、金融等经济体制改革。无疑，特区的这些探索成为国内改革开放的“参照系”。

（一）中央对特区模式、经验的推广

在改革开放过程，通过中央授权设立经济特区，先行一步进行试验这样的模式无疑得到中央的认可和推广，从而在特区进行的体制改革和试验不断地被全国其他地区仿效。其实，这种模仿新体制的过程就是经济体制渐进改革的过程，这也是一种知识的溢出过程。

1984 年，邓小平视察经济特区后，不但肯定了特区经济建设的成绩，而且酝酿推广特区的某些做法，实施更宏伟的开放战略。“除现在的特区之外，可以考虑再开放几个港口城市，如大连、青岛。这些地方不叫特区，但可以实行特区的某些政策。我们还要开发海南岛，如果能把海南岛的经济迅速发展起来，那就是很大的胜利。”① 按照邓小平的这个意见，中央、国务院在 1984 年 3 月下旬召开沿海部分城市座谈会，决定进一步开放上海等 14 个沿海城市，并委托深圳举办沿海城市的经济研讨会，深圳开始系统化和理论化地总结和推广自己的经验。1985 年初，长江三角洲、珠江三角洲和闽南厦漳泉三角地被开辟为沿海经济开发区。至此，对外开放在沿海地区从南到北次第铺开。

邓小平关于开放海南岛的谈话后，海南省办经济特区的设想不断酝酿。1987 年 6 月 12 日在会见南斯拉夫客人时，他介绍了中国

---

① 《邓小平文选》第 3 卷，人民出版社 1993 年版，第 52 页。

加快改革开放步伐的一些想法，宣布，“我们正在搞一个更大的特区，这就是海南经济特区”。1988 年 4 月 13 日七届全国人大一次会议正式批准海南省办经济特区。海南是全国最大的经济特区，实行比深圳等经济特区更加灵活、更加优惠的政策和更多的经济活动自主权，对外开放除了采用深圳等经济特区行之有效的方式外，其他国际上通行的做法都可以在海南试验。

经过十余年的探索，我国特区模式日渐成熟，开始从中小城市走进大型中心城市，从第二产业拓展到第三产业。1990 年 4 月 18 日，中央决定开发开放上海浦东。深圳等特区和随后建立的海南特区，都是在经济不发达、对国民经济影响不大的城市或地区建立的，所进行的经济体制改革试验都是在计划经济的薄弱环节进行的。上海浦东的开发开放则是以特大型城市为龙头，更“特”的开发开放，尽管不叫“经济特区”，叫“新区”，但浦东新区的开发开放政策，不仅拥有五大经济特区和其他国内开发区的全部优惠政策，而还有比特区和各开发区更优惠的政策。在 80 年代主要是工农业生产部门对外开放，而第三产业还处于封闭状态，浦东新区的开放则是以第三产业为主的，中央给予的 10 条优惠政策其中 4 条直接涉及利用外资开放商业、贸易和金融证券业等第三产业。

1992 年邓小平再次视察深圳等经济特区，南方讲话震撼了中国大地。以此为契机，1992 年 5 月中共中央制定了《关于加快改革、扩大开放，力争经济更快更好地上一个新台阶的意见》，把改革开放推向全国。在开放方面，到 1992 年 4 月底，沿海、沿边、沿江、内陆、东、西、南、北、中，一个全方位大开放的战略格局初步形成。

至此，市场经济终于取得合法地位。十四大报告第一次明确“我国经济体制改革的目标，是建立社会主义市场经济体制”，十四届三中全会通过的《中共中央关于建立社会主义市场经济体制若干问题的决定》进一步明确市场经济改革的目标和路径，规划社会主义市场经济的初步轮廓。中国改革以市场经济为取向，等于把经济特区最“特”的一点推广到全国。

（二）各级地方政府对特区模式、经验的自发学习

中央和经济特区都非常重视“内联”[①]。由于当时深圳等经济特区是训练干部新思维的最佳地点[②]，中央鼓励各级干部到深圳等经济特区参观，不仅是表示对特区的支持，而且还希望来参观的地方官员能够带回一些适合当地的思想。

专栏1－3　取深圳真经、助广州创新

《广州日报》（2007年8月29日）发表评论员文章，标题是《取深圳真经、助广州创新》。文章说，两天来，广州市党政代表团赴深圳学习考察，与深圳主要领导座谈交流，并先后参观了华为、中兴等高新技术企业和产业园区，所见所闻，大家耳目一新，更激发了虚心学习、奋起直追的干劲和热情。

作为华南两大中心城市，广州究竟应该向深圳学习什么呢？首先要学习深圳27年来改革开放的巨大成就，学习深圳推动科学发展、促进社会和谐的宝贵经验，更要学习特别能改革、特别能创新的“深圳精神”。创新是深圳最鲜明、最核心的品质。对深圳的巨大成就和先进经验，我们不服不行，不学不行，不追不行。

从推进自主创新和高新技术产业发展的角度看，深圳的成就突出，经验宝贵，给我们以深刻的启示和借鉴。市科技局局长蔡刚强坦言，现在广州和深圳在自主创新方面最大的差距是在高新技术产业，学习深圳，要让企业成为创新主体，解决长效机制问题，同时在社会上形成尊重创新宽容失败的氛围。市经贸委赵小惠透露广州各区目前正在研究产业布局规划，学习深圳，通过以市场为主导，推动产业高端化、集群化，以企业为主导，加强制度创新，提高各类企业自主创新能力。

——节选自《广州日报》（2007年8月29日）的评论员文章《取深圳真经、助广州创新》和相应报道《学习深圳经验　推进广州创新》

到了1981年，深圳等经济特区发展初具规模，内地的许多企业单位纷纷在特区开设分支机构。在特区的分支机构可以享受特区的优惠政策，可以获得比内地更多的利润。在内地国营企业逐步开始实施自负盈亏的情况下，在特区设立分支机构对于适应国有企业

---

① 1982年3月26日，厦门经济特区代表团赴香港考察，第一次提出了“外引内联”。

② 傅高义（1991，第164页）甚至把深圳称为“邓小平的高级干部大学”。

改革的内地企业来说是一个理性的选择。另外，大多数干部愿意到特区工作一段时间，不仅可以学到新的技术和管理经验，挣更多的钱，而且还可以获得“几大件”。到1987年，深圳已经建立起超过2000家的“内联企业”，分属中央的25个部委[①]。各个地方政府也开始在深圳等经济特区设立办事机构。到1987年，已有27个省市在深圳设立了办事处，还建立了自己的宾馆和招待所。办事处可以安排来访者参观、访问，很快深圳等经济特区就成为人们收集信息的“大集市”。

在浦东新区建设中，其他地方政府或企业单位更是积极响应“内联”。中央宣布开发浦东的话音一落，江苏、安徽和浙江等省领导率团考察浦东，探讨如何迎接浦东开发开放的辐射效应。到1991年底，浦东新区的外地投资企业累积达162家，其中江苏31家，居首位，浙江30家，北京12家，福建10家，中央各部委5家[②]。1992年邓小平南方视察之后，中央各部委竞相抢滩浦东。到1992年底，浦东新区的外地投资企业达到1410家，是1991年的8倍多，投资金额达92.6亿元[③]。

（三）推广特区模式、经验对特区的影响

在全国范围内推广特区模式、经验，必然带来体制趋同、政策趋同。所谓体制趋同，是指特区先行一步创造性地引入市场经济体制，随着“试验—推广”在全国范围内的展开，全国各地都致力于建设社会主义市场经济体制；所谓政策趋同，是指各地特殊的优惠政策差别正在缩小，并趋于消失。体制趋同和政策趋同不可避免至少给特区带来两个相互联系着的重大影响。

一个是，经济特区的政策优势和体制优势逐渐淡化，出现了“特区不特”的现象。“特区不特”主要表现为“优惠”变“普

① 数据来源于傅高义（1991），第152页。
② 数据来源于苏东斌（2001），第544页。
③ 数据来源于苏东斌（2001），第562页。

惠”。非经济特区在特区经济发展的示范效应下，大胆地改革开放，不仅主动地或被动地采取特区的成功做法，甚至在某些方面实行了比特区更加开放、灵活的措施。另外，我国1994年开始的税制、外汇、外贸等方面的全国统一化的改革，使经济特区原先独享的许多优惠，变成了一种普惠。

“特区不特”还表现为中国改革开放中的重点从特区转入“新区”。进入20世纪90年代，中央决定开发开放浦东新区，进入新千年后，进一步开发开放天津新区。这些新区不仅拥有特区的全部优惠政策，而且比特区还特；从产业的角度看，经济特区主要是以第二产业的开放为主，而这些新区则是以第三产业的开放为主，对全国的影响更广、意义更深远。

专栏1－4　坚持自主创新让深圳再续发展传奇

从昔日大搞“三来一补”，到今日高举自主创新大旗，深圳又一次成功完成了“蜕变”。在自主创新主导战略的引领下，深圳高科技产业迅猛发展，自上个世纪90年代初以来，高新技术产品产值以年均近50%速度增长，成为第一支柱产业，有力推动了产业结构不断优化，城市核心竞争力持续增强，深圳新一轮发展有了更大的腾挪空间。用深圳人自己的话说，就是从当年“杀出了一条血路”，到现在“走出了一条新路”。坚持自主创新主导战略，让深圳尝到了甜头：

- 高新技术产品增加值占GDP 31.2%，高新技术产品产值占工业总产值的比重、拥有自主知识产权产品产值占高新技术产品产值的比重、高新技术产品出口额占出口总额的比重均超过了50%。
- 全市从事高新技术产品开发的企业3万多家，全市认定高新技术企业1730家，产值过1000亿元1家，生产高新技术产品3340种。
- 以电子计算机、通信设备、视听产品、软件等为主体的IT产业产值占全国15%，生物制药和新能源、新材料等新兴高新技术产品也呈现快速发展势头。
- 全市自主品牌达5万多个，拥有中国名牌产品76个，世界名牌产品3个，居全国大中城市首位。

经过多年的探索、发展和培育，深圳已经形成了鼓励创新、宽容失败、脚踏实地、追求卓越的创新体制、创新机制和创新文化，构成了深圳的创新大气候，为深圳的自主创新安装了马力强大的引擎。

——节选自《把创新作为城市发展的生命线和灵魂》，《广州日报》2007年8月30日头版头条的报道

另一个是，经济特区开始回归到世界经济特区一般的发展模式。不可否认，中国经济特区具有较为丰富的内涵，在我国经济转轨中担负着许多历史使命。随着特区模式经验在全国范围内的推广，特区所肩负的历史使命也就趋于终结。这种终结不是“谁抛弃了深圳”，而是深圳完成了自己在中国经济转轨中所肩负的历史使命，开始回归世界经济特区的一般发展模式。由专栏1可知，在世界范围内，经济特区有其自身的发展模式：在“二战”前主要是自由港和自由贸易区；“二战”后到70年代中期主要是出口加工区；20世纪70年代末至今是经济特区向科学化和综合化发展，科学工业园成为当今世界经济特区发展的主要方向。自20世纪90年代初深圳等经济特区就开始致力于发展高新技术工业，向科学化发展，逐步完成了出口加工区的“蜕变”。

六、理论分析

在本部分，我们尝试系统地总结中国经济特区的模式，探索中国通过创办经济特区推动改革开放的背后机制和条件。具体而言，我们尝试从理论的角度回答三个问题，是什么激励了特区自发进行试验？是什么激励了其他省区愿意学习特区的经验模式？中国的特区模式有何利弊？

（一）中国出现了经济增长市场

一般来说，在“三位一体”的高度集中的计划经济体制下，地方政府基本上是中央计划的执行者，并没有什么地方的独立自主性（林毅夫等，1994）。自1978年，中国开始对早已显示了多种弊端的中央高度集权的计划经济体制进行改革，权力下放、分权让利提上日程，地方政府开始扮演发展型政府（developmental sate）的角色（郑永年等，1994）。

地方政府扮演发展型政府的角色源于我国制度环境的三点变化。第一，产权地方化（property rights localization），为地方政府扮

演这种角色提供了经济制度上的背景。在权力下放过程中，中国的产权形式发生了巨大变化，逐渐形成了所谓的产权地方化（郑永年等，1994）。产权地方化是在地方政府干预地方经济活动过程中形成的，同时也把地方政府和地方经济紧密联系在一起。第二，财政分权，为地方政府扮演这种角色提供了动力。由于财政制度改革，地方政府可以直接从地方经济发展中保留更多的来自当地的财政收入，从而更加有积极性推动当地经济发展（Qian et al，1997；Qian et al，1998；Jin et al，2005）。第三，我国地方官员升迁标准由过去以政治表现为主变为以经济绩效为主，为地方政府扮演这种角色提供了政治激励（周黎安等，2005；Li et al，2005；徐现祥等，2007；张军等，2007）。我国政治运作的机制是任命制，决定地方官员晋升的是中央，而不是选民，这本来无助于地方官员致力于发展本地经济。但改革开放后，中央晋升地方官员的标准开始以经济绩效为主。因此，发展经济不仅能够给地方政府带来经济上的利益，而且还可以创造政治上的优势。

在产权地方化、财政分权和任命制度等制度背景下，发展型地方主义兴起，地方政府致力于发展当地经济，供给“经济增长”。另一方面，改革开放以来，中央政府为了加强自己的合法性，开始把发展经济当作首要目标，“发展是硬道理”。全国的经济增长是由全国各省区的经济增长构成的，中央致力于发展经济，自然对各省区的经济增长有需求。这意味着，我国出现了经济增长市场，中央政府是经济增长的需求方，支付的是政治晋升等；众多的地方政府是经济增长的供给方，得到的是政治晋升等。

需要强调的是，现有文献很少正式描述这个经济增长市场（徐现祥，2005），但已经开始揭示这个经济增长市场的性质。在经济增长市场上，需求方只有中央政府一家，而供给方却众多，因为中国是一个由众多地方政府构成的大国，这意味着经济增长市场是买方垄断的，地方政府官员自然为增长而竞争（张军，2005），而且是锦标赛竞争（周黎安，2007）。

尽管中央培育出经济增长市场，强调“发展是硬道理”。但到底如何“生产”经济增长呢？在70年代末，我国选择了改革开放促进增长。但如何改革开放才能促进经济增长呢？这是一个棘手的问题。这时，广东领导人创造性地提出出口加工区的设想，中央接受了这个设想，称之为经济特区，而且授权特区进行经济体制改革试验，从众多的外国经验中筛选出对中国有用的东西，推广到全国，结果形成了“试验—推广—趋同”式的空间渐进改革开放模式。在以下部分，我们将在经济增长市场的框架内考察这种模式的内在机制。

（二）特区试验是在提供公共物品

特区先行一步进行的经济体制改革是一个试验。从产品属性上看，试验结果具有非竞争性和非排他性。

特区在中央的授权下先行一步，探索在中国如何改革开放。最重要的试验结果是引入市场经济，确切地说，是如何在中国建设社会主义市场经济。显然，这个试验结果具有非竞争性。因为，一旦经济特区试验出如何在中国建设社会主义市场经济的方法、模式，经济特区采用这些方法、模式并不会减少国内的其他地区使用该方法、模式。比如，深圳经济特区最初贡献是就业合同制。现在，特区采用的是就业合同制，全国其他地区也是采用就业合同制。

特区试验结果具有非排他性，也是显然的。中央设立经济特区的目的就是，授权特区先行一步，进行经济体制改革试验，从众多的外国经验中筛选出对中国有用的东西，推广到全国。因此，特区无法阻止国内其他地区采用其试验结果。其实，为了获得国内其他地区的支持，特区一直以“内联”的方式邀请国内其他地区来特区参观学习合作。

特区的试验结果具有非竞争性和非排他性，这意味着，特区的试验是在生产、提供公共产品。但问题是，在经济增长市场上，各级地方政府为增长而竞争，特区有什么动机提供如何改革开放促进经济增长的公共产品呢？

（三）特区试验的内在机制

从经济学的逻辑上讲，市场不提供公共物品，是因为由于存在非排他性带来的搭便车问题，公共物品的社会收益与私人收益发生巨大的背离，从而部分地或全部地遏制了经济主体提供公共物品的可能性。因此，中央如果能够缩小特区所提供的公共物品的社会收益与私人收益间的背离，特区就有动机去试验如何改革开放促进经济增长的方法、模式。其实，这正是诺斯（1994）在制度变迁理论中所揭示的逻辑。

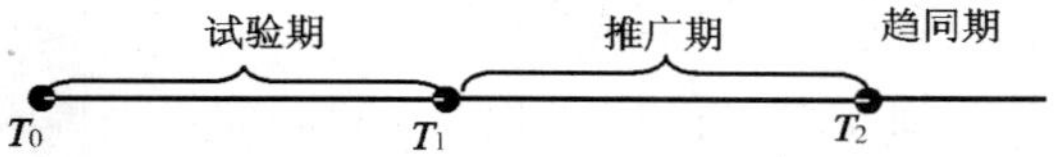

试验期 推广期 趋同期

T_0 T_1 T_2

图 1－3 试验—推广—趋同

中央通过控制推广时机确保特区的试验结果在一定时间段内具有排他性。如图 1－3 所示，中央在 T_0 时刻划出一定区域设立经济特区，授权特区先行一步，试验不同于其他地区的经济体制。特区从而进入了试验期。在试验期内，特区的试验结果具有排他性，主要表现为两点：在空间上，特区有边界，比如最初深圳特区北面以山为界，南边以深圳河为隔，西至珠江口岸，东到小梅沙，总面积约为 327.5 平方公里；珠海特区是 6.81 平方公里；汕头特区是 1.6 平方公里；厦门特区是 2.5 平方公里。在政策上，特区执行的“特殊政策”也是有边界的，确切地说，行政边界就是政策的边界。在试验期内，试验结果具有排他性，从而确保了特区试验的私人收益与社会收益具有一致性。具体而言，特区的优惠政策及其试验结果改善了特区的社会基础设施（the social infrastructure）①，激发了特区人的积极性，也利于“外引内联”，从而经济快速增长②。在经济增长市场上，特区经济的快速增长必然会增进特区的财政收入及其领导人的晋升可能性，从而产生巨大的示范效

① 社会基础设施是 Hall 和 Jones（1999）提出的一个概念，主要是指经济体鼓励人们生产的制度和政策等。

② 当然，这种排他性也会诱使特区进行“寻租”活动。在中央的监管下，这些活动最终透支了部分特区的经济增长，阻碍了这些地区的长期经济增长。

应，激发了其他地区学习特区模式、经验的积极性。①

当示范效应到一定程度后，中央允许其他地区学习特区的模式、经验等，在 T_1 时刻（见图 1－3）开始推广特区的试验结果，从而特区进入了推广期。在推广期，对其他地区而言，由于特区的示范效应足够大，学习特区模式、经验等促进经济增长是一个理性的选择，结果到 T_2 时刻特区的试验结果推广到全国各地。这时，对全国其他地区而言，采取了与特区大致一样的经济政策、体制等，拥有了与特区类似的社会基础设施；对特区而言，显然特区不特了。因此，从 T_2 时刻起，全国经济体制、政策等进入了趋同期。这时将会产生三种结果：

对于非经济特区而言，趋同期是一种囚徒困境：学习、实施特区的成功做法后，并不能够取得比其他地区更快的经济增长，因为体制趋同了，各地区并不具有促进经济增长的体制或政策上的优势②；但如果不学习特区模式经验等，则具有体制或政策上的劣势，不利于本地区的经济增长。

对于特区而言，中央不再赋予试验结果的排他性，特区试验的私人收益与社会收益开始发生巨大的背离。特区的试验结果推广到了全国，改善了全国的社会基础设施；但特区的许多基于政策、体制的比较优势随之消失了，特区不特了，从而经济增长绩效开始与全国趋同。

对全国而言，试验—推广—趋同模式不仅使我国经济快速增长，而且是相对平稳的增长。在趋同期，全国各地的社会基础设施改善了，投资环境改善了。从国际竞争的角度看，这会促进各省区的经济都快速增长，全国经济快速增长。另一方面，有利于全国经济相对平稳增长。既然是试验，我们就没有理由期望特区每一次的试验都是成功的。在试验过程中，特区既会从众多的外国经验中筛

① 当然，特区尽管能享有率先改革的收益，但在改革初期也面临“姓社”、“姓资”的政治风险，他们受到激励将经验外传，以此加速让中央认可其合法性。

② 需要明确的是，推广期通常不是一个瞬时的过程，而是一个较漫长的过程，确切地说，是一个演进的过程。在推广期内，率先学习特区成功做法的地区通常可以取得与特区类似的经济增长绩效。更具体的分析请参阅徐现祥（2006）。

选出对中国有用的东西，也会筛选出对中国暂时有用的东西或从事后看没有的东西或从全国的角度看没有用的东西。“有用的东西”有利于特区的经济增长，“没有用的东西”通常不利于特区的经济增长。对于中央而言，向全国推广的自然是“有用的东西”、经济特区的成功做法。这意味着，特区承担了试验的全部风险①，反映在经济增长绩效上，全国的增长相对于特区而言应该更平稳些。

以上分析表明，由于特区试验结果具有非竞争性，试验期越长，特区进行体制试验、创新的动机就越大，但其带来的社会损失也越大，因为试验期越长，国内其他地区实施特区已经试验出来的如何改革开放促进经济增长的方法、模式就越晚。中央作为特区试验的监管者需要权衡这种收益与损失，选择最优时机，在全国推广特区成功促进经济增长的做法。

（四）初步的证据

毋庸置疑，设立经济特区，先行一步，执行特殊政策、灵活措施，这本身就是我国经济分权的具体表现。自然，经济分权的利弊也将会在设立经济特区上有所反映，王永钦等（2006）已经详细考察了经济分权的利弊。在本小节，我们将结合经济特区自身的特点初步验证试验—推广—趋同模式的经济绩效。

1. 试验—推广—趋同模式不仅使我国经济快速增长，而且是相对平稳的增长。

如何改革开放才能促进经济增长？显然，我们并没有现成的答案。在实践上，中央同意广东省提出的设立经济特区的设想，授权先行一步，进行经济体制改革试验，从众多的外国经验中筛选出对中国有用的东西，推广到全国，结果形成了“试验—推广—趋同”式的空间渐进改革开放模式。从经济绩效的角度看，毋庸置疑，这种模式使我国经济实现了快速增长，创造了一个经济增长奇迹，如图 1－4 所示。

① 邓小平曾多次表示过，特区的风险是由中央承担的。

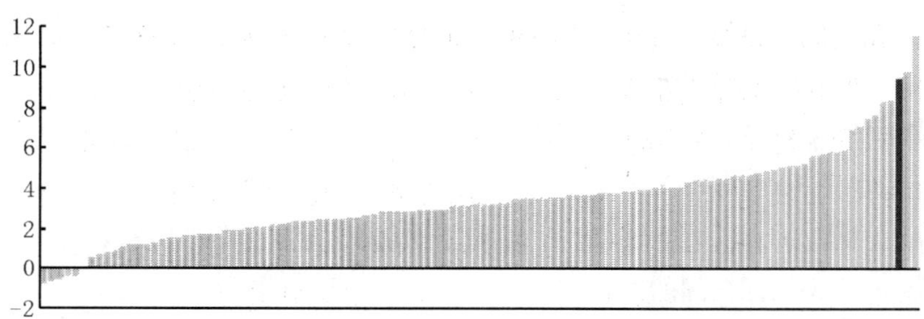

图 1－4　全球 115 个经济体 1965—1997 年的平均增长速度

注：黑色的是中国，灰色的是其他经济体；数据来自《世界发展指标（1999）》，第 38～41 页，其中，中国是 1978—1998 年均增长速度。

表 1－1　全国与特区增长的波动情况

	1980—2004		1980—1992		1993—2004	
	标准差	比值	标准差	比值	标准差	比值
全国	2.9	1.0	3.7	1.0	2.0	1.0
深圳	17.0	5.8	18.7	5.1	6.0	3.0
珠海	14.9	5.1	16.8	4.5	3.3	1.7
汕头	8.6	2.9	9.3	2.5	7.7	3.9
厦门	6.1	2.1	7.4	2.0	4.7	2.4

注：比值是指各标准差与全国标准差之比；数据来源于《中国统计年鉴》（2005）、《深圳统计年鉴》（2006）、《珠海统计年鉴》（2006）、《汕头统计年鉴》（2006）和《厦门统计年鉴》（2006）。

表 1－1 报告了全国和深圳、珠海、汕头、厦门四个特区经济增长的波动情况。从表 1－1 上看，确实特区经济增长波动远远大于全国的经济增长波动。具体而言，在 1980—2004 年，深圳等特区增长速度的标准差大约分别是全国的 6 倍、5 倍、3 倍和 2 倍。分段考察，依然是如此。这表明，特区承担了试验的风险，有利于全国经济增长的平稳增长。

2. 试验—推广—趋同模式不可避免地带来经济绩效趋同。

图 1－5 中的左图给出了深圳、珠海、汕头、海南四个经济特

区和全国经济增长速度在1980—2004年的标准差，从图形上，标准差明显呈现下降态势，这意味着特区的经济增长绩效逐渐与全国的趋同。图1－5中的右图进一步揭示了这一点。右图是深圳与全国经济增长速度，从图形上看，在改革初期，深圳的经济增长速度远远高于全国增长速度，二者的差距高达50个百分点左右。分段考察，在1979—1996年，二者之间的差距明显呈现下降趋势[①]，从1979年的55个百分点下降到1996年的7个百分点；但从1996年至今，深圳经济增长速度虽然仍然高于全国经济增长速度，但二者之间的差距趋于平稳，为7个百分点左右。因此，从这个角度看，特区的经济体制改革试验可能并不具有长期增长效应，[②] 随着特区经验在全国的推广，体制趋同和政策趋同，结果经济增长绩效也出现了趋同。

需要强调的是，这种趋同只是经济增长速度上的趋同，并不是收入水平上的趋同，可能是收入差距的拉大。

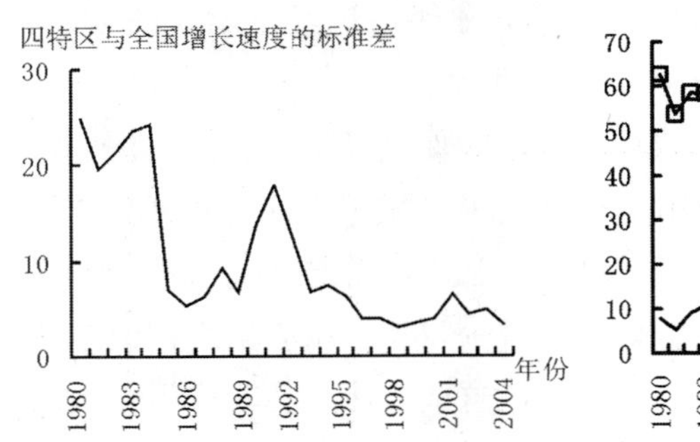

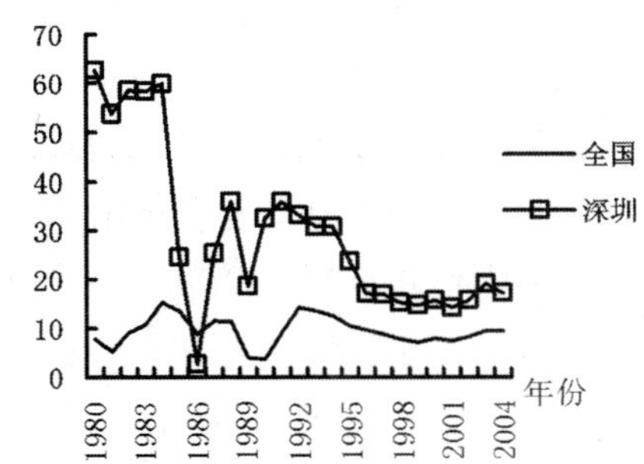

图1－5 特区的经济增长趋同

数据来源于《中国统计年鉴》(2005)、《深圳统计年鉴》(2006)、《珠海统计年鉴》(2006)、《汕头统计年鉴》(2006)和《厦门统计年鉴》(2006)。

① 1986年可能是一个例外。因为中央依靠行政命令“一刀切”实施紧缩的货币政策和财政政策，深圳企业出现了流动资金紧张，工业生产下滑等，经济增长速度仅有2.7个百分点，是建市以来的最低点。

② 徐现祥（2006）证明了在一定条件下，特区的经济体制改革并不具有增长效应，但具有水平效应。

七、我们已知道什么？还要知道什么？

中国是一个大国，经济组织结构是 M 型的，资源配置是水平的。正是基于这种经济结构，中央政府培育出了经济增长市场。在这个市场上，中央政府是经济增长的需求方，支付财政收入、政治晋升等；众多的地方政府是经济增长的供给方，得到政治晋升、财政收入等。由于经济增长市场是买方垄断的，地方政府官员为增长而竞争，而且是锦标赛式的竞争。

在经济增长市场上，地方政府有足够的激励来发展本地经济，但问题是，如何改革开放才能促进经济增长？我们并没有现成的答案。好在 M 型的经济结构适合做试验，这是中国作为一个大国的独特优势。广东官员创造性地提出建立出口加工区的设想，中央赋予其更丰富的内涵，命名为经济特区。尽管特区不是中国特有的经济现象，但是中国的经济特区致力于，从众多的外国经验中筛选出对中国有用的东西，试验如何改革开放才能促进经济增长的方法、模式，从而成为我国渐进改革开放的起点。

从产品性质上看，如何改革开放才能促进经济增长的方法、模式具有非竞争性和非排他性。基于此，中央赋予特区对其试验结果具有暂时的排他性，保证了试验结果的私人收益与社会收益并不会发生大的背离，从而特区会积极试验。一旦特区试验出如何改革开放促进经济增长的方法、模式，并实施这些方法、模式取得令人瞩目的增长绩效时，在买方垄断的经济增长市场上将产生巨大的示范效应，带动其他地区的官员产生学习特区成功做法促进本地增长的强烈动机。因此，当中央政府开始推广特区成功的做法时，其他地区会积极响应，最终推广到全国，国内其他地区特区化，特区不特了，经济体制趋同了。因此，经济特区在中国的发展历程就呈现出三个阶段：试验期、推广期和趋同期。这种试验—推广—趋同模式不仅使中国经济快速增长，而且是相对平稳的增长。

值改革开放 30 年之际，我们还要知道特区的未来。至少有两

个问题值得期待：一是，在我国落实科学发展观，致力于省区协调发展的背景下，中国分权式的经济特区还能够走多远？二是，新老经济特区的“功能”如何定位？目前，我国既有在80年代和90年代初设立的“老”经济特区，也有2000年后设立的“新”经济特区，新老经济特区如何定位？是老经济特区回归世界经济特区一般的发展模式、新经济特区重现老经济特区走过的“试验—推广—趋同”之道？还是新老经济特区一同走向新一轮的“试验—推广—趋同”之道？这些问题，我们暂时没有答案，但值得我们关注、思考。

重要事件：1978—2008

- 1978年12月，十一届三中全会召开，中国开始改革开放，致力于经济建设。1979年1月底，中共广东省委书记吴南生带领工作组到汕头市传达中共十一届三中全会精神，开展调查工作，在汕头期间产生了设立出口加工区的设想。
- 1979年7月19日，中央下发“中发〔1979〕50号文件”，正式批准在广东、福建两省实行特殊政策和灵活措施，深圳、珠海、汕头和厦门划出一定区域试办“出口特区”。
- 1980年8月26日，第五届全国人大常委会第十五次会议批准了国务院提出的《中华人民共和国广东省经济特区条例》，正式宣布在深圳、珠海、汕头划出一定区域设置经济特区。从此，经济特区通过国家立法程序正式诞生。
- 1984年初，邓小平先后视察了深圳、珠海和厦门经济特区，高度评价特区的发展，并对深圳经济特区题词“深圳经济特区的发展和检验证明，我国建立经济特区的政策是正确的”。
- 1988年4月13日七届全国人大一次会议正式批准海南省办经济特区。
- 1990年4月18日，中央决定开发开放上海浦东。浦东的开发开放是我国在区域改革开放和产业开放两个维度上纵深发展的里程碑。

- 1992年邓小平再次视察深圳等经济特区，南方讲话震撼了中国大地。以此为契机，1992年5月中共中央制定了《关于加快改革、扩大开放，力争经济更快更好地上一个新台阶的意见》，把改革开放推向全国。十四大报告第一次明确“我国经济体制改革的目标，是建立社会主义市场经济体制”，把经济特区最“特”的一点推广到全国。
- 1994年我国开始的税制、外汇、外贸等方面的全国统一化的改革，使经济特区原先独享的许多优惠，变成了一种普惠，特区不特了，开始回归世界经济特区的一般发展模式。
- 2006年，国务院常务会议批准滨海新区进行综合改革配套试点。
- 2007年重庆、成都获准设立城乡综合配套改革试验区；武汉城市圈和长株潭城市群获批国家“资源节约型和环境友好型社会建设”综合配套改革试验区。

第二章
小珠江三角洲：地方积极性

珠江三角洲：历史上的开放地带①

1985年1月底，国务院把长江、珠江、闽南三角洲开辟为沿海开放区，并提出先“小三角”，后“大三角”，分步骤、有计划地加以安排。根据这一精神，珠江小三角经济开放区定为4市（佛山、江门、中山、东莞）和12县（番禺、增城、南海、顺德、高明、新会、开平、恩平、台山、鹤山、宝安、斗门）。小三角经济开放区包括了珠江三角洲的核心地带（广州除外），通常被称为小珠江三角洲，以区别于1987年12月提出的包括29个县市的大珠江三角洲，土地总面积为2.28万平方公里，占全省的12.8%。

珠江三角洲在历史上是对外贸易的活跃地区，具有开放的传统，经商的文化传统和广泛的海外社会网络关系是这个地区重要的人文特点，也构成了珠江三角洲各地方政府积极改革开放的基础。

在秦汉时期珠江三角洲与南洋的贸易在经济中就占重要地位，而且广州作为中国历史上第一个海关官署和一直开放的港口，对珠江三角洲的发展有持续的促进作用。

宋元时期海上交通日益发展，在北宋所设的广州、杭州、明州（宁波）市舶司中，“三方唯广最盛”。宋末年由于政治地理因素的变化，广州作为中国外贸主要港口的地位，曾一度为泉州所替代，

① 该案例是根据许学强等（1988）和叶显恩等（1992）整理的。

但这同时促使其与珠江三角洲经济发生关联，广州的发展有力地推动了三角洲经济开发，各地村镇大量出现，尤其是南海、顺德、番禺一带，田园阡陌，祠庙林立，成为三角洲最富庶的地区，整个珠江三角洲达到全国次等基本经济区的水平。

明中后期，珠江三角洲的商品经济发展势头良好，但是明清之际遭受到天灾人祸的摧残，特别是清政府为防范郑氏势力的海禁政策，给海上贸易带来了沉重打击，使珠三角在东南亚市场的势力萎缩。

康熙二十三年，在广东巡抚李士桢的开海贸易政略和康熙的大力支持下，禁海令被取消，并设粤海关负责管理海外贸易事宜。次年，设金丝行和洋货行（即十三行），分别掌管国内商业贸易和进出口贸易，广州复盛为全国最大港市，商品经济得到迅速恢复并有所增进，并成为全国最大的贸易中心。

清中后期，珠三角形成了自身的水运体系，广州为水运的中枢，佛山为其内港，澳门为其外港，而与国内外沟通，其他如江门、小榄、石龙等，皆为一方要港，这为商品经济的发展提供了优越条件。而在乾隆二十二年，清政府关闭江、闽、浙三港，实行广州独口通商政策，使海贸集中于广州，直接推动了三角洲以出口为导向的商品经济的形成。

鸦片战争后，虎门条约签订，广州、福州、厦门、宁波、上海成为唯一准许进行英商贸易的港口。由于受到香港市场的冲击，珠江三角洲经济向半殖民化转变，农业生产和手工业都受到沉重打击，此时广州外贸屈居于上海，成为全国第二的通商口岸。

新中国成立后，珠江三角洲与世界贸易联系被割断，实行集中的指令性计划经济，着重发展生产，商品经济衰落，珠江三角洲的对外开放优势被抑制。

1979年中央在深圳、珠海、汕头和厦门设立经济特区，为具有开放传统的珠江三角洲地区的经济发展起到了一个示范作用。珠江三角洲的地方政府自下而上开始了建立适合地区经济发展制度的探索，并成为推动珠江三角洲经济发展的动力。

一、引　言

改革开放 30 年，珠江三角洲的经济创造了“增长的奇迹”。1980 年珠江三角洲的国内生产总值为 116.32 亿元，占全省总量的 47%。到 2005 年，珠三角地区国内生产总值达到 18244.46 亿元，年平均增长率为 22.41%，占全省总量提高至 84.07%，成为省区经济的绝对主体；2005 年常住人口 4547.14 万人，约占全省人口的一半；产业结构由 1980 年的 26∶44∶30 转变为 3∶51∶46，制造业成为区域经济发展的主动力，实际利用外资总额达到 114.1 亿美元，占全省比例高达 93.68%，是全省吸引外国投资的主要目的地。2005 年人均 GDP 达到 40123 元，是 1980 年的 62 倍（如表 2－1），地区经济已达到中等收入国家的水平。

表 2－1　　珠江三角洲 1980 年和 2005 年主要经济指标

	GDP(亿元)	FDI(亿美元)	人口(万人)	人均 GDP(元)
1980 年	116.32 [46.59%]	1.15 [53.55%]	1801.84 [34.47%]	646
2005 年	18244.46 [84.07%]	115.83 [93.68%]	4547.14 [49.46%]	40123
年均增长率(%)	22.41	20.26	3.77	17.96

资料来源：《广东五十年》，《广东统计年鉴》。

注：1. 珠三角指标包括广州、深圳、佛山、珠海、东莞、中山、惠州、江门、肇庆 9 个城市数据；2. 1980 年人口采用年度总人口数据，2005 年则采用常住人口数据；3. [ ] 内为珠江三角洲总量占全省比例值。

东莞、中山、南海和顺德是珠江三角洲经济增长的核心区域，并形成四种不同的发展模式，东莞是“外向型的经济发展”模式，顺德是“公有制经济为主、工业为主和大型骨干企业为主”的发展模式，中山是“以混合经济为基础，推进乡镇企业和外资共同发展”的模式，南海是“三大产业齐发展，六个轮子一起转”的发展模式。人们往往把这四个市县与亚洲“四小龙”（韩国、新加坡、中国香港、中国台湾）相比较，被称为广东“四小虎”。事实上，在1981—1992年，也就是经济起飞时期，“四小龙”国内生产总值的年增长率仅为9%左右①，比珠江三角洲低13个百分点。

珠江三角洲经济“增长的奇迹”得益于改革开放，也就是经济制度变化的结果。那么改革开放这一经济制度的变化是如何推动珠江三角洲经济增长的呢?

具体而言，本章节试图从珠江三角洲经济发展的事实中，尝试回答三个问题，在珠江三角洲经济发展的过程中政府的作用是什么?激励珠江三角洲地方政府以极大的热情投入到经济发展中去的动力是什么?地方政府是如何实现经济发展的?

本章以下部分的安排是，首先考察东莞、顺德、南海、中山的经济发展历程；然后进行理论分析，证明珠江三角洲经济发展是中央扶持的一个诱致性制度变迁的结果，这个制度变迁激励了地方政府结合当地的实际情况，通过学习促进经济的快速发展，并导致了珠江三角洲各城市都有不同的发展模式；最后是结论性评述。

二、东莞：吸引外资为核心的增长

东莞市地处珠江三角洲，前邻香港，后邻广州，是最具有区位优势的城市，1985年被列为经济开放区，同年经批准撤县设市。2006年国民生产总值达到2624.63亿元，占珠三角总值的12.23%，人均GDP达38890元②，人民生活步入小康水平。

在1978年的时候，东莞是一个农业县，工业原始积累水平较低，除了一些传统的制糖工业外，几乎没有现代工业的基础。显

---

① 具体见王光振、张炳申主编《珠江三角洲经济》，广东人民出版社2001年版，第36页。

② 《广东统计年鉴》（2007）。

然，东莞改革开放后经济发展的起点并不是原有的基础，而是东莞的天然区位优势，即毗邻香港和深圳。那么，地方政府是如何利用这种优势，通过制度的创新和变迁推动经济增长的呢？下面将通过对政府在经济活动中的行为与政策制定的考察，说明地方政府是如何实现自下而上的制度创新和经济发展的。

（一）鼓励吸引香港的直接投资的各种行为

1979 年，深圳、珠海经济特区设立的时候，珠江三角洲还没有被纳入对外开放的版图。但经济特区的制度使香港人看到了在东莞进行投资的机遇，也使东莞人看到了摆脱贫困的可能。因此，从经济特区设立开始，东莞地方政府就在寻求不同于以往的发展模式。

一个典型的例子就是东莞虎门的服装业的发展。在改革开放初期，虎门并没有生产服装的基础，由于当时香港正是服装业发展的迅猛时期，而虎门离香港较近，便于大量香港的服装进入虎门。最初是香港同胞带进来给亲戚，后来发展成为从香港由专人固定带入虎门然后摆地摊做服装买卖。按当时的经济体制，这种行为属于“投机倒把”，但虎门的地方领导，认识到这是发展经济的机会所在，非但没有阻止，反而主动办起了服装交易的夜市，鼓励和规范服装的交易，建立起了最初始的市场化商品流通。由于香港的服装基本上是处于流行的前沿，虎门的服装夜市吸引了全国的客户，进而吸引了大量的香港服装厂商在虎门设立工厂，形成服装“三来一补”[①] 的集聚，经过 30 年的发展，虎门成为世界著名的服装生产和交易中心之一。实际上，从虎门地方政府设立“夜市”这种

① “三来一补”指来料加工、来样加工、来件装配和补偿贸易，主要特点是：由外商提供设备（包括由外商投资建厂房）、原材料、来样，并负责全部产品的外销，由中国企业提供土地、厂房、劳力。中外双方对各自不作价以提供条件组成一个新的“三来一补”企业；中外双方不以“三来一补”企业名义核算，各自记账，以工缴费结算，对“三来一补”企业各负连带责任。

服装交易制度开始，就奠定了虎门在全国服装业中的龙头地位[①]。

“三来一补”企业是东莞初期发展的重要力量。“三来一补”企业的生产原料和销售市场在国际市场，这正好规避了当时国内流通领域十分封闭的状态，同时，劳动力和土地要素在国内，又正好适应了东莞当时禀赋丰富的要素。当时的东莞县委充分认识到了“三来一补”企业对东莞的重要性，制定了发展“三来一补”企业的十条优惠措施，1981年，县委、县人民政府抽调了40名骨干组成对外加工装配办公室，统一领导“三来一补”工作。当年就发展了140多宗乡镇“三来一补”企业，收入工缴费234万美元。

当时的县领导是通过层层动员的方式，吸引“三来一补”企业。东莞原籍的港澳同胞65万，华侨18万，这些人在香港做老板或打工，是香港与家乡之间方便可靠的联系人和投资者，成为发展“三来一补”的主要动员对象。地方政府瞄准这些香港同胞，成立香港东莞同胞会，鼓励在香港的东莞人进行家乡建设，以家庭为单位进行动员，劝其在港家人回来东莞投资，有力的出力，没力的就出关系，覆盖面深入而广泛[②]。1979年至1986年，东莞共发展了“三来一补”企业1979宗，企业总人数8万多人，引进资金约5000万美元，设备8万多台。还利用留成外汇引进先进设备，仅1985年用留成外汇引进设备的资金即达596万美元。

尽管，当时中央并没有文件鼓励和允许珠江三角洲地区发展“三来一补”企业，但在特区经济体制的示范下，各级政府大力支持“三来一补”的发展。最为有力的证据就是，东莞各镇第一家“三来一补”企业的厂房往往是当时村里的大队礼堂和其他集体的财产。由于东莞劳动力便宜，工资大约就是两三百元，房租也很低，相对香港十分的便宜，投资的老板迅速得到回报，地方农民的收入也有了提高，这种示范效应对当地政府和香港的商人都有极大的吸引力。在各级政府地推动下，东莞的“三来一补”经济迅速

① 该段根据采访东莞外商电子投资协会会长叶稳权记录整理。

② 同上。

启动和增长。

（二）构建市—镇“分权”体系，鼓励各级政府的创新实践

1985年中央在珠江三角洲开辟沿海经济开放区，并撤销东莞县设立东莞市（县级），沿海开放区的设立实际上是对1979年以来珠江三角洲开放实践的肯定，也是被进一步确定制度的边界和地方政府的权利，以激励地方政府的不断制度创新。1988年，东莞撤县设立地级市正式构建“放权”体制。东莞的地级市体制比较特殊，没有区县一级行政单位，由地级市直接管镇。这样一来，就带来非常大的好处，行政效率特别高，行政成本特别低[①]。市向镇的放权就是相应地把县一级的权力下放给乡镇，用一个县的权力来经营乡镇，相应的建立以镇为导向的财政分配体制，实行让利于镇的财政包干体制。这种财政包干是低基数包干、倒比例分成，就是给每个镇非常低的包干基数，而且超收的这一部分，大头留给镇，小头分给市。这对镇一级政府发展经济产生极大的激励，使每一个镇都成为地区发展经济的主体。

“放权”导致的是大规模的、以镇为单位的投资环境建设和生产规模的继续扩大，也激励各种制度创新的出现。1986年东莞的“三来一补”累计收入工缴费已经达3亿美元以上，其中50%为集体积累，成为各镇基础设施建设和扩大再生产的资金。首先是建路。“路通财通”、“要想富、先修路”是当时发展经济的重要模式。1985年东莞的高埗镇建设了全国第一座由农民集资建设的收费大桥后，大张旗鼓修路。到1994年，东莞的4条主干道和13条联网公路全部全线贯通。1995年，东莞平均公路密度达到92.9公里/百平方公里，而此时全国平均公路密度是11.6公里/百平方公里。大量的基础设施建设改变了东莞落后的投资环境，使整个东莞的经济开始腾飞，在道路修好后的一两年内，这些新路沿线就吸引

① 东莞市委常委、副市长江凌在眉山市解放思想大讨论活动中的专题报告。

了超过300亿元的投资①。其次是全市32个区（镇）和部分乡利用工缴费或集资等方式开始了工业区、工业村建设，小则一间厂房几百平方米，大则上万平方米。各镇区还建设了小宾馆用于接待外商，仅在1986年，全市新建筑厂房面积29万平方米，过去那种利用破旧祠堂、庙宇作加工所的情况不存在了。1986年又集资5160万元，引进2万门程控电话设施。城乡共完成自来水工程252宗。投资环境的改变，对外商更加有吸引力。

（三）建立官员激励机制和人才培养机制

首先与市、镇分权相对应的是建立了一个东莞的干部报酬分配体制，把各级干部的收入跟他同级的财政收入直接挂钩。由于改革开放的初期，东莞是越往基层，发展越充分，收入水平越高，相应带来干部报酬也就越高。这充分调动了干部的积极性，形成了一种非常好的干部走向机制，干部都争着往下走。这对地方官员形成两个重要的激励，只有优秀的人才才能到镇村这样的基层去，去基层是一种重用或奖励；而且，干部自身的收入和地区经济发展与财政收入挂钩。因此，地方官员到基层后不做短期的打算，有长期的行为，这对镇村的发展非常有利。

其次是建立人才培养机制。东莞人在发展“三来一补”的同时也有着自己的深谋远虑。他们意识到“三来一补”两头在外的特点，注意在“三来一补”和合资、合作企业中，向外商派来的管理人员和技术人员学管理、学技术，培养自己的企业骨干和管理干部。为了更好吸收先进技术和经验，政府尤其注意教育投资和人才引进。1986年集资2000万元，成立东莞教学基金会。市、区（镇）、乡集资2100万元办学。1987年普及初中教育，广州有4所大学在东莞设有分教处。1988年，东莞开始了人才体制的改革，成为全国第一个挂靠人才中心统一管理的城市，只要具有大专文凭

① 《营造创新环境　实现跨越发展》，《经济日报》2008年1月31日。

的都作为人才引进①。

90 年代后期，随着企业数量的大量增加，出现“招工难”的问题，企业管理人员出现明显的短缺，人力资源问题成为构建经济持续发展的重要任务。东莞市政府与外地政府广泛展开合作，签订劳工培训协议，为东莞产业发展输入源源不断的技术劳动力；并加强政府及其相关组织的服务功能，如成立对外加工办公室，整合服务链等。进行人才招聘广东省人才服务中心（东莞）人才培训输送基地的机构首创，统一培训人员，与企业签订集体合同，解决企业招工问题②。

总的来说，东莞经济发展凭借着其与香港密切的地缘人缘关系，首先由港资“三来一补”的初级加工生产方式启动，并在其特定的制度背景下，市县和乡镇干部发展思想统一，具备较高的发展积极性，通过政策鼓励和优惠、城市基础设施建设、软件设施改善和城市规划建设水平的提高，提升东莞的投资环境，形成经济发展与财政投入的良性循环，并凭着其大胆和勇于创新的精神，逐渐走上产业升级和城市转型的轨道。

三、顺德：乡镇企业为核心的增长

顺德位于珠三角中部，在改革开放前，是广东省经济作物生产基地之一，独特的“桑基鱼塘”的农业生态模式是农产品商业经济的典范，带来顺德近代缫丝行业的发展，并为改革开放后的工业化奠定了历史基础。

与东莞等紧靠香港的县市来比，顺德没有很强的区位优势，不易吸引到香港转移的加工业，但是与珠三角的行政中心和交通中心广州更接近，而且，顺德在改革开放以前，社队企业较为发达。因此，在改革开放初期，顺德的各级政府一方面大力吸引香港资金和

---

① 该段根据采访东莞外商电子投资协会会长叶稳权记录整理。

② 同上。

企业的转移，另一方面，依赖原有社队企业的基础，农村集体组织大力发展乡镇企业。在村、镇、县各级政府的支持下，形成了以镇办工业为主的顺德模式，并通过不断的乡镇企业的产权改革，成为改革开放后中国乡镇企业发展的典范。以下将通过政府在不同时期作用，考察地方政府是如何进行企业产权制度的变迁以促进经济增长。

（一）80年代：政府参股办企业，投身地方经济建设

顺德乡镇企业的萌芽在北滘镇的裕华风扇厂，这家工厂原来是社队企业，一直生产大量的塑料制品，在70年代由于产品滞销转产塑料电风扇。到1984年，国家允许它用自己赚取的部分外汇进口外国设备，工厂的规模进一步扩大。

顺德的乡镇企业一般都像裕华一样，由传统的支农工业和农产品初加工转变为出口产品，并由小型的社队企业逐渐发展转制成为大中型企业，如美的、南方等电扇厂，从而逐渐成为顺德经济的支柱。到90年代，顺德已经成为全国有名的家用电器生产制造基地。

当时的顺德市政府直接参与了乡镇企业的扩大再生产的行为，主要是通过政府信用为企业向银行担保借贷或参股乡镇企业直接为企业提供资金，实际上形成政府主导的乡镇企业。对于处于初级发展阶段的顺德来说，这种方式为地方发展带来了最稀缺的资本，从而使地方经济飞速增长。

在1987年，顺德就以骨干企业为龙头，组建了十个“半政半企”性质的企业集团，如万家乐、华宝等。1992年，由顺德市政府组织的一项调查表明，当时市镇两级政府投资的企业达1000多家，而其中绝大部分公有企业是改革开放后由市镇两级政府担保向银行贷款搞起来的。顺德政府成为顺德经济发展的“经纪人”，市场规则被用以指导政府行为，并建立了“以公有制经济为主、以工业为主、以骨干企业为主”的发展战略。1991年，顺德工业与农业总产值比例为9：1，在工业总产值中，集体所有制工业占80%，其中又以镇一级办的工业为主，占全县工业的50%。在80

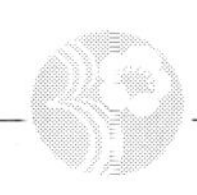

年代后半期，顺德市针对全市一下子冒出的几千个企业，及时提出优化行业结构，重点发展技术水平和附加价值高的新兴工业，强调上工业企业规模，出工业拳头产品。几年间一批如“科龙”、“美的”、“华宝”、“万家乐”等大型工业集团应运而生，产品国内市场占有率大幅度上升。1991 年，全县销售收入 1000 万元以上的 262 家企业，其销售值和实现的利税占了全县 3000 多家工业企业的 71.4% 和 85%。许多企业不仅在国内名列前茅，在国际上也数一数二。广东珠江冰箱厂（现科龙企业）1991 年在全国所有冰箱厂家中，销售额居第一位，达 7.2 亿元。蚬华风扇厂 1991 年产值达 4.8 亿元，是当时亚洲最大的吊扇厂，也是全国出口创汇最多的乡镇企业。全县绝大多数企业，都以各种形式，走上了集团化的发展道路，共组建了以 49 个拳头产品为龙头，以重点企业为核心，以企业化分工为形式的竞争能力强的集团。其中规模最大的是万家乐集团公司，1991 年的工业总产值超过 10 亿元。企业经济的规模化形成了相对集中的工业布局和工业集聚效应，全县共 11 个镇，1991 年工农业总产值每个镇平均约为 11 亿元，其中桂洲镇达 16.3 亿元，规模最小的镇也达 7 亿多元。

由于镇政府直接入股乡镇企业，乡镇企业的发展也为镇政府的直接提供了财政支持。从 1978 年到 1990 年，在镇村合计的总收入和上缴税金总额两项中，镇办企业各年的数字均占2/3以上。财政上的密切关系，更加加深了乡镇企业和镇政府的关系。

在顺德，镇政府与镇办企业的关系是通过各镇经济发展公司建立的，经济发展公司对下属镇办企业进行管理，主要涉及财务、人事、生产、供销方面：①财务。为企业的资金筹措提供方便是公司财务管理的最重要方面。从各镇的总体情况来看，镇办企业来自银行的贷款主要通过三种方式借入：一是企业自行向银行借款；二是由经济发展公司作担保，企业向银行借款；三是由公司出面向银行借款后转贷给企业。当借款企业因资金周转困难而不能如期还贷时，总公司便设法从资金较充裕的其他下属企业，或外地、外省甚至境外（香港）为其筹措所缺资金。②人事。主要表现为正副厂

长的任命权由经济发展公司掌握，而其余各级管理人员由厂长任免，任免情况只需报公司备查即可。因此，总公司在人事方面对下属企业的控制主要集中在对正副厂长的考察、监督和任免，但由于有些企业的正厂长是由公司总经理兼任的，其任免权则上移至镇政府一级。③生产。不涉及具体生产过程，而是主要着眼于企业产品质量及企业素质的提高、新产品的开发和新项目的上马，以及产品结构和产业结构的调整。④供销。各镇经济发展公司均在香港甚至澳门设立了至少一个以上的境外企业，该企业除了独立开展贸易等业务活动外，还在商品和原材料的进出口、合作伙伴的物色、国外市场信息的搜集和传递以及境外资金筹措等方面为镇办企业提供服务。而企业在寻找国外销售渠道和原材料市场，以及与外商的生意洽谈等方面必须接受公司“外经办”机构的监督与指导，并同时得到一定的协助。

这些经济发展公司的前身就是作为镇政府直接派出机构的“工交办”或“镇办企业办公室”，是镇政府直接领导下的特殊机构，兼有政府行政部门与企业经济实体双重性质的机构。因此，经济发展的工作是在镇政府的直接控制之下进行的，因为各公司的总经理又都同时是各镇的副镇长或党委副书记，而各公司的副总经理又通常都兼任下属镇办企业的经理或厂长，个别镇公司的总经理也兼任下属企业的经理或厂长。这些总经理或副总经理至少都是一身二任，甚至一身三任的。经济发展公司与镇政府和下属企业这上下两级层次之间的结合十分紧密，这种特殊的媒介机构使得镇政府易于随时掌握下属企业尤其是重点企业的经营和发展状况，并确保其决策意图易于迅速地贯彻至下属企业，从而使其总体的发展规划或政策目标得以较好的实现。

经济发展公司与下属企业的紧密联系不仅来自于行政隶属关系，还有深层的文化因素。这些包括经济发展公司领导干部在内的企业干部和员工绝大多数是本乡镇农家出身，在改革开放浪潮的冲击下，这种乡土意识显然易于转化为振兴家乡经济的共同信念，成为一种集团凝聚力的基础。因此，经济发展公司是作为一个地方共

同体的一员来与下属企业相处的。这使得其在与下属企业相处时，作为服务者的身份更为突出，管理的方法更带有些协商、合作、指导和服务的成分，而下属企业在贷款、投资、供销、评优等方面确实也离不开他们的帮助和指导。

顺德地方政府不仅是市场建设的引导者，更是市场建设的扶持者和捍卫者。1995 年 7 月，顺德家电城在国家宏观调控的背景下依然顺利建成开业，占地面积达 2 万多平方米，建筑面积 3 万多平方米，共有 215 间商铺，集商场、办公、仓库于一体，城内设有大型家电产品展销中心，配套多功能的酒店等。为繁荣电器城经济，顺德市工商局表示：凡进入家电城经营的客户，优先简化办理营业执照手续，尽量放宽经营范围，允许合理计价，并按国家标准从低收取工商管理费，减轻入“城”经营客户的负担。工商、税务、银行、物价等部门提供一条龙服务，方便了客商的买卖交易。

（二）90 年代：政府退出市场，改革企业产权制度

政府的参与带来了顺德的原始资本扩张，迅速完成了其农村工业化的过程。1978 年到 1993 年转制为止的 15 年中，顺德的工农总产值从 8 亿多元增长到 280 亿元，其中工业总产值达 264 亿元，占工农总产值的 85.7%，人均达到 2000 元（按 1990 年不变价）。

然而在 90 年代初期，政府主导型经济慢慢暴露出了问题来。当时，全市由各级政府牵头办的大小企业达 3000 多家，各种贷款达 100 多亿元，特别是市和镇两级政府办的企业，虽说是大集体企业，但企业的兴衰成败完全由政府承担，职工的衣食住行要由政府保护。面对这么庞大的经济实体，政府已感到力不从心。从 1987 年起，顺德市就开始对市属工业企业实行放权。放权后，虽尝到一定甜头，但也暴露出不少问题。特别是随着政府对企业监控相对削弱，有的企业厂长一个人说了算，使厂长责任制变成了厂长所有制，出现了不负责任地乱投资、乱借贷、乱发钱物的情况。相当一部分企业经营效益长期反映不实，财务开支失控，虚盈实亏，造成资产的大量损失，出现为数不少的一批空壳企业。据初步清查，市

属工业企业总资产72亿元，总负债达43亿元，净资产29亿元，资产负债率高达59.7%。在29亿元资产净值中，预计因虚盈实亏等因素造成经济包袱有10亿元，企业转制、兼并中需要安置职工和离退休人员要7亿~8亿元，最后可以继续营运的净资产预计只有11亿~12亿元，这些情况在镇办企业中，也十分尖锐地存在。而80年代中期以来，顺德乡镇企业每年以28%~30%的速度增长，但是利润却逐年下降，镇办工业的销售利润率由1985年的6.65%下降为1992年的3.32%。用顺德人的话说，是“瞩目的成就，惊人的包袱”。

在新的经济发展阶段下，需要进行体制的创新。1993年，国有顺德糖厂资不抵债，靠卖设备发工资，逼得由员工出资持股“租赁”经营，“企业转制”由此诞生。是年底，顺德市镇两级工业企业已有30%完成了转制①。

从1993下半年起，按照“产权明晰、责任明确、贴身经营、利益共享、风险共担”的目标，顺德全方位实行改革，在全国率先推行企业转制。首先，改革政府机构，撤销企业行政主管部门、市镇两级政府的公有资产管理机构，搞好改革试点，并相应制定关于资产评估、产权界定、财务处理、社会保障、监督保证和社会服务等一系列改革和规则以及组织准备。市、镇两级分别成立“转制”领导小组和市投资控股总公司（下设工、商、建、农四个分公司）、镇投资控股公司，前者是行政领导机构，后者为公有资产的代理主体，具体组织实施产权改革和公有资产产权的经营管理以及资金准备。为使产权制度改革平稳过渡，市政府准备了一定数额的应急资金，为职工退休、遣散、医疗等方面提供保障。

企业转制实行分类指导，区别对待方法，由点到面逐步放开，做到“抓一块、转一块、放一块”，即抓住高科技企业、规模企业、垄断性企业和公共产品企业，实行公有资产控股（其公有资产比例从50%到100%不等）；转换一般竞争性企业，实行公私合

① 周其：《可惜了，科龙》，《经济观察报》2005年8月10日。

营、公有民营、股份合作制等；放掉扭亏无望、资不抵债的企业，实行拍卖、破产清算等。

在转制过程中，企业将初步确定的改革实施方案张榜公布、广泛听取意见，实行公平竞争，选定竞争优胜者作为企业新的经营者，签订合同，制定公司章程，在此基础上由新经营者制定企业内部改革方案和实施办法。

为了与企业体制改革相适应，地方政府还实施了配套改革，进行人事劳动用工制度、社会保障和福利制度以及债权债务的清偿与处理等财务问题的改革，以保证整个改革的顺利进行。顺德市对财务处理，采取区别对待，除部分呆账、坏账等不良债务进行“停息挂账”外，其余分别按不同情况，采取即时还债、新经营者负责还债，或分期分批还债等办法妥善处理。在职工社会保障方面，1994 年以来在镇以上企业全面推行养老保险和统筹住院医疗保险。到 1997 年 6 月底，全市镇以上企业参加养老保险的就有近 2000 家，参保员工近 14.4 万人。农村有 221 个管理区约 3000 名基层干部参加养老保险，141 个管理区 3797 户、6465 人参加“纯女户”养老保险。社会上有 14029 人参加商业养老保险。全市有 16.7 万人参加了养老保险。从 1994 年 7 月—1997 年 6 月止，全市参加集资医疗保健人数为 83.78 万人，占人口总数的 81.7%。通过上述措施，有效维护和保障了广大职工的养老和医疗福利，初步实现了职工养老和医疗福利社会化，从而稳定了职工情绪和社会的安定团结局面。

在以上准备工作搭建的良好基础上，顺德市按照优化产业结构、盘活资产存量的要求，根据不同情况，选择多种形式进行转制，主要形式有：①对政府独资的企业进行公司化改造，建立规范化的政府全资企业或公股控股的混合型企业。至 1997 年 8 月，这类企业有 168 家。②组建规范化的股份有限公司。把列入省股份制改造试点的企业进行公司化改造成为混合持股的股份有限公司，或争取在国内外上市组建成上市公司，如“美的”、“万家乐”、“科龙”等公司。③建立中外合资合作有限责任公司。进一步理顺中外合资合作企业产权关系，或把原来政府独资企业通过出让部分股份给国外有实力的公司、财团，从而建立中外合资合作有限责任公司，引进资金、技术和市场。④将一部分股权转让给企业员工，另一部分租赁给员工经营。把设备、技术专利和成品、半成品、原材料等作价转让给企业员工，把土地使用权、厂房等公有资产租赁给企业员工经营。这是一种较为普遍采用的形式，占转制企业总数的1/3以上。⑤全部资产作价转让给员工，转为新的股份合作制企业。⑥实行民有民营，通过拍卖，收回原来投资。对亏损、微利或经营无望的小型企业实行破产、公开拍卖，转为民有民营或私有私营。

到1994年底，顺德已在占全市市镇两级公有制企业的88.3%的企业内基本完成转制。转制后，政府控股企业48家，政府参股（未达到控股）企业21家，政府不参股经营，靠租赁物业收取租金的企业331家，企业全体或大多数员工集体持股的集体企业235家，企业经营者（包括少数员工）持股的企业249家，已停产或被兼并企业23家。

转制后上述企业总的资产结构是：市、镇两级的公有产权占61.2%，市外内联公有产权占1.2%，个人私有资本产权占22.6%，国外资本产权占15%，合计公有产权与私有产权的比例为62.4∶37.6，公有产权仍居主体地位。而为了确保公有资产保值增值，壮大公有经济的力量，顺德市政府同时设立了公有资产管理委员会和若干资产经营公司（投资管理公司），分别负责公有资产的统筹管理和经营性资产的运营，进一步实现政资职能的分离。

产权制度改革，初步实现了政企分开，重构了高效运行的微观经济基础，从整体上搞活公有经济；初步建立了现代企业制度，塑造起市场经济的主体，改变了单一投资主体，并使企业行为发生变化。产权改革解放了生产力。据不完全统计，1996年全市转制工业企业产值比1992年增长1.03倍，职工人均收入增长了80%。1994—1996年，全市实际利用外资10亿美元，是过去10多年引进外资的2倍，出现了近50家国际知名大企业来投资合作，有效促

进了地方经济的开发转型。1996年全市国内生产总值、工农业总产值比转制前的1992年均增长了1.7倍，财政收入增长2.3倍。

（三）21世纪：政府服务企业，打造顺德地区品牌

顺德在产权制度改革以后，政府不再与民争利，已经全面退出了市场，不再直接干预企业的经营管理，也不再投资兴办竞争性企业。2005年，顺德地方经济的旗帜科龙电器被证监会立案调查公告，顺德区委和区政府即作出了不评论、不干预的决定[①]，可见政府退出市场的决绝。政府官员再不用为企业上哪个项目操心，也不用为产品找市场、搞推销忧愁，而是在交通、通信、能源等基础设施建设方面加大投入，改善投资环境。

产业升级主要依靠的是技术创新，而政府主导的组织推动和政策支持是顺德市技术创新的重要因素，成立区、镇、企业三级技术创新机制，以重点企业和区域试点带动，加强以企业为主体的技术创新工作，积极建立人才引进机制，并于2001年成立中国工程院（顺德）院士咨询活动中心，共同探索工程科技与地区经济紧密结合的机制和模式[②]，对当地企业起到了较好的带动创新作用。

四、南海：六个轮子一起转

南海位于珠三角北端，多属冲积平原，地势平坦，境内沃野平旷，河网纵横，气候温和，雨量充沛，环境得天独厚，素有“鱼米之乡”的美誉。

改革开放前，南海主要是为城市大工业配套的协作性工业以及为地方服务的支农工业和副食品加工工业，规模很小。到1978年，南海的国内生产总值仅为3.93亿元，农民人均纯收入仅187元[③]，

① 科龙被证监会立案调查地方政府不会“拯救”科龙，《上海证券报》2005年7月1日。

② 中国工程院（顺德）院士咨询活动中心简介，顺德经贸网，2006年6月1日。

③ 数据来源：《广东省统计年鉴》。

发展较缓慢。

自中共十一届三中全会召开以来，南海开始进入一个高速发展期，经济发展和社会各项建设都有了长足的发展。1998年，南海市的国内生产总值已达282.54亿元（当年价），工农业总产值569.08亿元，三级财政收入34.86亿元[①]，分别比1978年增长了25.6倍、45倍和46.1倍（按可比口径计算），年均增长率分别为17.8%、21.1%和21.2%，南海市成为珠三角地区发展较好的县市之一，与东莞、顺德、中山一起，被誉为广东“四小虎”，发展到2007年，南海的国内生产总值已经高达1231亿元[②]。

南海发展模式就是中小企业快速发展和私营经济不断壮大，形成了以非公有制的经济为主体、中小产业集群为组织形式的格局，这与顺德大力发展规模公有制企业的战略有所不同，中小型非公有制经济是南海经济发展的主要载体和动力。这里主要从发展的路径探索和产权制度改革两个方面考察南海发展过程中主要进行的制度创新。

第一，面对改革开放的机遇，南海县政府发现本地并没有发展优势和明显的发展路径，在1978年，南海县全县工农业总产值中，农业产值的比重高达44.4%[③]，工业产值主要来源于县及公社的国营集体企业。因此，采用的是全民动员的方式，把发展经济的权利下放到了各个基层，甚至个人，提出来“三大产业齐发展，六个层次一齐上”和“一手抓粮、一手抓钱、放开手脚、大力发展社队企业”的方针，以及“以县办为龙头、镇办为主体、村办为支柱、个体联合体为补充”的南海工业发展思路，并对非公有制经济实行“政治上鼓励、政策上扶持、方向上引导、法律上保护”的措施。

这些政策和措施实际上调动各层次办企业的积极性，乡镇和社

① 数据来源：《广东省统计年鉴》。
② 数据来源：《佛山市统计年鉴》。
③ 数据来源：《广东省统计年鉴》。

队企业以“小五金”为起点，逐步形成特色产业，如南庄的陶瓷、大沥的有色金属加工、平洲的制鞋、里水的袜业、九江的制衣等，而西樵更是形成千家厂、万家店、万台机、亿米布、10亿元产值的规模，建成了当时全国最大规模的化纤布匹市场。

同时，南海政府积极支持非公有制企业组建民企工会，保护企业的合法权益，保障了其更快更好的发展。在政策的保障下，南海的非公有制经济得到了更好的发展。1988年，全市个体私营企业迅速由1983年的5813家增加至2.6万家，产值更是从1983年的2705万元增长到7亿元；而1990年南海县各层次工业产值比重为县属占35.1%、镇属占26%、村办占29%、联户占3.4%、个体占6.5%。由此可见，非公有制经济在改革开放初期的南海经济发展中起到非常重要的作用。

第二，产权制度改革是南海进一步发展的动力，南海地方政府认识到农村发展的根本性资源——土地的重要性。在农村，把股份制引入到土地制度改革上来，探索并推行了以土地经营权为中心的股份合作制，农民对土地的承包从原来的实物形态变为价值形态，实现了土地的“三权分离”（所有权、承包权、经营权），大部分地区实施了“三区规划”（农业保护区、经济开发区、群众商住区）①，调整了农村的生产和分配关系，促进了农村生产力的发展。对乡镇、管理区的集体企业，按照产权明晰、权责明确、政企分开、管理科学的要求，采用有限公司制、股份合作制，以及产权转让、拍卖、租赁等方式，全面转换经营机制；对原有的挂靠集体企业，全部实行脱钩。

值得特别提到的是，通过股份制对农村土地制度进行改革是一个十分大胆的创新，这个方法直接推动了农村土地资本化的过程，摆脱农民与土地的直接经济联系，逐步把农民从土地上真正解放出来。21世纪后，在珠江三角洲普遍推行的农村“股份固化”制度就是源于南海的这项改革。

---

① 中国乡村网：南海市农村股份合作制改革试验研究报告。

五、中山：以市属企业为起点的增长

和珠江三角洲其他地区一样，中山在改革开放前也是以农业经济为主。1979年，中山5亿元的国内生产总值中，以农业为主的第一产业总值就占了55%，第二产业总值仅占38%，全市工业的产业结构中，也以支农型产业为主，其中蔗糖工业是产值最大的工业行业①。

面对1979年的改革开放，中山同样从“三来一补”企业起步，通过不同形式发展市、镇、村三级工业，但政府在发展战略的选择上却有所不同，下文将从中山经济发展的历程，考察政府经济政策的演变。

改革开放后，中山地方政府选择了与支农产品相近的日用消费品为主要产品结构，通过扶持市属工业主体，采取“集中生产”的方式，把产业发展的主要方向放在国内几乎空白的行业，形成行业发展的集中地。在市政府有意识地扶植下，到1986年，中山市新开发产品已达600多个，其中有14个填补了国家空白，21个填补了省内空白。其中较有代表性的名牌大宗产品，如威力牌洗衣机、各种风扇、微型电机、镀锌钢管、菊花牌彩色玻璃马赛克、仙鱼牌彩色釉面砖、铁城牌水磨石、各种精细化工气雾剂等②，突破了工业化前期的壁垒，实现了行业的“异军突起”，从而也带动着中山整个工业的发展，这是改革开放初至90年代中期中山市工业经济的特色。1987年，在中山市工业总产值中，市属工业所占比重高达50%左右，市属工业的特点是以高新技术产业为龙头，以优质产品为拳头。

随着改革开放和有计划商品经济的发展，1987年，中山市委、市政府加强了对乡镇企业的引导与扶持，积极提出发展和完善企业

① 中国海洋信息网。

② 同上。

集团，促使市属工业向规模经济发展，并提出“既要大力发展具有‘船小好调头’优点的小型企业，也要积极组建具有船大抗风浪的优势企业集团”。

随后而来的1989年，中山市属工业即组建成包括威力洗衣机、千叶电风扇、菊花牌玻璃马赛克等企业集团在内的12个较为完善的企业集团，在这12个企业集团组成的“中山舰队”的带领下，中山的国有企业发展很快，“中山货”一时间铺满国内外市场，中山与南海、顺德、东莞一起并称为广东“四小虎”。

20世纪90年代中期开始，随着全国经济的宏观调控，市属企业与乡镇企业的“地盘”逐渐收缩，中山市经济发展开始进入了一个改革“阵痛期”，市属企业的体制改革摆在市政府的面前。1995年，中山市经委系统就通过招商引资及易地改造、抵押承包、股份合作、横向联系、兼并收购等各种形式，为企业进行机制转换，盘活并吸纳大量资金，力争为市属工业企业注入新鲜血液。但这种改革并没有摆脱政府参与市场竞争的产权格局，到90年代末，市属企业的改革最终还是走到了政府退出的产权制度改革。

经过改革，中山市属公有企业实现了产权转让或重组，所有制结构得到调整，多元市场主体得以确立，资源得到优化配置，外资企业和民营企业发展空间扩大，同时促使中山市经济实现了产权多元化、投资主体多元化、产业结构多元化、管理手段多元化，有力地促进了中山市经济和社会的协调发展。1999年中山市工业总产值为664.89亿元，国内生产总值为272.68亿元，外贸出口28.21亿美元，地方财政收入14.8亿元。[①] 中山在广东省21个地级市排名中首次上升到第一梯队，成为珠江三角洲核心经济圈的重要组成部分，成为珠江口西岸的领军城市。

进入21世纪以后，中山提出加快工业园区建设，促进工业进园进区，高起点整合建设工业园区[②]。在政府政策的有力指引下，

① 数据来源：《中山市统计年鉴》。

② 《关于加快工业园区建设的意见》，《中山日报》2003年8月18日。

中山市培育了一批具有鲜明产业特色的产业园区，并以一镇一品为特色培育了一批特色专业镇，产业集群蓬勃发展。不仅拥有国家高新技术产业基地、中国电子（中山）基地、中国纺织产业基地、中国五金制品产业基地、中国灯饰之都、国家健康科技产业基地、中国休闲服装名镇、中国红木家具生产专业镇、中国电子音响行业产业基地、中国家电产业基地、国家火炬中山（临海）装备制造产业基地、中国绿色健康食品产业基地等20个国家级产业基地①，而且有小榄、南头、古镇、沙溪、东凤、黄圃、大涌、民众、东升、板芙等10个省级技术创新专业镇②，产业集群不断壮大，特色产业发展迅速。

六、理论分析

珠江三角洲经济增长的过程，就是制度变迁的过程，是中央扶持的，由地方政府不断实践的一个诱致性变迁过程，在这个过程中，地方政府的积极性得到最大的发挥，并通过不断的学习以及与地方实际的结合实现了制度的创新，建立了与地方特色相适应的经济发展模式和制度，并得到中央政府的肯定与推广。

从新制度经济学的分析视角看，诱致性制度变迁是由个人或一群人，在响应获利机会时自发倡导、组织和实行的制度安排的过程。但珠江三角洲的经济制度变迁与新制度经济学的诱致性制度变迁有一个很大的不同，就是制度供给者并没有给出可供选择的制度选择集合，而是给出了一个可供实践的边界，在这个边界内任何一个制度创新都是对原有体制的突破，一旦获得成功，就会得到中央政府——制度提供者的认可，并被正式确定下来，进而推广。

---

① 《壮大产业集群　发展会展经济注入文化因子》，《中山日报》2008年3月28日。

② 中国中山2006年政府工作报告，中山政府门户网站。

（一）中央政府：改革开放制度集合的提供者

中央政府历来是我国制度的供应主体，在计划经济时期，珠江三角洲一直作为国防的前沿，经济发展主要是以农业和轻工产品为主，不是计划下的国家投资的重点地区，当时国家发展战略贯穿在每一个五年计划下，在这种制度安排下，珠江三角洲的地方政府的主要任务是维持当地的社会经济的稳定。在这个时期，制度供给的主体是中央，地方政府在中央的制度安排下进行工作。

1978 年改革开放的第一步是农村体制的改革，家庭联产承包制所带来的农村经济的快速恢复和发展，无疑给中央发展经济提供了一个完全不同于计划经济的制度供给模式。就是所谓的“试点”和“承包”思路，即给出一个风险较小的区域，确定经济发展目标，下放权利，调动经济主体的积极性。这一点很重要，中央政府给出的并不是具体的制度选择集合，而是一个选择的政策边界。

在这种思路下的中央供给模式就是确定“边界”。“边界”的内容有三：其一，是空间边界，即需要划定一定的行政区范围，作为试点，明确经济发展的主体和政策可能影响的范围，中央选择了广东省，这样就有了广东改革开放“先行一步”的优势。

其二，是经济发展的目标边界，由于没有可以参照的经验，供给主体并没有给出具体的制度安排，但给出了“试验”地区的发展目标，就是大力发展地方经济，让一部分人先富起来。

其三，是经济发展主体的责任边界，即保留外资大型项目的审批权和实施地方财政大包干，确保中央对地方的“底线”控制。

当这三个边界确定以后，中央开始在这个边界范围内进行“放权”，以发挥地方政府的积极性，包括扩大地方在经济计划制定中的主动权，下放对外经济贸易、物价、劳动、工资、金融、物质等方面的许可权，以及增加市场调节程度等①。

---

① 具体见 1979 年 7 月 15 日中共中央国务院下发的关于广东福建两省对外经济活动实行特殊政策和灵活措施的文件。

尽管1979年的特区政策边界只是涉及深圳、珠海，但对珠江三角洲而言，特区的设立实际上给出了一个信号，预示着制度变化的一个方向，珠江三角洲的地方政府开始了新的经济发展的尝试，这种努力在1985年被中央政府以设立“珠江三角洲经济开放区”的形式进行肯定以后，地方政府的积极性开始真正的得以发挥。

（二）地方政府：诱致性制度变迁的主体

改革开放是一个制度变迁的过程，制度变迁按照主体的不同，可以把制度变迁划分为强制性制度变迁和诱致性制度变迁两种方式。制度经济学认为，强制性制度变迁的主体是国家，是一个自上而下的过程；而诱致性制度变迁的是个人或某个集体，在制度不均衡状态下，自发倡导、组织和实行的对现行制度的变更、替代或创新，它取决于制度变迁主体的预期收益和费用，是一个自下而上的过程。

地方政府是如何成为制度变迁的主体的呢？从中央到地方的“放权”是关键。设立经济特区就是广东省政府要求中央“放权”的结果。习仲勋曾回忆到，“1979年4月的中央工作会议上，直接向中央提出，希望中央给一点权，让广东能够充分利用自己有利的条件在四个现代化中先行一步，然后，中央派出谷牧领导一个工作组来到广东，并帮助省委起草一份文件，这就是7月下发的这个文件”。

在中央放权以后，广东省政府对发展经济的路径也是不清晰的，典型的例子就是省委、省政府坚持“三个一起上，即国家集体个人一起上，第一二三产业一起上，大中小企业一起上，乡村联户家庭企业一起上”，也就是动员一切力量发展经济。同样，省政府仍然是通过制定政策边界，向下一级政府层层“放权”来实现激励各级地方政府的积极性。通过放权，让地方政府有充分的积极性打破条条和框框进行创新。前广东省委任仲夷在80年代初一段指示就能很好的说明这点，“在不违背中共的路线下，有三种情况可以变通：（1）政策规定有许多条，为了办成于国于民都有利的

事情，要多方面查阅各种规定，这一条不行就用那一条，要积极地找到根据把事情办好，而不要到处找根据去卡，使好事多磨；（2）政策规定本身有幅度，允许灵活的，则应向有利于生产发展和搞活经济的方向去理解，灵活执行，而不应该相反；（3）确实利国利民的改革。如果从现有文件中找不到根据，而可以试点，在试点中允许突破现有规定”。

实际上，在制度边界内，地方政府已经成为改革开放的具体探索者和实际经济建设的推动者的重要角色，可以“不唯上，不唯书，只唯实”，上级政府的角色和责任更多的是“及时总结发现，及时加以总结提高，然后再在面上推广”，而这种自下而上进行实践，又自上而下进行肯定，正是诱致性制度变迁的特征之一。

广东省的“放权”存在三个层次，就是省对地市放权，地市对县放权，县（市）对乡镇放权。所谓“放权”就是使地方政府有更多的自主权，其中，提升地方行政级别就是上级政府“放权”最为直接和最小成本的方法。1985 年国务院决定开放珠江三角洲以后，省政府通过行政区划调整，增加了东莞市和中山市两个县级市。县改市以后，地方政府可以获得比县更大的自主权，比如说更多的周转金，可观的城市建设费用，政府工作人员增加了工资和补贴，还可以绕过地区向省争取更多的资金、专案，实际上减少管理上的约束，设市以后，政府在税收、海关、结算、检疫、土地使用上享有一些县没有的优惠政策，有利于吸引外资。实际上，珠江三角洲的地方政府一直在谋求提高行政区划的级别，东莞、中山在 80 年代末升格为地级市，进一步获得了更大自主权，但在 90 年代中期，经济实力越来越强的顺德市和南海市也想谋求升格地级市，却没有获得成功，这更多的涉及经济发展过程中各种利益的分配问题。

通过“放权”，政府成为地区经济发展的主体。政府主导型经济成为珠三角经济的一大创举，即地方政府借助行政、经济的力量，调动行政区域的人力物力、财力，根据经济发展目标兴办经济实体，具体表现为一个地方政府充当地方经济的决策者，通过自身的力量，部分的配置社会资源，决定资金的投向。

在广东“放权”是从省—市—县—镇—村层层展开，一直深入到最基层。省政府对市的“放权”，使市政府是重大活动的主要参与者、组织者和决策者，使市政府成为风险投资的主体，是地区基础设施建设和企业资金获得的重要保证。

在市（县）对乡镇的放权以后，乡镇一级政府在乡镇企业发展中起了重要的作用。首先是乡镇企业的主要领导人由当地党政部门确定，并对乡镇企业实施“放水养鱼”，也就是在财政上给乡镇企业更多的激励，使企业的利益和管理者的利益与县政府的利益密切地结合起来；其次是乡镇政府直接指导和监督企业的发展方向；再次是乡镇政府确定乡镇企业的分配制度。实际上，从企业产权来看，乡镇政府是乡镇企业的主体，乡镇企业为乡镇政府带来的财政收入是乡镇一级政府发展地方经济的主要来源和动力。由于乡镇一级政府是分布广泛、数量最多的一级政府，乡镇政府发展经济的高度积极性，最终导致了珠江三角洲各地经济的快速发展。

以村集体成为经济发展的主体是珠江三角洲制度变迁的重要特点，“村村点火、户户冒烟”是对珠江三角洲经济发展遍地开花的典型描写，也说明广东“放权”的彻底性，导致广东的各级地方政府甚至村集体组织都成为经济发展的主体，并促进制度变迁的进程。

（三）学习和结合本地实际：制度变迁的路径与起点

制度变迁的过程就是创新的过程，珠江三角洲各级政府面对发展的压力与机遇，总是在不断的突破原有的经济制度体系，一旦这种创新被实践认为是正确的，就会被上级政府固定下来，并被广泛的应用到全国各地的发展之中。

政府的体制创新涉及招商引资、工资体制、流通领域以及金融等领域。以融资模式为例，为了应付资金短缺，拓宽融资渠道，地方政府创造了多种模式。（1）通过“以桥养桥，以路养路，以电养电”建设了一批交通、能源、通讯项目；（2）政府担保，发行地方债券，如1983年佛山信托投资公司以13～15厘的利率发行地

方债券，集资3000万元，新建佛山大桥，结果三年便还清，这是珠三角地方政府第一笔负债建设项目；（3）向省外拆解；（4）政府担保，成立地方金融机构，广东1984年成立一个以用活地方财政为主，同时多渠道筹集资金，发挥财政信用、银行信用两种职能的地方金融机构——广东财务发展公司，1990年改名为广东粤财信托投资公司。这些方法解决了部分发展资金，更为重要的是促进中国企业在管理、会计、财务、法规等的改革。

另外一个典型的案例就是开发模式。为了激励投资商大量投资，政府提出了连片开发的模式，形成许多乡镇鞋城、钟表城、包袋城、玩具城、纺织城、电子城等专业化生产加工的乡镇；为了搞活流通渠道，利用当时的价格“双轨”制度与接近海外市场的优势，大力发展专业市场，至今还具有全国意义的市场有：西樵镇布匹市场、大沥有色金属市场、顺德乐从家具市场等。

在没有经验情况下，当珠江三角洲的各地方政府获得更多的发展权的时候，如何发展的办法却是十分模糊的。那么，他们是如何进行实现不断创新，实现制度变迁的呢？模仿与学习以及从本地实际情况出发是制度变迁的两个基本的路径。

从现代经济增长理论看，学习是发展中国家与地区实现有效的制度创新的重要方法。在珠江三角洲，各级政府向香港学习、相互学习以及向企业学习成为寻找发展途径、实现制度创新的主要途径。

在发展制度变迁过程中，政府不是一挥而就的，而是通过不断的学习不断实现制度的创新，提高本地的经济水平。推动地方政府的学习有两种力量，第一种是上级政府权力下放以后，对本地官员的绩效考核的激励，这种激励从市县一级政府一直到乡镇政府和村一级组织，现在的研究表明，对官员的晋升是推动地方政府积极发展经济的激励[①]；第二种力量是地方政府之间的竞争，由于制度创

① 现在的研究认为在我国，政治晋升博弈为地方官员发展当地经济提供了激励（周黎安，2005；Li et al，2005）；在这种政绩观下，地方官员为再增长而竞争（张军，2005），并且这是地方官员理性的选择（徐现祥等，2007）。

新具有很大的外部性，某个政府的一个创新很容易被其他地方政府学到，而这种学习的动力，就是在改革开放以后，各个地方政府都被纳入到全球化的竞争中去，这种竞争会促使政府之间学习最终达到某一个区域制度的均质化。也就是说，一种创新的制度会很快地得到传播，并迅速地转化为生产力。

从学习的对象来看，地方政府对外主要是向香港学习，学习香港的市场化的管理经验，对内主要是向外来投资的企业学习，建立适合企业需求的投资环境，还有就是政府和政府之间的学习，成功经验的快速传播是珠江三角洲共同成长的秘诀。

政府的学习是一个循环的过程。从政府培育城镇竞争力的努力中，可以清晰地看到这种学习循环的过程。

在全球化的背景下，各级城镇面临竞争的压力，如何提高城镇吸引投资的能力，是政府制度创新的关键，其中提高基础设施和专业化生产集群的培养是两个重要的手段，而这种手段的形成是通过五个阶段的学习而实现。

阶段一：改革开放以后，区域的初始禀赋条件，如土地资源丰富、劳动力价格较低等，吸引了劳动密集型的外商直接投资。由于成本大大降低，外商很快就获得收益，对其他企业和城镇起了一个示范的作用。

阶段二：由于示范作用带动了外商直接投资的持续进入，同时也为当地政府和企业带来了学习的机会。外商在投资的时候需要和当地政府进行谈判，这使得政府有机会从外商中了解本地比较优势的所在和外商的需求，政府通过进一步的基础设施建设充分使本地比较优势得以实现。在这种情况下，劳动密集型的产业向城镇集中，形成产业集聚的雏形。

阶段三：在我国投资稀缺的情况下，各城镇之间存在着吸引外商直接投资的竞争，另一方面，我国以城镇政府为单位的行政管理体制，加大了政府吸引外资的激励机制。区域内城镇之间的竞争加剧。同时外商企业之间的产业网络开始形成，专业化的厂商开始出现。在这种背景下，政府为进一步吸引外商直接投资，开始对本地

在吸引外商直接投资中的特色条件进行重新认识，出现了静态比较优势向动态比较优势的转化。

阶段四：外商以产业网络为基础的集聚是市场选择的结果，当地政府在发现产业集聚对经济增长的促进作用时，开始把形成具有特色的产业集聚作为城镇竞争力的核心，在招商引资的时候，以已经具有的产业集聚为雏形，进行宣传，并制定对相关产业的优惠条件，形成以特色产业为起点的路径依赖；同时本地企业在向外商学习过程中，逐渐融入到外商的产业网络中去，带动了本地民营企业的发展。在这种情况下，特色产业不断向城镇集聚。由于各城镇初始集聚的产业类型存在差异，城镇的历史条件和社会网络也存在差异，这必然会导致各城镇对不同类型产业集聚路径的选择，城镇发展出现差异化的竞争。

阶段五：城镇差异化竞争的结果使各城镇政府认识到产业集群在城镇竞争中的作用。政府以产业集聚为目标，不断挖掘促进产业集聚的投资环境，包括基础设施、历史文化、社会资本网络、生态环境等等，并制定各种政策为企业解决人才问题、流通问题、创新环境等问题，社会基础设施得到不断的完善，在这种条件下，产业集群规模增加，产业结构出现升级，城镇竞争力得到提高。该过程的实质是使各城镇形成新的比较优势，改变了原来区域比较优势均质化的现象，

从分权的理论看，权力下放的好处实质是地方政府具有信息上的优势，由于地方政府对本地的情况和偏好具有更加完备的信息，因此，可以做出更加适合本地发展的决策，珠江三角洲不同城市具有不同的发展轨迹和模式就是制度变迁中路径依赖的很好例证。东莞模式是典型的外向型发展模式。东莞利用临近香港的区位优势，通过发展“三来一补”经济，大力改善基础设施，“以商招商”，吸引了香港众多的中小企业，进而崛起为新的电子通讯设备制造的世界工厂。顺德通过实行“公有制经济为主、工业为主和大型骨干企业为主”的发展战略，在原有县属国有企业和社队企业基础上，采用负债经营的方式“借鸡生蛋”，带来民营经济的快速发

展，进而使顺德成为全国家电制造基地。中山模式则以混合经济为基础，推进乡镇企业和外资共同发展。南海则通过中小企业快速发展和私营经济不断壮大，“六个轮子一起转”，扶持非公有制经济发展。

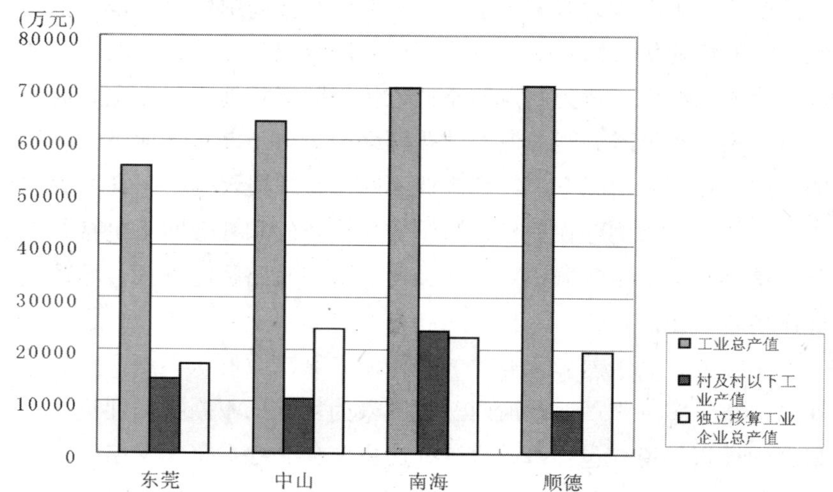

图2－1　1980年广东“四小虎”工业总产值及构成

资料来源：珠江三角洲国民经济统计资料（1980—1991）。

这四种不同模式的产生与这四个城市初始禀赋条件以及地方政府选择是密切相关的。如图2－1所示，在1980年，东莞的工业总产值在这四个城市中最低，而中山、南海、顺德的工业产业则较为接近，因此，东莞在日后的发展中摆脱原有基础，发展的是外向型经济；中山、南海、顺德的独立核算工业企业的总产值大致相当，这奠定了他们发展乡镇企业的基础；就南海而言，村及村以下工业的总产值与独立核算工业企业总产值大致相当，这与南海“六个轮子一起转”的模式密切相关。

七、小　结

改革开放30年，珠江三角洲创造了“经济增长的奇迹”，这个奇迹产生的过程，就是一个自下而上的制度变迁过程，是由中央扶持的，地方政府在实践中不断创新的诱致性变迁。具体而言，中央政府在改革开放初期，为珠江三角洲的经济体制改革提供了政策边界，包括政策的空间边界、政策的目标边界、政策的责任边界，并通过层层放权，促使各级政府成为他们所管理区域经济发展的主体。在这种情况下，地方政府的积极性得到最大的发挥，并通过不断的学习以及与地方实际的结合实现了制度的创新，建立了与地方特色相适应的经济发展模式和制度，并得到中央政府的肯定与推广。

制度变迁与地方政府的积极性密不可分，地方政府通过向香港学习、向企业学习以及相互的学习，结合本地的实际发展条件，形成了不同的增长模式。东莞是外商直接投资为主导、中山是市属企业为主导、顺德是乡镇企业为主导而南海是“六个轮子一起转”。这四个城市是珠江三角洲经济增长的典型代表，被誉为广东“四小虎”，与亚洲“四小龙”齐名。

重要事件：1978—2008

- 1985年1月25日，广东省省长梁灵光向国务院汇报提出了珠江三角洲经济开放区的设想意见，1985年11月21日，国务院批准该建议，成立珠江三角洲经济区。
- 1985年4月，广东省政府颁发《关于我省财政管理体制改革实施方案》，根据不同情况，各地市采取不同的包干办法。
- 1987年10月中共广东省委、省政府向中共中央、国务院保送《关于调整我省部分行政区划全部实现市领导县体制的请示》。
- 1985年9月，东莞撤县建市，1988年1月升格为地级市，辖32

个镇区，546个村委会、132个居委会。

- 1992年3月26日，国务院批准撤销顺德县，设立顺德市；1992年9月，南海撤县设市。
- 1994年1月15日，珠江三角洲经济区规划协调领导小组成立，1994年10月8日，广东省委在七届三次全会上提出建设珠江三角洲经济区，珠江三角洲由珠江沿岸广州、深圳、佛山、珠海、东莞、中山、惠州、江门、肇庆9个城市组成。
- 1990年广东省政府组织编制《珠江三角洲城镇体系规划1991—2010》，2003年底，省委、省政府与建设部联合开展“珠江三角洲城镇群协调发展”研究和规划编制工作，经过反复论证和修改，《珠江三角洲城镇群协调发展规划（2004—2020）》于2004年12月经省政府常务会议审议通过。
- 2002年12月8日，国务院批准调整佛山市行政区划，主要是撤销县级南海市，设立佛山市南海区，撤销县级顺德市，设立佛山市顺德区，撤销县级三水市，设立佛山市三水区，撤销县级高明市，设立佛山市高明区。以原县级高明市的行政区域为高明区的行政区域。

第三章
广州：省会城市的经济重建

从标致到广本：广州汽车工业的重建

【烂摊子上“明星轿车企业”】①

1997年公司成立之初，预期2005年销量为5万辆，而当年实际销量则为23万辆，2007年3月实现累计销售100万辆。仅从简单的数字看，恐怕没有人相信这是一个轿车企业创造的奇迹。它就是广州本田，一个从满目疮痍的烂摊子上发展起来的合资企业。雅阁、奥德赛、飞度和思迪都是国内细分市场数一数二的知名品牌。

与20世纪末各企业争上10万辆以上的项目不同，广州本田似乎是一个另类，坚持小投入，快产出，滚动发展。而这个“另类”恰恰成了许多企业后来想效仿的对象。如今的广州本田，已是拥有两个工厂、36万辆产能的顶级汽车企业。

如今，当各大企业纷纷扩大产能，加快引进外方新车型的时候，作为合资公司的广州本田已将自主研发、拥有自主知识产权的自主品牌轿车计划列入议程，这将是一条完全不同于国内汽车企业所有自主模式的发展道路。

【奇迹崛起背后的故事】

“当我亲眼目睹广州本田第100万辆轿车下线的时候，真是百

① 摘自陈韩晖、谢思佳等：《“广货”变迁见证产业升级 服务业制造业“双轮驱动”》，《南方日报》2007年4月4日。

感交集。广州本田成立之初，外界几乎没人相信这个项目会成功。广州本田的前身广州标致经过10多年的努力，结果却是累计亏损达29亿元，资产则仅为28亿元。法国标致最后以一法郎价格转让全部股份，撤出广标。就是在这样的基础上，广州本田结出了累计100万辆销量的里程碑式硕果。”一位历经广州标致和广州本田两代发展史的广汽老员工在2007年3月看到广州本田第100万辆轿车下线的时候感慨万千。

标致的失败曾经使广州的汽车工业进退两难，但广州市政府决定“在哪里跌倒就在哪里爬起来”。结果广州本田用国内汽车业的许多个第一，来回答当时的怀疑目光。建立国内第一家4S店、第一个引进与国际同步车型、第一个实现日产1000辆轿车、第一个建立污水零排放工厂……

【故事背后的产业提升】

继本田在广州成功之后，先有日产落户花都，后有丰田南沙建厂。有了广州本田、东风日产和广州丰田三大整车合资企业，广东逐渐形成了以整车为龙头，带动零配件“龙身”，进入产业链上游的材料工业，最终让“龙头”、“龙尾”一起摆，使广东汽车工业产业水平得到提升。

如今，三大整车的轿车产量与产能都居全国前列。广东已成为全国重要的轿车生产基地。

一、引　言

秦始皇三十三年（公元前214年），秦国平定岭南，南海尉任嚣在这里修筑番禺城（俗称“任嚣城”），成为广州信史记载的建城之始，距今已有2222年。自秦时期建城以来，广州一直都是稳定的地区行政中心，历代的郡治、州治、府治和省治都设置于此，是我国历史上少有的2000多年位置不移的大城市。

特别值得一提的是，广州因其独具优势的地理区位，对外贸易长盛不衰，自秦汉至明清2000多年间，一直是中国对外贸易的重

要港口城市。汉代时，中国船队从广州出发，已远航至东南亚和南亚诸国；唐宋时期，广州已发展成为世界著名的东方大港，还首次设立全国第一个管理外贸的机构，委任市舶使；明清时期，广州更是特殊开放的口岸，曾在一段较长时间内作为全国唯一的对外贸易港口城市。在鸦片战争前的许多时候，广州都是我国唯一的对外贸易港口，是华南地区最兴盛的商业大城市①。

广州历史上形成的经久不衰的商业大城市地位在新中国成立后有所改变。在计划经济时代，广州城市发展定位逐步被调整为工业城市，其目标是要建成华南的工业基地。在计划经济体制对资源配置的强力干预下，这一目标基本实现。1978 年，广州工农业总产值构成中，工业总产值比重已达到 90% 以上，占全省工业总产值的 36. 5%；在全市国内生产总值的构成中，工业增加值的比重也上升到 56. 5% 以上，工业已经发展成为广州经济的主要支柱。然而，尽管工业生产的发展速度很快，但从长远和全局的观点来看，由于忽视了城市基础设施和第三产业，影响了广州作为中心城市本应具有的综合功能，其中心地位反而变得不稳固了。事实上，随着改革开放后珠江三角洲新兴工业城市的崛起，广州工业总产值占全省份额很快就已经下降为不到1/4（左正，2003）。

改革开放 30 年，正是计划经济体制逐步被扬弃、同时是市场规律不断被重新认识、尊重并日益对资源调配起主导作用的时期。在此过程中，广州作为改革开放中先行一步的广东省省会城市，其产业结构在市场规律和政府规划的共同推动下不断调整，中心城市地位也在改革开放早期受到短暂冲击后逐步得到恢复和加强。本章拟回顾和分析改革开放 30 年中广州这一省会城市的经济重建过程，并从中试图总结出一些经验和启示。

本章第一部分将回顾广州经济改革的启动，第二部分重温广州经济改革的若干关键时期，第三部分介绍广州经济建设 30 年的成

---

① 此处的介绍主要根据广州市政府门户网站 www. gz. gov. cn 关于广州历史沿革的公开资料。

就，第四部分则着重总结广州经济建设30年的经验和启示，并对当前广州经济建设的若干问题进行讨论。

二、广州经济改革的启动①

1979年4月，时任广东省委第一书记的习仲勋同志在中央工作会议上提出广东进行改革开放的建议，得到了中央的同意，邓小平同志表态支持并要求广东“杀出一条血路来”，创造经验。1980年10月，中央决定调广东的习仲勋、杨尚昆同志回中央工作，由任仲夷、梁灵光同志接替他们的职务，任仲夷同志担任广东省委第一书记，梁灵光同志出任省委书记兼广州市委第一书记。当时，广州的工业总产值和财政收入均占全省的近一半，中央的文件也特别指出：抓好广州市也就等于抓好了整个广东的一半。可见中央和省委对广州寄予了厚望。

如果说改革开放初期，中央赋予的“特殊政策、灵活措施”，使广东得以在这一伟大实践中“先行一步”的话，那么作为广东的省会城市，广州则是率先利用党和国家给予的特殊政策和灵活措施，勇于实践，超前试验，抢喝“头啖汤”的领跑者。广州的改革开放不仅体现在忠实执行中央领导政策上，其关键还在于对人民生活、社会福利等具体措施的落实，在花大力气抓紧经济建设的同时，竭力直接改善人民群众生活。

改革开放初期，人民生活必需品供应紧张。人们上街购物，袋里要带20多种票证，粮、油、糖、鱼、肉、布凭证限量购买不用说，连肥皂、香烟、火柴等也要凭证。人们讽刺说：“广州人周身都是症（证）。”因为货源奇缺，市场里到处排“长龙”，而且往往不能兑现。当时，除了加快住宅建设、扩建供水设施、改善交通状

① 这一部分的介绍参考了傅高义（1991）、秦朔（1994）、陆路、李景强（1988），广州市委宣传部课题组（1998），廖惠霞、欧阳湘（1999），王永平（2000）、田炳信（2004），刘燚鸿、谢少聪（2007），黄齐锋（2008），高尚全（2008）等人的研究，为行文方便，文中不再一一指明出处。

况等外，广州市政府还具体执行了几项改革措施。

（一）放开物价

计划经济年代，农副产品实行统购统销，价格由国家制定，生产者既没有生产自主权，又没有销售自主权，同时价格受到严格限制，因而生产积极性受严重抑制，出现了“四季如春没菜吃，鱼米之乡无鱼吃”等怪事。1978 年底，广州在全省率先放开了部分水产品市场，并且建立了全国第一家鲜鱼交易市场——广州市河鲜货栈，迈开了农副产品开放的第一步，开全国价格改革和流通体制改革的先河。这一改革措施，为打破长期以来所有商品由政府指令性定价的局面迈出了大胆的一步。在此基础上，1979 年，中共广州市委明确提出“敞开城门、疏通渠道、改革购销体制、放活价格、货畅其流”的改革思路，从此各种商品的价格逐步放开，各种计划票证逐渐取消。1981 年，经过周密调查研究，广州决定率先放开鱼价。一时间，广州的草鱼从每市斤 1 元猛升至 4 元，引来怨声载道，压力骤起，当时的舆论都断言这个尝试是失败的。面对这种局面，当时的中共广东省委、广州市委坚信面临的困难只是短暂供求不平衡所致，坚持既定的改革方针，没有浅尝辄止。时任广州市负责人的叶选平讲了一句话，“闻涨弗忧，闻跌弗喜”，要求大家不要紧张。随着时间的推移，市场这只“看不见的手”很快就显示了威力。放开的鱼价迅速调动了农民养鱼的热情，半年后郊区的农民都挖鱼塘养鱼，当年冬天，广州市郊就增加了 3000 亩鱼塘。1982 年，广州农贸市场的塘鱼上市量就已经从 1979 年的 19 万担上升到 49 万担。由于供应充足和稳定，广州鱼价随之开始回落，不久就降回到老百姓可以接受的价位，而此时市场的繁荣已初步形成。电影《“雅马哈”鱼档》就忠实地反映了当年这段历史①。这

① 该影片由珠江电影制片厂于 1985 年推出，它是改革开放后国内第一部反映民营经济的电影，记录了广州个体户如何靠自己的双手走向富裕的细枝末节。该片开拓了国内反映个体经济、民营经济之类别电影的先河，被称为是“广东改革开放的第一张名片”。

项改革的成果非常显著，三年后，在全国大中城市中，广州市成为市民吃鱼最多、价格最便宜的城市，并出现“南鱼北运”的新景象。

此后，1981—1983年，广州相继放开禽、蛋、鱼、果价格。1984年放开蔬菜价格。到1985年，七大类与人民生活密切相关的农副产品——菜、肉、禽、鱼、蛋、奶、果的生产经营和价格全部放开。1992年，广州全部票证取消，市场化改革逐步治好了广州人的周身“症（证）”。随后，广州又大幅度缩小计划产品范围，并逐步放开商品价格。

关于物价改革，还有一个故事。1980年底，薛暮桥同志到香港考察，返程途经广州，习仲勋、杨尚昆请他在中山纪念堂做报告。薛暮桥发现招待他的只有苹果，而不是本地产的香蕉，于是问陪同的地方领导：“为什么吃不到香蕉，而用北京的苹果招待客人?”回答是：“统购价太低，香蕉才0.17元一斤，农民不愿意种。”薛暮桥于是建议让农民按市价到城里来销售，让他们多赚点钱，同时也增加城里的供应。他的这个意见被采纳，广东的香蕉供应从此得到解决。举一反三，整个广东的农副产品供应也空前繁荣起来。

（二）搞活商品流通环节

在放开物价的同时，广州十分重视搞活流通环节。从1979年开始，市政府制定了一系列政策措施，允许农民直接进城经商，鼓励私营企业和个体工商户与国营商店和集体商店开展竞争，吸引外地企业和境外企业到广州设店经营，打破长期由国营、供销社“一统天下”的旧传统，恢复和兴办各种农副产品、日用百货贸易货栈。这些措施对活跃城乡市场，促进物资交流发挥了良好的作用。

从1980年开始，广州就着手建立一批规模较大的市场，培育和发展生活资料、生产资料市场如农贸、服装、原材料等，培育和发展生产要素市场如资金、房地产、技术、劳务、人才、产权交

易、信息等。市场体系逐步形成和完善，并成为推动广州经济腾飞的重要成因。这方面的率先突破，利用和发挥了广州传统商业大城市的历史资源和优势，对于广州专业市场的发展以及其后在全国主导地位的形成起到关键作用。

（三）开放农贸市场

1979 年起，广州率先打破国营经济一统天下的局面，发展集体、个体、私营、中外合资合作等多种商业形式，允许工业企业创办供销公司和自销产品，让农民进城开业办店，逐渐形成多种经济成分、多渠道、多形式、少环节的商品流通体制。政府拨款扩建、新建农贸市场，打开城门允许农民进城摆摊经营以弥补国营商业不足，从而一方面有效地调动了农民的积极性，另一方面也促使国营商业进行自我改革。

（四）鼓励个体和私营经济发展

1979 年 10 月，中共广州市委、市革委会决定，允许待业人员自筹资金、自带工具，自选场地，自由组合，从事生产和开办生活服务事业，以及从事不剥削他人的个体劳动。1980 年 8 月 18 日，市革委会召开劳动就业工作会议，决定实行劳动部门介绍就业、自愿组织起来就业和自谋职业相结合的劳动就业方针。从此，广州市广开就业门路，实行多渠道就业。1979—1987 年，广州城乡个体工商户增长了 17 倍；1993 年，中共广州市委、市政府制定了《关于加快个体和私营经济发展的决定》，在全国最先提出个体私营经济是国民经济的重要组成部分。

以上开创全国先河的改革，不仅繁荣了市场、解决了就业，较好地满足了人民日益增长的生活必需品需要，而且促进了经济发展，受到普遍欢迎和赞扬。时任《广州日报》主任记者的姚北全写过一首诗《衣食住行话广州》，其中有："过去有鱼食虾毛，难得有餐剥皮牛。近海人家无鱼食，皆因政策不对头。农民养鱼批自发，渔民进城赶回头，听说冰鲜运进城，争先排队用砖头……自从改革开放后，河鲜海鲜满街游。……市场丰富主妇乐，做人最好在广州”，生动地反映了改革开放初期所取得的经济成就。

广州在改革开放的领跑是全方位、多领域的。在发展交通、通信、城市建设和管理事业方面，广州也有多方面的首创和领先，许多有效的举措和经验为国内各地所关注或仿效，例如：引进外资和贷款建路建桥，收费养路养桥；“以水养水”、“以气（煤气）养气”；引进外资发展电信事业，率先兴办无线通话业务；首先引入“大哥大”移动电话；首先在出租车实行“扬手即停”服务；率先改革教育、科研、文化管理体制，大力推进教育改革，普及九年义务教育，推动教育与科研结合发展高新科技，大力发展全日制和成人高等教育；率先办起购书中心，满足广州市民“日日有购书节”的文化需求。此外，广州的新闻改革也走在全国前列，广州日报社为全国首家成立的报业集团，等等。广州还以其“打开城门”“不设防”的开放政策，吸引了全国和海外宾客前来投资、经营、创业和交流，使人流、物流、资金流、信息流畅通于市，使广州成为影响和辐射内外的改革开放前沿地。

专栏3－1　“扬手即停”的广州的士

广州市出租小汽车“扬手即停”服务开始于1978年4月，是全国第一个实行出租小汽车扬手即停的城市。到1987年，广州已有200多家共7000多辆小汽车实行“扬手即停”、沿途载客、计程收费、电话预约、昼夜服务等项目，方便了群众，优化了投资环境，在一定程度上解决了广州“行路难”问题，受到社会好评。

改革开放之初，广州市就前瞻性地着眼于未来，重视市政建设，重点抓了城建总体规划，要求长期规划，大力改善投资环境。1983年2月6日，由广东省旅游局和香港知名人士霍英东先生合资兴建、总投资额为5000万美元的广州白天鹅宾馆全面营业。该宾馆是由中国人自行设计、自行施工、自行管理的具有现代化水平的大型宾馆，也是广州引进外资合作经营最早的大型企业之一。此外，白天鹅宾馆在当时还因率先欢迎住客以外的群众参观游览而轰动一时。1985年7月，白天鹅宾馆被“世界

超一流酒店”吸收为该组织的正式成员，1986年3月，白天鹅宾馆被评为全国十大优秀企业之一。1983—1985年，广州市还利用外资兴建了中国大酒店和花园酒店，改造了东方宾馆。这几家高级宾馆的建造，带动了广州旅游宾馆业的发展。到1987年，广州已有宾馆、酒店、旅店、招待所1147间，饭店500多间，基本上改变了广州“住宿难”的状况，为外商来穗进行经济活动及内地与广州的交流提供了良好的环境。

三、广州经济改革的若干关键时期①

中国的改革开放事业并非一帆风顺，其间经历多次反复和曲折。幸运的是，中国的改革开放事业虽历经险阻，最终总能披荆斩棘、排难而上。作为先行一步的广东，在每次改革开放遇到阻力时，几乎总是成为众矢之的，饱受压力②。改革开放初期广东省和广州的各级领导，深刻体会以邓小平为代表的党内改革家的思想精髓，以其高度的政治智慧和勇气，以对历史和人民负责的精神，顶住种种压力，坚决拨乱反正，扭转“左”的思想长期居于支配地位状况，解放思想，转变观念，破除传统计划经济的思想禁锢，为广东省和广州市的经济发展创造和争取了良好的政治环境和历史机遇。

1980年11月8日，中央调派任仲夷就任广东省委第一书记。到广东后，任仲夷遇到的第一难题是在1981年，当时中央召开工作会议，中心议题是讨论国民经济的调整，这自然就涉及改革开放，涉及广东办特区的问题。在会上，一位中央领导提到四个青年人写给中央领导的关于经济调整的一封来信，信中提出了“缓改革，抑需求，重调整，舍发展”十二字方针。任仲夷认为信的出

① 这一部分的介绍主要基于任仲夷、黎子流对改革开放历史的口述及回忆，并参考了徐南铁（2002），欣华（2004），刘焱鸿、谢少聪（2007）等的相关报道和研究。

② 关于改革开放初期广东所受到的压力，当地干部曾这样自嘲“香三年，臭三年，香香臭臭又三年”，无奈中又透出幽默与乐观。

发点是好的，但药方下得不对。对于“缓改革”，任仲夷认为，正是由于过去思想保守，不肯和不敢进行改革，改革的步子太慢，才在经济上出现了许多问题。而对于“抑需求”，任仲夷认为，社会的需求，人民群众对物质、文化需求的不断增长是必然的和正常的，只能逐步地积极地去解决，逐步地去满足，特别在当时情况下，不应当再强调抑制群众的需求。对绝大多数群众来说，他们的生活已经够苦的了，对他们的需求，不能再去抑制了。调整是必要的，但“舍发展”就不对了。任仲夷相信，中央对广东实行特殊政策、灵活措施，办特区，就是希望广东先行一步，发展得快一点；如果按照“十二字”方针办，特别是要“缓改革”、“舍发展”的话，广东无法先行一步。基于这样的认识，任仲夷认为至少在广东，改革不能缓，发展不能舍，而是改革要坚持，发展要加快；不搞改革，舍掉发展，一切都谈不上，这也是与邓小平的指示相违背，也与中央原来给广东的指示精神相违背的。回广东后，任仲夷只是在调整上做了“文章”，强调要把发展与调整统一起来，有机地结合起来，调整的目的，仍是为了发展，为了发展得更快一些。1982 年，任仲夷更是果断提出了“坚持打击经济犯罪不动摇，坚持改革开放不动摇，主张对外更加开放，对内更加搞活，对下更加放权”。尽管在当时经济调整的宏观形势下，广东遇到的困难比较大，但由于以任仲夷为首的广东省委坚持改革开放、政策对头，并得到全省广大干部群众的拥护和支持，广东得以克服重重困难，在那几年仍然取得高速增长，真正在全国“先行一步”，实现了邓小平和中央对广东的要求。

1984 年春，邓小平第一次视察了深圳、珠海、厦门，并分别为三个特区题词，充分肯定了兴办特区的决策和实践，给那些有关兴办经济特区是是非非的议论，基本画上了句号。1984 年邓小平南方视察时还为即将竣工开业的花园酒店题写了店名，鼓励了广州的改革开放。邓小平的题字，是对广州大胆引资的鼓励，更是对改革开放新生事物和经验的肯定。见证了花园酒店建设与发展的梁灵光认为，邓小平之所以为花园酒店题字，绝非兴之所至，而是用这

种特殊的方式，对广州大胆引资工作给予充分肯定，同时也向国际社会和国内的人们表明他对利用外资的态度和看法。然而，当时的广州所享有的对外开放政策、开放的力度和速度，还无法与四个经济特区相比，因此也需要更加宽松的政策环境，以进一步加快对外开放的步伐。

> **专栏3－2　任仲夷的“变通”论**
>
> 任仲夷在主政辽宁时就提倡“变通”，在广东更强调“变通”。他多次讲过，“变通”就好比“变压”，各级党委、各部门，执行上级政策、指示，因情况特殊而必须“变通”时，要像“变压器”或“变电站”那样，把上面输送来的电流进行变压，使之成为适合本单位、本部门具体需要的电压，使机器正常运转，否则机器就会烧坏。但所用的“电”，还是中央“总电厂”的电，中央政策的精神和原则不能改变。

1984年初，中共中央、国务院下决心进一步推动改革开放，决定开放沿海港口城市，这是中国改革开放里程的重要一步。广州最初并不在开放之列，为了获得中央批准纳入首批沿海开放城市行列，当时的市领导许士杰、叶选平为此专程北上京城据理力争。1984年5月15日，国务院公布全国沿海开放城市，由原来的13个变成了14个，广州挤到了第一队列的起跑线上。进一步开放的主要精神是放宽政策，包括在财政、市场方面，给予外商投资者更多的优惠政策，从而对外商、外资具有更强的吸引力，以及扩大沿海城市对外经济技术合作的权力。自此，广州引资工作如虎添翼，对外开放蒸蒸日上。1984年10月5日，中央恢复广州为计划单列城市，国务院批准广州市在国家计划中单列户头，并享受省一级经济管理权限，更增加了广州在改革开放和经济建设方面的综合协调能力。在此期间，广州先后被国务院及有关部门确定为全国综合试点城市和金融、法制、科技、商业流通、国有企业股份制全面试点城市。在此期间，广州人始终本着“大路不通走山路，山路不通走水路，横下一条心走出改革开放成功之路”的务实作风，渡过了艰难险阻，并且善于把握机遇，为自身的进一步发展争取有利的政策待遇。

1985春节，邓小平再次南下广东，以“不争论”的姿态排除阻力推进改革。2月19日，邓小平在白天鹅宾馆参加了广州地区军民迎春联欢会，其间霍英东也在座。这一年，就在白天鹅宾馆，对着珠江夜景，邓小平做出了继珠江三角洲、长江三角洲14个沿海城市之后，进一步开放沿江、沿海、沿边城市的决定。邓小平当时对霍英东说的一句话：“白天鹅好！”霍英东事后回忆说，“当时和香港的资本家合作经营宾馆，到底是错呢，还是对呢？是一大问题，有人在参观白天鹅宾馆时哭了，说走回原路。但当时邓小平说，‘不走回原路’。‘白天鹅好！’我心里就踏实了。”白天鹅宾馆经营的成功，在20世纪80年代初带动了大批港资进入广州酒店业。

80年代中后期及90年代初，由于前期产业定位的失误，以及受到珠三角兄弟城市轻工业崛起的冲击，广州经济步入艰难的转型时期。80年代后期，当时佛山几个县，珠江三角洲，包括中山、珠海、南海、顺德，准备用7年左右的时间，实现经济总量超过广州。此外，经过改革开放初期的发展，广州市干部群众中滋生了一定的优越感，广州市各级公务员常常夜郎自大，对广州以外的地区都不屑一顾，认为交易会在广州、五星级酒店在广州、大城市在广州、南大门就在广州，盲目自满，甚至对深圳也颇有微词。与此同时，由于发生了80年代末春夏之交的政治风波，处于改革开放前沿的广州感受到沉重的压力。

1990年5月，黎子流调任广州市副市长、代市长，1991年任市长①。据他回忆，直到1992年邓小平南方视察前，广州整个工业都找不到出路。同时，外界抨击广州、广东搞资本主义，广州的广大干部感到前途很渺茫。但黎子流坚信，改革开放是党中央确定的方针，治理整顿到底走到什么地步，当时不太清楚，但总是要前

① 黎子流出身农民、文化不高，曾被善意地称为“卜佬市长”、“农民市长”，但这位市长却给广州一股浓郁的开放气息。黎子流坚持发展第三产业，主张给许多工厂开“追悼会”，让它们迁走，并提出建设现代化国际大都市的战略目标。

进。所以他讲了两句话："道路是曲折的，前途是光明的。总之要依靠大家，共同想办法。只要我们方向、道路正确，办法一定比困难多。"此外，黎子流认为，广州放下架子的时候，才是羊城经济腾飞的时候。因此，上任之后，黎子流就组织广州市干部到上海、山东参观，到本省的深圳、珠海、中山考察，这一"走出广州看广州"的活动，终于让许多广州市公务员认识到广州已经落后，再不猛醒快干将会被其他城市抛到身后。

经过一番考察学习后，黎子流发现，改革开放近十年来，广州、香港、澳门的情况都发生了一定变化，香港、广州、澳门之间的联系已很紧密，广州必须按照国际大都市的标准来要求自己，不仅要保持原有的农业为基础、工业是重点的产业格局，而且要把第三产业看成非常重要的产业。

专栏3－3　黎子流的若干个"第一"

第一次彻底解决了广州缺电问题。黎子流当市长后，广州一年之内增加了60多亿度供电量，解决了当时企业居民"开四停三"的困难。

第一个提出"菜篮子工程"。黎子流初任市长，了解市民所需的蔬菜供应困难，马上组织在广州市郊开展了"菜篮子工程"建设，使广州菜市场丰富多彩。此举后来风行全国。

广州第一次有了83层的高层建筑。原来广州最高层建筑是63层，黎子流当市长后，着手组织83层的中信广场建设。1994年，中信广场落成，广州这一新的标志为外商加大投资增添了信心。

与此同时，邓小平南方视察带来全国改革开放局面的突破，广州的经济建设也再次进入高速增长期。尤其值得一指的是，在黎子流任内，广州的城市基础建设得到跨越式的发展，内环、外环、地铁，都加足马力开动。以广州的地铁建设为例。此前，广州地铁建设仅讨论的时间前后跨度就长达30多年，工程预算从1960年的5亿多元一路增加，到1993年预算达到146亿元。黎子流上任后促进该项目于1993年12月28日正式动工兴建，1994年5月28日全面实施，1998年12月28日全线建成，1999年6月全线正式运营。整个工程总投资127亿元，拆迁地面建筑物110万平方米、居民2万户约10万人，是广州有史以来最大的市政工程。

1998年，地铁一号线通车。它的建成，使广州成为国内继北京、上海、天津之后第4个建成地铁的城市。只读过几年书的黎子流对广州发展规划所体现的战略眼光令人赞叹，他早在十余年前就预见到广州佛山经济融合的趋势，因此，在广州地铁规划时，黎子流就确定要在坑口为佛山修地铁预留连接口。广佛地铁已于2007年6月底正式动工兴建，预计2012年全线贯通，它的建成通车，将进一步促进广佛经济融合。

四、广州经济建设30年的成就[①]

改革开放初期，许士杰、梁灵光、叶选平等广州市负责人深刻领会以邓小平等中央领导的指示精神，在任仲夷为首的省委、省政府的领导和支持下，解放思想、发愤图强、率先展开了波澜壮阔的改革实践，以旅游业、商业和工业为突破口，带领广州逐步摆脱了"老人"的疲态[②]，走出经济发展的困局，实现了突破和跨越，为广州经济在新形势下的重建开创了良好的局面，并为全省和全国的改革开放事业提供了许多宝贵的经验。

90年代初期，在经历80年代后期的缓慢发展后，广州在黎子流等富有改革精神和开放意识的改革者推动下，逐步摆脱了故步自封的状况，经济开始走出低迷；黄华华、林树森、张广宁等则为新时期广州经济建设选择了新的发展战略和产业突破口，推动广州经济走上稳定发展的快车道。

经过近30年的经济建设，广州经济建设取得了显著成绩。

---

① 这部分的数据如无特别说明，均引自国家统计局及各地统计局网站所公布的相关年份的统计资料。此外，本部分还参考了历年广州市政府工作报告、广州市统计局的相关分析报告，这些报告在参考文献中已一一列出。

② 美国学者傅高义（Ezra F. Vogel）90年代初出版的专著《先行一步，改革中的广东》，对广东的10年改革开放进行了全景式的记录和深入分析。他在书中介绍广州的重建时，引用了当时广州负责财经工作的领导的话"和珠江三角洲各县市比较，广州就像一位疲倦的老人"。

（一）经济高速增长、人民生活明显改善、在省内国内经济地位稳中略升

表 3－1 给出了 1978—2006 年广州国民经济和社会发展的主要指标及发展速度。在此期间，广州市地区生产总值、人均地区生产总值、工业总产值，全社会固定资产投资、社会消费品零售总额、职工年人均工资、城市居民人均可支配收入以及农村居民年人均纯收入呈现双位数的增长，大幅领先于全国平均水平。

尤其值得一提的，广州市职工工资，以及城乡居民收入增长速度基本接近或超过地区生产总值的增长速度，大约为同期全国同类指标的平均增长速度的两倍，反映广州市居民较好分享到经济发展的成果①。

2007 年，广州市实现地区生产总值 7050.78 亿元，同比增长 14.5%；人均地区生产总值达 9302 美元，同比增长 11.3%。源于广州地区的财政一般预算收入达 2116 亿元，同比增长 22.4%，其中地方一般预算财政收入 523.79 亿元，同比增长 22.6%。经济总量和财政收入都比 2002 年翻了一番多。

表 3－1　　广州国民经济和社会发展主要指标及发展速度

项目	1978 年	2006 年	1979—2006 年平均增长（%）
地区生产总值（亿元）	43.09	6073.83	14.14
第一产业（亿元）	5.03	145.10	5.97
第二产业（亿元）	25.24	2430.02	14.93
第三产业（亿元）	12.82	3498.71	14.65
人均地区生产总值（元）	907	63100	11.29
农林牧渔业总产值（亿元）	7.99	248.77	6.04
工业总产值（亿元）	75.39	8112.40	16.39

① 根据国家统计局的数据，1979—2005 年，全国职工年人均工资、城市居民年人均可支配收入以及农村居民年人均纯收入的平均增长率分别为 6.5%、6.9%、7.0%。

续上表

项目	1978 年	2006 年	1979—2006 年平均增长（%）
全社会固定资产投资（亿元）	7.26	1696.38	23.46
社会消费品零售总额（亿元）	17.63	2182.77	18.55
职工年人均工资（元）	714	36321	15.07
城市居民年人均可支配收入（元）	442	19851	14.60
农村居民年人均纯收入（元）	250	7788	13.73

考虑到改革开放以来，我国总体上保持了持续增长，因此，单纯纵向分析广州市的经济数据并不足以反映其经济增长的实绩，有必要将广州经济建设的成绩与全国，尤其是广东省的情况作比较，才能准确反映出广州在全省和全国的相对发展水平。图 3 - 1 的曲线描述了改革开放以来全国、广东省和广州的经济增长速度。从图中可见，尽管改革开放初期和 80 年代期间，偶尔存在个别年份增长速度低于全国平均水平的情况，但总体而言，广州的发展速度基本上高于全国平均发展速度，这与广州作为在改革开放“先行一步”的广东省的核心城市地位相符。

与省内其他城市相比，尽管广州拥有在传统计划经济体制下形成的庞大工业基础，但由于体制的制约未能发挥出优势，因而在随

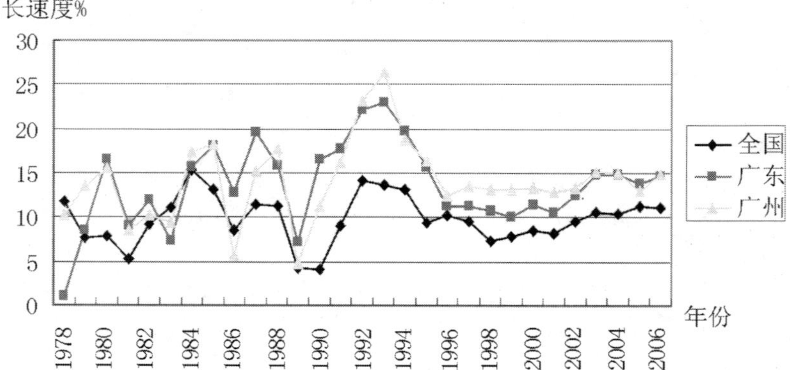

图 3 - 1　全国、广东和广州经济增长速度比较（1978—2006）

后所兴起的轻工业发展过程中，广州一度落后于珠江三角洲其他邻近地区，尤其是日益受到崛起中的深圳特区的挑战。在改革开放初期，广州并未充分释放其发展潜力，某些年份的发展速度落后于全省平均水平。这种情况在进入90年代后得到改变，其后广州市经济发展速度总体上与全省的平均水平保持一致，90年代中期曾较为稳定地领先于全省。

与此相应，广州市经济总量占全省的比重在80年代一度轻微下降，进入90年代后才转趋上升，但广州作为全省经济中心城市地位一直未变，即使在经济地位轻微下降的80年代，广州经济总量占全省的比重仍然维持在20%以上。图3－2的曲线反映了改革开放以来广州地区生产总值占全省的比重。考虑到珠三角兄弟城市，尤其是深圳、东莞、佛山地区近30年来经济总量的迅速增长，广州市的经济总量占全省比重能一直保持在20%以上，并且在90年代以后取得一定的增长，相当难得。

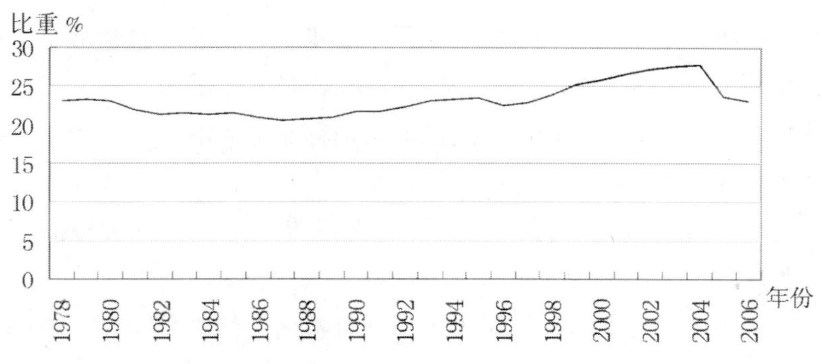

图3－2　广州地区生产总值占全省比重

作为改革开放中"先行一步"的广东省中心城市，广州与全国其他主要兄弟城市相比则一直保持相对的发展优势。改革开放以来，广州主要经济指标在全国十大城市中的位次保持稳定，并有轻微上升①。表3－2给出了改革开放以来若干年份广州地区生产总

① 十大城市指北京、上海、广州、天津、重庆、武汉、沈阳、哈尔滨、西安、南京。

值、工业总产值、财政预算收入三大指标在十大城市中的位次。2005年，在十大城市中，广州地区生产总值、财政预算收入只是居于上海、北京之后，位列第三，而工业总产值则仅次于上海、北京、天津，而排第四。

表3-2　广州市主要社会经济指标在十大城市中的位次①

年份	地区生产总值	工业总产值	财政预算收入
1985	4	6	4
1990	4	5	4
1995	3	4	3
2002	3	2	4
2005	3	4	3

（二）工业结构优化升级，重化工业支柱产业作用日益呈现

新中国成立之后，国家长期强调基于重化工业的赶超战略，这种战略“重积累、轻消费”，自然要求压缩主要用于满足人民群众物质文化需求的轻工产业以及商品流通等服务业的发展空间。这种长期形成的产业布局所造成的影响十分深远，但客观上为在改革开放之初“先行一步”的广东经济建设提供了广阔的发展空间，尤其为广东轻工一枝独秀创造了发展机遇。

改革开放初期，为满足人民群众日益增长的物质需求和消费愿望，以及寻求经济建设的突破口，广东省委、省政府先后关、停、并、转了近千家生产条件差、耗能高、效益差的小钢铁、小化工企业，把腾出来的能源和原料用于发展轻工业，着重发展食品、电子、家用电器、纺织等行业，建立起具有广东特色的轻型产业结构。“珠江水、广东粮、岭南衣、粤家电”一度风靡全国，全国上下对广东轻工商品的追捧推动广东进入改革开放初期的黄金发展

① 本表部分数据源自张智林（2006）。

时期。

广州改革开放后的工业发展以及工业结构演变正是在这样一个背景下展开的。图 3 －3 反映了广州市工业的发展轨迹。

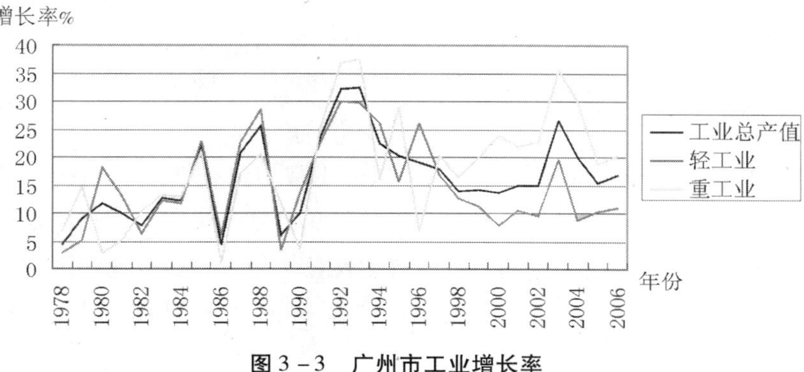

图 3 －3　广州市工业增长率

然而，由于传统计划经济体制下，广州逐步被定位为“华南的工业基地”，在生产安排上，一直是执行“先生产，后生活”的方针。与珠江三角洲地区其他城市相比，改革开放初期的广州市国有企业比重较大，受计划经济控制相对较严，体制灵活度不足、财税人员负担偏重，导致广州的工业在改革开放最初十几年间内发展不但未能领先其他城市，反而有所滞后。由于受到来自珠江三角洲兄弟城市的挑战，广州家电工业、电子工业的一度衰落，同时“广州标致”、“广州乙烯”的投资失利，给广州工业发展带来不少的消极影响。90 年代中期，广州决心重振工业雄风，受市委、市政府的委托，广州市计委对广州工业发展进行了专项调研。市计委的调研使广州市清楚地认识到，广州工业原有的以轻型加工业为主、以中小型企业为主的结构性特点，受到严峻挑战。同时，他们也意识到广州当时存在主导产业不突出，支柱产业尚未真正形成的问题，工业经济发展进程已到了结构优化升级的关键时期（广州市计划委员会，1998）。1998 年，广州市确定了交通运输设备制造业、电子通信业和石油化工业为广州工业的支柱行业。随后，广州市将羊城汽车、广客汽车、骏达汽车、广州汽车技术中心等 66 家

全资或控股的汽车整车和零部件企业进行整合，在此基础上成立了广州汽车集团。同年7月，广州汽车集团通过对广州标致轿车项目的重组，引进日本本田成立广州本田轿车有限公司。此举不但解决了原广州标致公司30亿元的遗留债务，妥善安置了2400多名职工，并且顺利引进了98雅阁等新车型，成为其后广州汽车制造业迅速崛起的转折点。广州乙烯项目总投资达84亿元，曾是广州市地方政府最大工业投资项目，试产3个月就停产。广州市石油化工业的支柱产业地位确立以后，1999年3月中央企业广州石化总厂成功兼并广州乙烯股份公司，并于当年9月复产成功。广州标致汽车和乙烯两个项目的成功重组，有效挽救了超过100亿元的国有资产，避免了每年超过20亿元的重大亏损（谢思佳、韦小敏，2005）。

经过“九五”时期的调整，广州工业在“十五”时期特别是“十五”后期进入高速发展阶段。同时，广州市产业结构调整的思路也日益清晰：不再大规模发展劳动密集型产业，也不再引进能耗高、效益低、粗放型经营的项目，清理整治生产能力落后、污染严重的企业；同时明确要大力发展产业关联度高、产品链条长、带动能力强的骨干项目，发展高新技术项目。2004年7月，广州市制订《加快提升广州工业竞争力的实施意见》（以下简称《意见》），这是首次大规模系统全面地制定提高工业竞争力的发展意见。《意见》指出，未来5~6年，广州将重点发展包括汽车在内的交通运输设备、石油化工、精细化工、电子信息、钢铁、制药、轻纺等七大产业。《意见》认为，加快广州经济发展，工业是关键。

在上述思路指导下，广州工业结构调整优化取得突破性进展。“十五”以来，在汽车等装备制造、石油化工等行业增产带动下，广州市重工业生产不断加速。2004年2月，全市重工业产值首度超过轻工业，标志着全市轻重工业结构调整出现了里程碑式的变化，工业化进程步入重化产业为先导的新经济周期。图3－4反映了改革开放以来广州市轻重工业比重的变化。

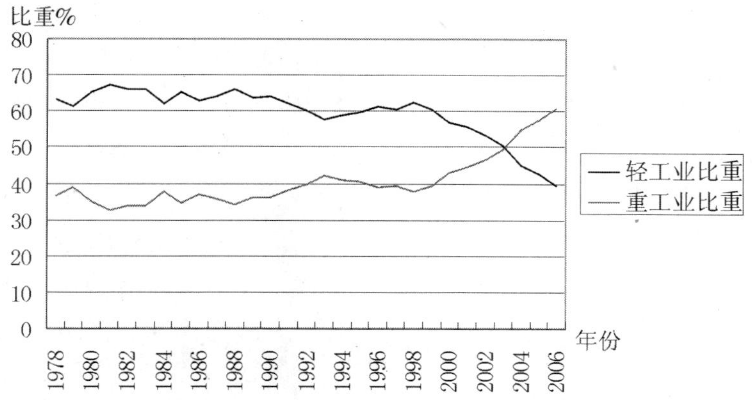

图 3－4　广州市轻重工业占工业总产值比重（1978—2006）

经过近十年的努力，广州推进工业结构调整升级，以及促进支柱产业发展的战略取得了显著成效。以汽车工业为例，2007 年，在广州丰田汽车有限公司等龙头企业的带动下，规模以上汽车制造业继续保持快速增长，全年完成工业总产值 1622.26 亿元，同比增长 37.4%，增速高于全市规模以上工业增速 17.1 个百分点。汽车制造业对全市规模以上工业增长的贡献率达 27.2%，拉动工业增长 5.5 个百分点。汽车制造业在拉动广州市工业增长发挥了重要作用。

2007 年，全市规模以上重工业完成工业总产值 5828.40 亿元，比上年增长 23.7%；轻工业完成总产值 3076.82 亿元，比上年增长 14.9%。重工业增长速度比轻工业高出 8.8 个百分点。从轻、重工业比重看，规模以上轻、重工业总产值比重（按工业总产值现行价计算）由 2006 年的 36.0：64.0 调整为 2007 年的 34.6：65.4，重工业比重上升 1.4 个百分点。广州市重工业发展明显加快，在工业经济中的比重进一步提升。

支柱产业和高新技术产业快速发展、所占份额不断扩大。2007 年，广州市规模以上汽车制造业、石油化工制造业和电子信息制造业三大支柱产业共完成工业总产值 3867.56 亿元，同比增长 24.1%，高于全市规模以上工业增速 3.8 个百分点；占全市总量的比重也从2006年的42.2%上升到2007年的43.4%，三大支柱产业所占份额继续扩大。2007年，全市规模以上工业实现高新技术产品产值2857.11亿元，同比增长28.8%，高于全市规模以上工业增速8.5个百分点，拉动全市规模以上工业增长8.1个百分点（广州市统计局，2008）。

经过多年的结构调整和战略重组，广州的工业结构经历了从“小”变“大”，从“轻”变“重”，从“矮”变“高”的演化过程。

（三）经济结构不断优化，第三产业持续发展，并日益发挥主导作用①

改革开放以来，广州的产业结构经历了一个不断调整、不断优化的过程。以结构调整为主线，在发展中不断推进产业结构向合理化方向发展。

“六五”（1981—1985）时期是改革开放和现代化建设初期，广州三次产业比重变化幅度较小。这一时期，广州第二产业年均增长率为13.59%，而第三产业年均增长率则为12.51%，基本相若。

“七五”（1986—1990）时期是广州产业结构急剧变化时期。到1990年，广州第三产业在GDP中的比重已超过第二产业，这一方面是由于交通、商贸、金融、旅游等第三产业的迅速发展，另一方面也是因为80年代初广州以轻纺、家电为主的工业优势受到珠三角其他城市的挑战和压力，工业增长速度放慢，工业的地位下降。这一时期，广州第二产业年均增长率为8.44%，而第三产业年均增长率则为15.87%。

“八五”（1991—1995）时期是广州产业结构的调整期，除了第一产业比重继续下降外，出现了第二产业比重上升，第三产业比重下降的趋势，这是对前5年产业结构急剧变动的一种调整。这一时期，广州市委、市政府积极应对本市工业地位下降的现实，决心

① 这部分的介绍参考了相关年份的广州市政府工作报告，以及谢守红（2001）的相关研究。

重振工业雄风，投入巨资建设石化、钢铁和汽车工业。尽管某些项目经济效益较差，但客观上促进了第二产业比重的回升。这一时期，广州第二产业年均增长率为25.66%，而第三产业年均增长率则为16.12%。

“九五”（1996—2000）时期是广州第三产业大发展的时期，其中金融保险、信息产业、房地产等新兴产业发展迅速。第三产业增加值以及其对地区生产总值的贡献率已超过第一、二产业的总和。这一时期，广州第二产业年均增长率为13.25%，而第三产业年均增长率则为13.66%。

“十五”（2001—2005）时期是广州实施制造业与服务业并重、二三产业协调发展的时期。广州确定“二产带动三产，三产促进二产”的发展思路，致力于推动产业融合发展，力图将先进制造业和现代服务业融合。广州第二产业的比重有所提升，汽车制造、石油化工制造和电子产品制造作为近年来集中力量优先发展的三大支柱产业，对全市工业的支柱作用不断增强。同时，广州大力发展高新技术产业，加大对传统优势产业改造的力度，目前已初步形成以信息产业、生物技术产业、新材料产业和中药现代化产业为重点的高新技术产业群，并逐步成为工业经济的新增长点。与此同时，广州服务业迅速发展。金融保险、房地产等优势产业持续稳定增长，会展、咨询等新兴产业方兴未艾，教育、文化、体育、科研等产业化趋势加快，在国民经济中扮演着越来越重要的角色。以商贸、金融保险、房地产、信息咨询、旅游服务以及教育培训、文化娱乐为主的第三产业不断发展壮大，使广州经济增长格局从过去主要依靠第二产业推动转向第二和第三产业共同推动。这一时期，广州第二产业年均增长率为14.94%，而第三产业年均增长率则为13.51%。2000年以来，除了由于“非典”的原因，2003年广州的第三产业对地区生产总值的贡献率一度仅为42.34%以外，其他年份均高于50%，2003年后，这一贡献持续上升，2006年为56.22%。第三产业在地区经济中的主导作用日益呈现。图3-5反映了改革开放以来广州市产业结构的变化。

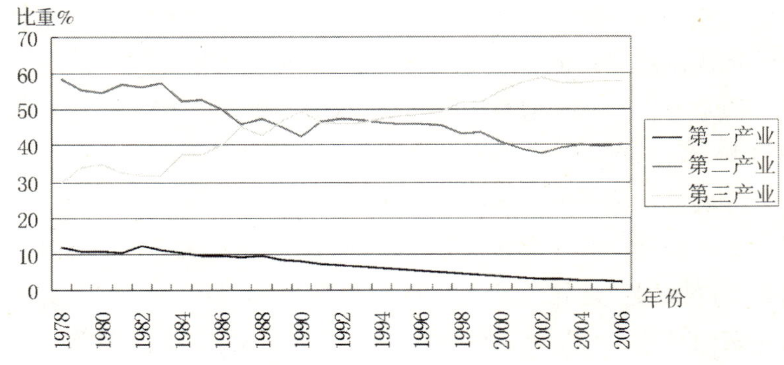

图3－5 广州市产业结构变化（1978—2006）

“十五”时期，广州形成了门类齐全、功能完善的金融市场体系。货币信贷市场稳步发展，信贷资金有力地支持了支柱产业发展、城市基础设施建设、企业进出口以及居民消费。广州形成了结构合理、功能完备的现代金融组织体系，银行、保险、证券、期货等各类金融机构数量不断增加。金融营业网点密集程度居全国大中城市前列。广州作为全国金融业对外开放最早的地区之一，经过20多年的发展，金融业初步形成多层次、宽领域的对外开放格局，开放水平不断提高，区域化、国际化特征日益明显。广州作为区域性金融管理中心、营运决策中心、资金调度中心、金融业务运作中心的地位不断加强，服务范围辐射华南，与港澳乃至亚洲各国的金融合作不断深化，同欧美金融机构的交流与合作不断加强。广州银行电子结算中心业务处理能力和技术水平居全国大城市首位，大额支付系统覆盖全省。按照广州的金融发展规划，未来将强化“八个中心”，建设“四大体系”，努力把广州建成区域性银团贷款中心、区域性票据业务中心、区域性资金结算中心、区域性外汇交易中心、区域性资本市场业务中心、区域性保险业务中心、区域性产权交易中心、区域性金融教育科研中心；加快建设多层次的金融市场体系、多元化的金融组织体系、完善的金融产业政策体系和综合的金融监管协调服务体系。

改革开放以来，广州会展业发展迅速，几乎每五年翻一番。以

有着“中国第一展”美誉的广交会为例，“六五”至“十五”期间，每个五年计划的成交额分别为229亿、477亿、826亿、1130亿、1997亿元，而2006年、2007年的增长速度则分别为13%和11.4%。自2004年4月第95届起，中国进出口商品交易会全面启用琶洲展馆，同时在琶洲展馆和流花路展馆两馆分两期举办①。为适应新时期经济发展形势以及国家政策转变的需要，从2007年第101届开始，中国出口商品交易会将更名为中国进出口商品交易会。目前，广州已明确要进一步优化会展业布局，做大做强现有会展项目，加快引入国际知名会展品牌，促进会展业的市场化、产业化和国际化，培育成为新的支柱产业。

改革开放以来，广州“千年商都”的优势得到恢复和加强，与国内主要城市相比，广州批发业发展优势突出，多数批发市场具有形成所谓“广州价格”的领导地位。据统计，2005年，广州市年交易额亿元以上的商品交易市场达99个，而同期国内最具中心城市功能的北京、上海等特大中心城市分别只有80和51个。在全国十大专业龙头市场当中，广州占据六七家之多，其中，广州的IT产品、音像产品、中药材、花卉、玩具、茶叶、汽车交易等专业市场（集群），不仅在国内，即使在东南亚也可称“最大”，具有很大的市场定价权（张强，2007）。

2007年，广州市金融、物流、会展、商贸、信息、旅游等现代服务业发展势头良好，全年第三产业实现增加值4072.8亿元，同比增长14.1%，占地区生产总值的57.76%。在2008年市政府工作报告中，广州市政府提出，要从提高城市综合服务水平的高度加快发展第三产业。把发展第三产业，尤其是现代服务业放在更加突出的位置。可以预期，第三产业的主导地位将得到强化。

---

① 琶洲展馆首期占地43万平方米，建筑面积39.5万平方米，一、二层展厅13个，展示面积约13万平方米，室外展场面积2.2万平方米，于2002年底正式投入使用，是目前亚洲最大的会展中心。有关琶洲展馆详细的介绍可登录http://www.cantonfair.org.cn/cn/facilities/pazhou/index.htm。从2008年秋季起，中国进出口商品交易会将全部在琶洲展馆举办。

（四）中心城市地位和功能得到恢复和强化，辐射带动作用明显增强

在改革开放过程中，广州中心城市地位逐步得到恢复和加强。广州是珠江三角洲和华南地区的中心城市，历史上是国内和海外的贸易中心，具有组织区域经济、内外辐射的多种功能的特征。新中国成立后，有两个因素制约广州的发展：一是准备打仗，50年代初国民党飞机经常骚扰；二是计划经济不重视中心城市，尤其不重视发展中心城市的基础设施和第三产业（林树森，1999）。城市建设和布局的指导思想是将广州由消费城市变成工业城市，以致广州这种历史上形成的中心城市地位和功能没有得到充分发挥，反而有所弱化。在进入第一个五年计划时，广州在经济建设上提出的一个根本指导思想，就是要把广州“由消费城市基本改变为社会主义的生产城市”，随后更进一步明确指出，要将广州建成“社会主义工业生产城市”，这是广州在计划经济时代提出的一个经济建设的战略目标。这一指导思想贯穿于自“一五”计划时期至改革开放前广州近30年的经济发展进程中。党的十一届三中全会以来，广州市委在全党全社会广泛推进观念更新，开展了一场深刻的对广州进行“再认识”的思想解放运动，批判了“轻流通”、“轻商业”的错误认识，重新认识到商业对广州这个中心城市的作用，提出要重视城市基础设施建设和第三产业的发展，以加强中心城市的综合功能，逐步摆脱计划经济时代传统城市发展模式的束缚，重新建立起一个在全国具有较强活力的、开放的特大城市经济体系，使其区域性中心城市的作用重新发挥出来（刘汉文，1988；林树森，1999）。

自改革开放以来，广州市的区域经济地位呈现出：地位突出—趋于下降—持续上升的动态变化过程，其城市定位也历经演变。1993年，广州作为中国第一个加入国际大都市协会的城市，提出了“建设国际大都市”的口号，但受到当时的经济发展水平限制，以及城市基础设施和城市环境问题突出，这种提法曾被指责为

“不知天高地厚”。1996年，广州提出“建设区域性中心城市”目标，这一提法源于当时广东省八届党代会提出将广州、深圳作为中心城市来发展的决定，广州市如何发挥区域城市辐射功能的问题开始摆上议事日程。2001年，广州进一步提出要“建设现代化大都市”目标，时任市长林树森曾表示，经过几年的发展，此时的广州已经与1993年的广州大不相同，广州已日益显现其在珠江三角洲地区起带头作用的区域中心城市的地位。2003年1月4日，时任中共中央政治局委员、广东省委书记张德江在考察广州时，第一次明确要求“把广州建成带动全省、辐射华南、影响东南亚的现代化大都市”；随后2003年3月召开的广州市第十二届人民代表大会第一次会议上，广州也完成了“建设现代化大都市”的发展目标定位（曾文琼等，2008）。然而，2005年，广州和深圳这两个GDP水平相近的城市谁应该成为广东省的中心的争论再次浮出水面。随后的近两年中，由于缺乏权威性的明确定位，广州中心城市地位曾一度变得暧昧。

面对争议，广州近年通过调整发展战略、优化空间布局、加大基础设施的投入、强化和鼓励支柱产业和第三产业发展而为这种争论写下句号。与此同时，广州主导产业的迅猛发展对周边城市的辐射带动作用日益明显。以汽车工业为例，以1998年7月1日广州本田在广州标致遗留下来的“废墟”上宣告成立为标志，广州汽车工业在近十年的时间内迅猛发展。广州现在的汽车产业格局，已不再是过去所说的东、南、北三大板块，而是东西南北中全方位布局的概念。所谓全方位布局，指的是东部黄埔、增城的广州本田和本田汽车（中国）有限公司，西北部花都的东风日产，南部南沙的广州丰田，北部从化的广汽日野项目及中部番禺的广汽自主品牌项目。目前，广州已经聚集了丰田、本田、日产三大日本汽车厂商的五个项目，形成一个庞大的日系汽车产业集群。在“十一五”规划中，广州提出，到2010年，广州市的轿车产量就要达到130万辆，加上汽车零部件，将实现销售收入3000亿元。同时，广州市还希望能够以轿车为龙头，实现客车、专用车、特种车以及零部

件的全面发展。在此基础上，广州市不仅要争取成为中国汽车业的重要基石，还要成为全球重要的汽车制造及汽车零部件供应基地。正是以汽车产业为龙头，广州开始在珠三角和广东省内形成强大的辐射效应。每当广州有一个新的汽车项目要上马，周边城市就会出现一轮新的投资机遇。广州的汽车产业现在正在发挥日益强大的扩散效应。珠三角的佛山、东莞、中山、惠州等城市，甚至包括深圳，大都已经被纳入了这个配套体系和辐射范围。

2005年5月21日，广州公布经国务院批准的行政区划大调整方案，撤销东山区、芳村区，设立南沙区、萝岗区，从而使“东进、南拓、西联、北优”的战略思想得以更为突出：东面新成立的萝岗区联合天河区，成为高新技术、新产业的发展龙头，并且与东莞相互呼应；南面南沙区的成立，使广州的临海战略得以强调，而且南沙处于珠三角中心区，其行政级别的提高必定会使其得到更迅速的发展，同时可以使广州城市中心的南移得到保障；在老城区方面，东山与越秀的牵手使其中心城区的地位更加显著；而荔湾区与芳村区的合并，可以使原来芳村一江之隔的障碍消除，使广州与大佛山的联系更加直接、紧密。“东进、南拓、西联、北优”发展战略的大力实施，使广州的城市空间布局不断优化和拓展。

在不断“扩张”城市空间的同时，广州大力实施加快空港、海港、信息港、轨道交通和高快速路网的建设，用现代化的基础设施体系去“缩短”城区内部和城区外部各城市之间的时间距离，组成了广州海、陆、空、时“四维一体”的立体物流枢纽。近年，广州更加快建设物流园区，着力构建南方国际枢纽港口物流中心。

值得一提的是，2004年8月5日，规划投资近200亿元的新白云机场一期投入使用。作为中国三大枢纽机场之一的广州白云国际机场目前已开通超过120条国内外航线。2007年，白云国际机场旅客吞吐量达3095.51万人次，跃居内地机场第二位，跨入世界大型航空枢纽机场行列。目前新机场二期工程已经启动，预计到2010年广州举办亚运会时年客运量将超过4500万人次。广州白云

国际机场是中国大陆首个按照中枢理念设计建造的枢纽航空港，是目前我国规模最大、功能最完善、现代化程度最高的民航机场，是我国连接世界各地的重要口岸和国际航空枢纽。新白云机场的落成，进一步巩固了广州作为华南地区乃至东南亚地区大型的航空客流和物流的中心地位①。

专栏3-4　广州"区域中心城市"的内涵

1. 两大体系：有利于区域经济一体化的现代市场体系具备区域枢纽功能的基础设施体系。

2. 四个中心：以集约化、国际化、高级化为标志的先进制造业中心；以信息、金融、物流、会展为主导的现代服务业中心；以市场为导向、企业为主体、人才为支撑的自主创新中心；以岭南文化优良传统与时代精神相互交融为特征的区域文化中心。

3. 四种功能：集聚辐射功能、综合服务功能、外向带动功能、文化引领功能。

随着广州社会经济的长足发展，以及对周边地区的经济拉动和辐射能力的增强，广州作为华南地区中心城市的地位进一步明确。正是基于这样的事实，2007年5月举行的广东省第十次党代会明确："广州要建成带动全省、辐射华南、影响东南亚的现代化大都市"，这是第一次以文件形式、以省委名义将广州的城市定位正式写进党代会报告，确定了广州未来的奋斗目标。由此，广州的区域中心城市的定位真正地从暧昧走向了阳光。明确的定位成为广州自觉研究和规划广州作为区域中心城市的建设问题的契机，市委书记朱小丹明确表示，广州必须在全省发展大局中找准定位，积极利用技术、资金和人才等方面的资源优势，着力建好"两大体系"，完善"四个中心"，增强"四种功能"，特别是要紧紧依托日益完善的现代市场体系和空港、海港等重大枢纽设施体系，为加快全省发展提供更高水平的综合服务（朱小丹，2007）②。

---

① 引自白云国际机场股份公司网页 http：//www. gbiac. net/aboutSelf/jrjc. jsp.

② 转引自于峰（2007）的相关报道。

五、广州经济建设30年的启示

回顾广州30年的经济建设，尽管改革开放初期，在中央和广东省的支持下，广州曾经一度因率先用好用足用活“特殊政策、灵活措施”而开风气之先，创造了不少经验，并在轻纺工业、家电、商品流通以及旅游业取得发展，然而，由于传统计划经济体制的束缚，同时无法像深圳特区一样持续享有灵活优惠的政策，加上受到珠江三角洲其他兄弟城市尤其是深圳的挑战，广州这种优势并没有持续太久。困局之下，思路决定出路。80年代中期，广州开始尝试在工业重型化方面寻求突破，大力发展机械装备工业。这一调整在当时较好地挖掘和发挥了新中国成立以来计划经济体制下广州所形成的传统工业基础，并切合了当时的市场需求。汽车制造业就是一个突破口，1985年，当时的广州汽车制造厂与法国标致汽车公司、中国国际信托投资公司、国际金融公司和法国巴黎国民银行合资成立了广州标致汽车公司，引进生产标致504和505车型。由于当时的汽车市场几乎不存在竞争，广州标致曾经一度风光无限。据当时的统计数据，截至1991年，广州标致在国内的市场份额达到了16%，销售高峰期的年销量达20000辆（孟莉，1998）。广州标致后来的衰败既有微观层面合作伙伴的原因，也受到宏观层面上90年代初国家实施宏观调控，央行收紧银根的影响。幸运的是，尽管饱受“广东人只会做贸易，不会搞工业”的质疑[①]，顶着“广州不宜发展汽车工业”的阴影，广州市委、市政府于1996年下决心再度尝试，誓要把汽车工业重新作为广州的支柱产业来发

---

① 1996年，张广宁任广州市副市长时，主抓汽车工业，但是广州当时已经在好几个大项目的建设中碰了钉子，因此广州汽车工业的发展前景不被看好，有关部门甚至想把处于困境的广州标致转让给美国通用汽车。有一次，张广宁到北京的相关部委谈汽车项目，对方直接跟他说“你们广州也会抓汽车吗，你们广州人只会吃喝，搞搞小生意”。后来，张广宁曾在一个公开场合感慨地说：“广州的事情不能靠其他人，要靠广州人本身”。（冯小静、王晓云，2008）

展。以1998年7月1日广州本田在广州标致“废墟”上宣告成立为契机，十年磨一剑，终于将汽车制造业发展成为广州一大支柱产业，将广州建成全国三大汽车产业基地之一，为广州经济奠定了雄厚的工业基础。值得一提的是，广州汽车制造业目前已形成以广州为中心，辐射珠三角的产业集群，这一产业集群对相关的汽车整车制造和配套厂商日益产生强大的吸引力，具备了良好的持续发展能力。广州市造船业的发展是另外一个有力例证。近年来，广州积极把握国际造船业景气周期及其向我国转移的历史机遇，充分发掘和利用本市造船业的工业基础，积极打造南沙龙穴造船基地。2008年3月28日，广州中船龙穴造船有限公司首制船、华南地区船舶建造史上所承造的最大型船舶——中海30.8万载重吨超大型油船（VLCC）在该基地正式开工，标志着我国三大造船基地之一的珠江口造船基地已基本建成。广州乃至华南地区不能建造10万吨以上船舶的历史正式结束（肖思思，2008）。广州已成为世界一流，华南最大、最现代化的造船基地。

广州机械装备业的发展很好地体现了广州经济重建的基础和轨迹。相对深圳特区，广州经济发展的经验或许对其他城市更具启发意义。改革开放的过程，实际上就是计划和市场的约束和作用不断调整的过程。改革初期计划多一点，市场少一点，因而，各地的竞争能力发展优势主要取决于是否能率先争取到“特殊政策、灵活措施”，政策优势意味着资源优势和发展优势；随着改革的深入，计划的色彩转淡，而市场的力量渐强，各地的竞争能力和发展优势越来越取决于当地政府及企业是否能充分挖掘和利用本地传统产业优势，顺应国内外市场需求的变化，把握国内外产业周期变化所导致的产业调整转移的契机，推动资源整合，做出及时适度的战略调整。从某种意义来说，外生的优惠政策或许并不能保证使一个地区产生持续的增长效应以及领先优势，除非当地在外生政策刺激起来的发展阶段能培育出内生的持续发展能力，而这种内生的持续发展能力才是一个地区经济持续增长的源泉。随着改革的推进，体制改革的空间渐小而各地经济体制趋同，广东所拥有的“先行一步”

优势日益减弱，政策的边际刺激效应也减少，各地经济绩效的差距将最终取决于各地内生的持续发展能力。省内三个经济特区经济发展绩效的差异就是有力例证，2000年以来，相对于广州、东莞、佛山、中山等市，尽管深圳特区已涌现了华为、中兴等著名高新企业，但其经济增长速度并没有体现出明显优势；与此同时，珠海、汕头两个特区则相对落后于东莞、佛山和中山，除珠海近年经济增长速度稍微超过广州外，汕头则一直无法在发展速度上超越广州。

这种内生的持续发展能力既涉及该地区的政府是否具备尊重国内外市场和产业发展规律的理念、整合市场资源的能力，能否营造出适合企业低成本发展的生产和营商环境，也涉及该地区是否能培育出依靠市场竞争而非政策资源的优势产业和企业，等等。换言之，它实际上是一个地区经济系统的整体能力，一旦形成，就不容易被超越。从这个意义上讲，广州虽然因未能一直得到政策优惠而一度造成发展的相对滞后，但却迫使广州在压力下更早地面向市场，在挫折中吸取经验教训，突破并不具备持续发展优势的轻纺工业、家电等轻工业发展的困局，向市场要出路，及时转向重化工业，目前正努力推动工业向技术资金密集型和集群化转变，从而较早形成这种内生的持续发展能力。广州汽车产业集群以及造船工业基地的形成和良好发展前景正是广州经济系统这种内生的持续发展能力的一个有力证明。

改革开放以来，广州工业发展历程也表明，一个地区的工业体系乃至产业结构必须尊重历史的沉淀，立足于自身的比较优势，适时准确迅速地嫁接到满足市场需求和符合产业调整规律的领域，有所为有所不为。80年代广州轻工、家电行业之所以走向衰退，是因为这种劳动密集型的产业更容易在当时低成本的珠三角地区和省外其他地区发展起来，而广州工业重型化之所以最终成功，也是因为广州原本就具备较为完整的工业基础、区域金融中心的融资便利，以及所需的配套基础设施等有利条件。此外，这种有意识的错位发展使广州得到避开与珠江三角洲其他地区因产业结构雷同而引致的直接竞争。与此同时，产业结构的梯度差异反而为各地留出了

发展余地和合作的空间，更加有利于广州发挥中心城市的带动和辐射功能，吸引其他地区及其企业自觉加入到广州的产业链条中，通过分工协作在合作中实现共赢。广州汽车产业的发展在珠三角地区所形成的产业集聚效应就是很好的证明。因此，广州在产业选择上，坚持重型化、高级化，坚持技术和资金密集型，无疑是立足于自身比较优势的正确选择，也是构造珠三角地区经济分工协作、推进珠江三角洲整合融合的一个前提。

当然，即便是就颇具优势的机械装备业而言，与上汽、一汽等国内竞争对手相比，广州汽车制造业在研发、自主品牌以及借助资本市场通过兼并收购发展壮大等方面仍然有较大距离。例如，上海汽车集团近年来通过控股韩国双龙、收购英国罗孚汽车部分知识产权以及收购南汽集团后，已拥有双龙、荣威、名爵等自主品牌以及在韩国、英国的海外工厂，初步建成中—英—韩三国联动的技术研发体系，培养出较强核心竞争能力以及一定的国际经营能力，从而在发展自主品牌以及国际化经营方面取得了初步的成功。值得一提的是，上汽集团已经实现集团整车制造业务的整体上市，并依托旗下的上市公司上海汽车，通过发行可转换公司债券等融资方式形式为其持续收购和业务发展提供了充足的资金支持。而在这些方面，广汽集团显得相对落后。

此外，相对于上海、北京、深圳等城市而言，广州仍然存在诸如自主创新能力不足，支柱产业发展不平衡，服务业现代化水平不高等问题。值得注意的是，尽管广州区域中心城市的定位已经明确，但进入21世纪以来，广州市占省内经济比重有所下降的事实不得不引起关注。近期，省委汪洋书记提出广州建设“首善之区”的要求，并指出与香港、新加坡等亚洲国际大都市相比，广州仍然存在较大差距，以及广州城市建设相对分散，尚未形成特色明显的各类中心功能区，未能加快发展现代服务业特别是高端服务业，未能统筹考虑广州和珠江三角洲区域的发展，建成珠三角“一小时城市圈”的核心作用等问题，均需要广州加以重视和在今后的发展加以解决。

重要事件：1978—2008

- 1979年5月20日，广州市革委会提出，要集中力量把那些工期短、见效快、经济合理、技术先进和属于国民经济薄弱环节，以及直接关系到群众生活的项目搞上去。
- 1981年4月16日，中共广州市委、广州市革委会对全市工业调整做出了新部署，决定采取跨行业联合等措施，集中力量加快发展自行车、缝纫机等10种“拳头”产品，推动工业结构向轻型化发展。
- 1983年2月6日，广东省和港商合作经营的广州白天鹅宾馆正式开业。
- 1984年4月7日，中共中央书记处和国务院联合召开沿海部分城市座谈会，建议进一步开放广州等14个沿海港口城市。
- 1984年10月22日，广州市负责同志许士杰、叶选平、朱森林前往北京，向国务院、国家计委、国家特区办等领导部门和省委、省府在京参加三中全会领导同志，汇报广州市计划单列和《黄埔经济技术开发区规划》等问题，得到了中央领导部门和省领导同志的重视和支持。1984年12月28日，广州经济技术开发区奠基典礼在黄埔港前小区举行，开发区从此正式进入开发建设阶段。
- 1990年11月17日，国家计委批准广州市建设地下铁路首期工程。广州市地下铁路首期工程为东西线，东起广州火车东站，西至黄沙珠江隧道口，全长12.7公里，是广州市有史以来最大的建设项目。
- 1999年3月26日，广州市政府在广州本田汽车有限公司举行“庆祝广州本田雅阁轿车下线仪式”。这标志着广州本田汽车开始进入批量生产阶段，从而开启广州汽车工业崛起之旅。2006年2月9日，花都汽车产业基地管委会荣获“国家火炬计划花都汽车及零部件产业基地”和“广东省汽车产业集群升级示范区”称号并挂牌。这是国家科技部批准的国内第一个汽车及零

部件专业产业基地。

- 2000年4月3日，广州市政府常务会议通过对广氮集团实行关闭的方案。这是广州有史以来关闭的最大的国有企业。2000年6月8日，广州机电工业资产经营有限公司、广州轻工工贸集团有限公司、广州钢铁企业集团有限公司、广州汽车工业集团有限公司四大重组板块正式挂牌。这是广州截至当时最大的一次资产重组。
- 2003年1月2日，广州国际会展中心首期工程建成投入使用。该中心首期投资40亿元，占地43万平方米，总建筑面积39.5万平方米，有三层共16个展厅，有国际标准展位10200个，是目前亚洲最大、世界第二的会展中心。
- 2003年1月28日，广州纺织工贸企业集团有限公司、广州发展集团有限公司、广州珠江啤酒集团有限公司、广州珠江钢琴集团有限公司、广州百货企业集团有限公司和广州市建设资产经营有限公司等广州市六大国有资产授权经营机构正式挂牌并全面启动运作。
- 2005年5月23日，广州市政府正式收到省政府《转发国务院关于同意广东省调整广州市部分行政区划的批复》。国务院同意撤销东山区、芳村区，新设立南沙区和萝岗区两个行政区。
- 2006年10月15—30日，第100届中国出口商品交易会在广州举行。15日晚，中共中央政治局常委、国务院总理温家宝出席大会并作重要讲话，宣布从下届（第101届）起，中国出口商品交易会正式更名为中国进出口商品交易会。该届广交会共设展位31408个，展览面积为28.2万平方米，共有50个交易团，14001家企业参展，累计成交额340.6亿美元。广州交易团在该届广交会出口成交10.54亿美元，首次突破10亿美元。

第二部分

改革开放的推动者

第四章
创业者：经济体制改革的中坚力量

改革先行者：任仲夷

任仲夷1914年9月出生河北省威县西小庄，2005年在广州逝世。1980年至1985年任中共广东省委第一书记兼省军区第一政委。他是改革开放先驱之一、广东思想解放闸门的开启者。他在广东省的改革开放过程中披荆斩棘，政绩有口皆碑，功不可没。在改革开放先行一步的探索中，取得了举世瞩目的成就，蜚声海内外。

在广东改革开放初期这样一个特殊时期，需要强有力的领导人进行政治创业。任仲夷具有超人的胆识、非凡的魄力和坚定的改革意志。1981年，中央召开讨论国民经济的调整的工作会议。一位中央领导同志在会上讲了一封写给中央领导的关于经济调整的来信，信中提出了“缓改革，抑需求，重调整，舍发展”十二字方针。任仲夷认为正是由于过去思想保守，不肯和不敢进行改革，改革的步子太慢，才在经济上出现了许多的问题。社会的需求、人民群众对物质、文化需求的不断增长是必然的和正常的，只能逐步地积极地去解决，逐步地去满足，特别在当时情况下，不应当再强调抑制群众的需求。他认为至少在广东，改革不能缓，发展不能舍，而是改革要坚持，发展要加快。任仲夷回广东后，把发展与调整统一起来，调整的目的，仍是为了发展，为了发展得更快一些。

作为广东改革开放的创业者，广东省委既要坚定不移地廓清错误认识，坚持对外开放，又要面对一些不解甚至指责。1982年，中国第一家国际酒店白天鹅宾馆部分试业，霍英东邀请任仲夷到场，并应要求题词。特区初创，当时有“特区除了国旗是红色的以外，已经没有社会主义的味道了”的说法。1981年5月，任仲夷在省委常委会上指出：“有的同志怀疑办特区会有损主权，会变成殖民地，我们要肯定回答不会。办特区是对主权的运用，是行使主权的表现。”1983年4月25日，在省委常委会上，任仲夷又说：“搞特区不是走资本主义道路，不会损害社会主义，而是大大地有利于社会主义。”1982年1月，任仲夷在地市委书记会议上提出既要注意吸引港澳资金和技术，也要吸引日本、欧美的资金和技术。

解放思想、实事求是是任仲夷重要的工作作风。在1981年1月召开的全省地、市、县委书记会议上，他用包产到户、包干到户，增产增收、经济发展、市场活跃等大量事实，说明农村形势的主流是好的，党同农民的关系密切了。但遇到一个难题，就是政策规定个体经济雇工不能超过八个，但广东的个体户相当多，雇工十几个，二十几个，甚至几百个都有。这个问题到底怎么办？他指出，现在对个体经济，只能扶持不能压制，但要扶持个体经济，首先就要给个体经济正名。我们要制定一个政策，给它取个私营经济的正式名字，让它发展，让它壮大。1984年下达的中共广东省委31号文件，给了蛇口4个具有政府权力的权力：任何进来投资的商人，蛇口自己可以批，批了之后，报上备案就行了；进人、干部转户口，蛇口自己就可以批，另外地界问题也解决了。这个“31号文件”，是广东省委常委开会定的，会议由任老主持。就是这个“31号文件”，使蛇口真正成了特区，成为“改革试管”。

一、引　言

“一个党，一个国家，一个民族，如果一切从本本出发，思想僵化，迷信盛行，那它就不能前进，它的生机就要停止了，就要亡

党亡国。”

“改革开放胆子要大一些，敢于试验，不能像小脚女人一样。看准了的，就大胆地试，大胆地闯。深圳的重要经验就是敢闯。没有一点闯的精神，没有一点‘冒’的精神，没有一股气呀、劲呀，就走不出一条好路，走不出一条新路，就干不出新的事业。”①

“改革开放迈不开步子，不敢闯，说来说去就是怕资本主义的东西多了，走了资本主义道路。要害是姓‘资’还是姓‘社’的问题。判断的标准，应该主要看是否有利于发展社会主义社会的生产力，是否有利于增强社会主义国家的综合国力，是否有利于提高人民的生活水平。”②

以上三段话是我国经济体制改革的倡导者、总设计师邓小平同志，分别在1978年12月13日和1992年1月18日到2月21日视察武昌、深圳、珠海、上海等地时的一系列谈话中所阐述的。我国改革开放的很多创业者都是按照这一思路进行改革的。

改革开放30年，世界被刷新了，很多现象现在人们都习以为常了，譬如：人们的生活必需品、绝大多数生产资料都已经市场化，而且都进入买方市场了；人们可以自由的择业，有条件地迁移，甚至可以有条件地移居国外了；人们受到强烈的持续激励，可以利用自己的私有资本进行自由地创业了，只要符合法律规定，人们可以通过经商不断积累自己的财富，乃至亿万富翁已是层出不穷了；全能型无所不控无所不包的政府已加快速度向服务型政府转变了；普通民众为了维护自己的正当利益可以与政府官员或政府机构打官司了；外商投资经济受到持续的鼓励和产业政策的引导，本国企业也越来越多地进入国际市场，这使得中国经济已经较为深入地进入全球化进程了；私营经济从开始的夹缝中生长到现在已是三分天下有其一了，有的民营企业老总自豪地认为自己已经是共和国的

① 《邓小平文选》第3卷，人民出版社1993年版，第372页。
② 《邓小平文选》第3卷，人民出版社1993年版，第372页。

"长子"了；人们的生活理念与生活方式如此多元和丰富多彩，连很多西方的"老外"也瞠目结舌了；巨大的人口增长并没有导致国家陷入贫穷的陷阱，泱泱13亿多人口的大国解决了温饱问题，而且大多数人都过上了30年前难以想象的好日子了；20年前，当人们听出国归来的人说西方国家大街上有居民丢弃的电视机和电冰箱觉得不可思议，而今我国大城市中的居民也差不多开始丢弃旧家电了；当汶川大地震发生时，民间可以有百亿以上的资金去援救灾民，民众可以慷慨解囊为国分忧了，而30多年前的唐山大地震爆发时，民间面对巨大的灾难想救也是杯水车薪或心有余而力不足啊……

改革开放之初的社会图像是什么样的？那时几乎所有的资源、所有的经济活动都是由最高决策者或决策机构掌控和计划安排的；连几亿农民都被圈定在固定的土地上，长期从事着边际效益极低的生产活动；生活必需品严重供应不足，要靠严格的计划控制凭票供应；人们不仅没有择业和创业的自由，而且连着装、语言，甚至思想都是一个模子；如果有人从事带有私人性质的经济活动，那就是"犯罪"行为，因为意识形态的规则是"以阶级斗争为纲"、"铲除资本主义的尾巴"；如果政府领导人从改善人们的生活角度出发，允许商品经济的存在和私人经济活动，那么他就是犯了所谓的路线错误，他不仅会断送自己的政治生命，甚至连自己的自然生命也得不到保障，一大批官员戴上了"走资本主义道路的当权派"的帽子，被打倒在地，并且被判定为"永世不得翻身"，全国在政治及其意识形态上是一个恐怖时期。这种状态曾被学者称之为全社会"没有自由流动的资源"、"没有自由活动的空间"①。计划经济、集权体制及其相匹配的意识形态，"三位一体"，简直牢不可破，谁若要碰这个"三位一体"，谁就会身败名裂，甚至身家性命难保。

改革开放改变了人们的生产生活方式，改变了国家的经济运行和管理体制，改变了经济构成的成分，改变了人们的思想观念和情

---

① 孙立平：《"自由流动资源"与"自由活动空间"》，《探索》1993年第1期。

感。可是，这一切当今被视为理所当然的事，可在改革开放之初，确是一些创业者冒着断送政治生涯前途，甚至身家性命的风险去拼杀出来的。

本章主要探讨广东党政创业者、企业创业者以及个体户的创业实践，并试图回答以下几个方面的问题，是什么激励了创业者“敢为天下先”？这些创业者为什么能够成功？这些创业行为对广东甚或全国的经济体制改革有什么意义？存在哪些方面的不足？

首先考察广东党政创业者的创业历程。广东的党政创业者在中央的授权下，积极地进行经济体制改革，其中不仅包括经济特区建设，而且也包括私营经济建设等一系列的创业行为，从而使广东的改革开放“先行一步”，广东的经济获得了快速发展。同时，广东党政创业者创业行为也证明了中国实施改革开放的正确性和必要性，很多创业模式也得到中央的认可，并在全国其他地方得以推广。所以总的来说，广东的党政创业者在改革开放过程中起了排头兵的作用。然而，作为地方政府官员，在实施创业行为的过程中，不可避免地面临着政治上的风险，特别是在全国政治走向和经济建设并不明朗的背景下，政治风险更为严重。关于这一点，我们将从理论的视角深入分析。

其次我们将考察广东企业创业者的创业历程。广东企业创业者在创业过程中得到了广东党政创业者的大力支持，但是仅有地方政府的支持，并不能解决创业中所面临的一切问题。并且作为不同的社会群体，党政创业者和企业创业者代表了各自不同的利益，他们之间的利益有着一致性，也有着冲突。上级政府的态度与行为也会对他们之间的关系有着非常大的影响。在这种情况下，企业创业者是如何实施创业行为并最终取得成功的？这是值得深究的重要问题。

最后我们将考察个体户的创业历程。个体户在创业过程中也得到了广东党政创业者的大力支持。但是初始个体户创业者登台亮相乃时势所迫，这是否会影响到他们后来的创业行为，同样，个体户创业这一创业方式的可持续性也是值得探讨的课题。

二、创业的历史背景

（一）创业离不开历史

广东创业者的创业行为有着悠久的传统。广东是中国近现代中国革命的发源地，虎门销烟是中国近代史上反帝国主义的光辉一页。随后，康有为、梁启超在全国率先掀起政制改革或改良的思潮。辛亥革命时期，伟大的革命先行者孙中山、廖仲恺，新民主革命时期，彭湃、叶挺、叶剑英等一大批杰出革命家均来自广东。

专栏4－1　改革开放的背景

广东人民还在苦苦思索：自1966年5月开始的动荡的十年中，究竟是什么给搞错了。十年“文化大革命”，使60年代初的温和改革出了轨，挑动千万群众武斗，使弱者饱受了惊吓；破坏了经济，从而使中国的发展从根本上改变了航向。

——节选自《先行一步——改革中的广东》，傅高义著。

广东也是我国近代工业和民族工业的摇篮之一。1784年，伍国莹创办了怡和行，其子伍秉鉴于1800年继承父业。2001年《亚洲华尔街日报》选出过去1000年来全球最富有的50人，十三行行商伍秉鉴是其中之一①。1872年华侨商人陈启沅在南海创办的继昌隆缫丝厂是我国第一家民族资本工业企业。2003年英国人胡润最新的《福布斯》中国百富豪榜中广东企业家上榜最多，占了16席，而在《新财富》所排的400富豪榜里，来自广东的企业家也有48位②。广东早期创业者一系列的创业行为，对后来创业者产生了示范和传递效应，推动了广东的经济、政治以及文化甚至全国不断发展。

1949年后的30年计划经济体制，虽然在五六十年代也取得了一些成绩，但主要是靠一种革命激情的感染，靠工人和农民翻身解

① 周兆晴：《新粤商》，北京大学出版社2007年版，第19页。

② 市场导报，http：//www. zjscdb. com/newsdisp. Asp？ id＝2301.

放的热情、意识形态的鼓舞，而不是依据市场经济发展的规律，不是靠一种客观的激励机制。计划体制是典型的集权体制，一切生产和资源配置活动都是由最高领导者和最高领导层决策，下面的各层各级都长期习惯于等候指令。这是一个窒息人自主性、创造性的体制。这种经济体制的最终导致了劳动者积极性低，市场资源得不到合理配置，经济得不到发展，人民生活水平下降。

十年“文化大革命”，高举“以阶级斗争为纲”、“无产阶级专政的继续革命”的旗帜，几乎铲除了私有经济活动，要“割资本主义尾巴”，“宁要社会主义的草，不要资本主义的苗”。整个国民经济到了崩溃的边缘。

从粉碎“四人帮”到召开党的十一届三中全会前的两年间，虽然“四人帮”已经垮台，但一部分党组织和政府机关的领导班子，仍然掌握在“左”派手中。另外，党的指导思想上的是非并没有得到应有的澄清，拨乱反正呈现徘徊局面。当时的主要领导人仍然高举“两个凡是”，使得改革举步维艰。

在这个问题上，我国改革开放总设计师邓小平说过三句振聋发聩的话。第一句是：“一个党，一个国家，一个民族，如果一切从本本出发，思想僵化，迷信盛行，那它就不能前进，它的生机就停止了，就要亡党亡国。”第二句是：“如果现在再不实行改革，我们的现代化事业和社会主义事业就会被葬送。”第三句是：“不坚持社会主义，不改革开放，不发展经济，不改善人民生活，只能是死路一条。”

70年代末，在最高领导层中改革派支持的实践是检验真理的标准的大讨论中，在改革总设计师邓小平的推动和支持下，广东的改革终于先行启动了。1979年，袁庚首先在深圳开拓“蛇口实验区”；1979年，吴南生、习仲勋等省领导大胆提出建“出口加工区”的设想；1981年，省领导任仲夷提倡发展“私营经济”等等。随后广东省各届领导：林若、梁灵光、叶选平、谢非、朱森林、李长春、卢瑞华、张德江、黄华华、汪洋等，把广东的改革开放事业一步一步向前推进。

（二）广东的创业背景

中国改革选择广东作为改革开放的首要省份并非历史的偶然，而是与当时广东所具备的一系列条件密切相关的。广东的对外开放有着悠久的历史。早在魏晋南北朝时期，通过广州来中国经商的国家和地区就有15个之多；隋唐宋时期，广州的海上“丝绸之路”已经达到空前繁荣的阶段；明代时期，广州还首创外贸交易会，每年夏冬两季定期举办外贸集市；并且在明清时期，广州独揽了全国对外贸易的大权，内地货品只能长途贩运至广州出口（周兆晴，2007）。

改革开放初期，全国民众面临巨大的生存和就业压力，地方和中央政府的财政困窘，广东在毗邻港澳的巨大反差的对比中，改革冲动显得更加强烈。从经济发展看，当时香港低成本优势的制造业遇到东南亚廉价商品的挑战，进行产业转移是香港众多企业的必由之路。而广东是香港企业家的首选，一方面是因为香港的绝大多数居民均为广东移民，与广东居民保持着千丝万缕的关系，通过经济资源的转移，可以回报乡梓。另一方面，广东具有庞大的市场、低廉的生产要素成本。所以香港产业转移到广东仅是“万事俱备、只欠东风”。

广东的改革思路也得到了中央政府的支持。没有中央政府的全力支持，广东的改革不可能成功实施。站在中央政府的立场，选择广东作为改革开放的实验区，有着非常重要的政治和经济意义。在政治上，广东远离北京，在全国来看，广东在基础工业中的战略地位也不是很重要。由此，即使广东的改革不成功，对全国的政治、经济影响并不是很大。另外，广东临近香港、澳门，对广东实施灵活的改革开放政策，有利于吸取香港、澳门居民的民心，从而有利于中华民族的统一大业。在经济上，由于中国的海外华人中的很大一部分是广东人，广东的一些官员估计，当时海外华人的资产总额达到了2000亿美元①。通过广东的改革开放，可以吸收一些海外的

① 傅高义（1991），第90页。

资金来支持改革。

三、党政创业者：敢为天下先

（一）创业本身就是一场解放思想的活动

广东的改革开放是从经济特区的建设开始的①。1980年8月26日，第五届全国人大常委会第十五次会议批准了国务院提出的《中华人民共和国广东省经济特区条例》，正式宣布在深圳、珠海、汕头划出一定区域设置经济特区。从此，经济特区通过国家立法程序正式诞生。在特区范围内，中国政府允许外国企业或个人以及华侨、港澳同胞进行投资活动并实行特殊政策。在经济特区内，对国外投资者在企业设备、原材料、元器件的进口和产品出口，公司所得税税率减免，外汇结算和利润的汇出，土地使用，外商及其家属随员的居留和出入境手续等方面提供优惠条件。

> **专栏4－2　解放思想的序幕**
>
> 1979年3月3日，吴南生在省委常委会议上说："我提议广东先走一步。在汕头划出一块地方搞试验，用各种优惠的政策来吸引外资，把国外先进的东西吸引到这块地方来。因为：第一，在全省来说，除广州之外，汕头是对外贸易最多的地方，搞对外经济活动比较有经验。第二，潮汕地区海外的华侨、华人是全国最多的，约占我国海外华人的三分之一。其中许多是在海外有影响的人物，我们可以动员他们回来投资。第三，汕头地处粤东，偏于一隅，万一办不成，失败了，也不会影响太大。"
>
> ——节选自《1979—2000深圳重大决策和事件民间观察》，陈宏著

设立经济特区对于中国经济的发展和改革开放的深入无疑都具有十分重要意义。然而，由于历史的阴影、盲目的排外情绪挟带着狭隘的民族主义情结，以及长期以来"左"的思想的束缚和传统的计划经济体制的影响，使不少党内外人士对经济特区的建设难以

① 有关经济特区建设的历程见第二章。

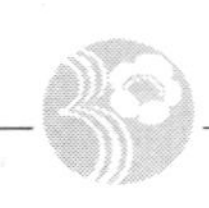

理解和接受，有明显的抵触情绪，担心特区会变成旧中国的“租界”和殖民地。人们议论较多的还有：特区是经济特区，政治上特不特呢？“三资”企业的发展会不会对民族经济构成威胁或者冲击中国的民族工业呢？另外，由于特区成立不久，在经济迅速发展的同时也出现了一些问题。对于这些问题，是通过深化改革来加以解决还是以此否定特区，也成为人们争论的焦点。

在这场影响深远的争论中，很多矛头都直指广东的经济特区，广东的党政创业者如任仲夷、吴南生、梁灵光、袁庚等始终处在风口浪尖上。作为特区的创始者，这些党政干部承受着巨大的压力和政治风险，但是他们并没有退缩，他们选择了继续改革，继续“实验”。正是由于广东党政创业者们的坚持，经济特区的改革才能在“试验”中层层推进。回顾历史，经济特区的这些“实验”从意识形态和基本制度建设两个方面证明了改革开放的重要性。关于这一点，邓小平曾指出，对办特区，从一开始就有不同意见，担心是不是搞资本主义。深圳的建设成就，明确回答了那些有这样那样担心的人。特区姓“社”不姓“资”。在基本制度建设方面，正是由于经济特区对基本建设管理体制的摸索，才形成了招标投标制度；对价格机制的摸索，形成了既有计划又有市场的双轨制的并轨；对人事管理制度的摸索，形成了市场化的人才机制；而对企业改革的摸索，形成了影响深远的国有企业的股份制改造等等。同时，特区建设过程中也出现了一些新问题，例如吸引外资中的产业结构低下、开发建设中外来人口管理滞后、外资企业的劳资矛盾、走私制假与偷漏税、外汇收支不平衡、以市场换技术不理想、对外开放中泥沙俱下的“黄赌毒”① 等等问题。广东的党政创业者们研究和解决特区建设中出现的这些新问题，并相应制定一些方针政策，有力促进了特区建设的发展，也为后期改革者提供了一些有益的经验，使这些后来者在改革开放中走得更加平坦、快捷。

个体私营经济是广东党政创业者实施创业行为的重要组成部

---

① http：//www. people. com. cn/GB/paper464/12953/1164093. html.

分。按照马克思的思想，在雇佣少于8个劳动力的情况下，对于剩余价值剥削的收入并不是其全部收入的主要来源。这个定义为20世纪80年代在反私有经济的政治经济环境中私有经济的成长提供了空间。但在改革开放初期，随着中国城乡的个体经济得以恢复和发展，个体经济逐渐突破了国家规定的雇工8人的限额，成为事实上的私营企业。雇工现象在各地的出现，一度在社会上引起广泛的关注。当时，讨论的焦点主要集中在雇工经营有无剥削以及今天的雇工经营与资本主义雇工经营有无区别等问题上。

针对私营经济问题，当时社会上主要存在两种反对的观点：一种观点强调，雇工超过8个员工的经营必然存在剥削，而在社会主义社会中是不能允许剥削雇工的，这是经济建设的原则性问题。搞专业承包，不能忘了坚持社会主义道路这个根本原则，因而，绝不能允许私营经济的存在。另一种观点认为，雇工经营中付给被雇人员的报酬低于他们付出劳动所创造的价值，雇工经营的收入中存在剥削是肯定的，而且，雇工越多，占有他人创造的财富也就越多。但这种剥削在我国现阶段是应该允许的。因为我国农村经济比较落后，存在着多种经济成分，出现雇工现象也是难免的。问题是要实事求是地对待，既不能不承认，也不能简单地加以禁止，只能限制和引导。因而，主张允许雇工现象的存在，但要加以限制。希望有关部门尽快采取措施，制定出具体政策。在当时的环境下，私营经济对于意识形态的攻击以及经济体制的限制显得特别脆弱，私营企业没有安全感。

当大多数人都在争论社会主义是否应该需要私营经济的时候，广东党政创业者们就旗帜鲜明地支持发展私营经济。1980年，广东省工商局出台了全国第一个鼓励支持个体经济发展的具体措施。任仲夷在1981年1月召开的全省地、市、县委书记会议上，他用包产到户、包干到户，增产增收、经济发展、市场活跃等大量事实，说明农村形势的主流是好的，党同农民的关系密切了，强调已实行“双包”的地方，都是符合群众意愿的，就不要改过来了。1982年5月，佛山市成立了全国第一家个体劳动者协会。1982年，任仲夷正式提出了“私营经济”的概念。1979—1987年，广州城乡个体工商户增长了17倍。1993年，中共广州市委、市政府制定了《关于加快个体和私营经济发展的决定》，在全国最先提出：个体私营经济是国民经济的重要组成部分。至1988年6月，广东省个体工商业、私营企业达到89.6万户，比1979年的1.8万户增长了48.7倍[①]。统计资料显示，2004年底，广东私营企业户平均注册资本已达到143.5万元。其中注册资本在亿元以上的达288户，增长87%。私营企业集团达332户，比上年末增长了11.8%[②]。

市场经济是广东党政创业者的又一重要的创业行为。20世纪60年代，广东学者卓炯就明确提出并始终坚持社会主义商品经济的理论。改革开放初期，卓炯的这一观点得到了广东省委主要领导的认同和支持。在广东省委的支持下，从1979年开始，广州市率先放开塘鱼价格，进行流通体制的市场化改革。1980年3月，国务院副总理谷牧在广州主持召开广东、福建两省会议，明确提出：广东、福建的“物资、商业在国家计划指导下适当利用市场调节”。1980年10月，广东开始进行物价改革，在全国率先放开农副产品价格，从“放调结合，以调为主”向“放调结合，以放为主，放中有管，分步推进”转变，按照先农副产品后工业产品，先消费品后生产资料的顺序，在全国率先进行物价闯关。农副产品放开了，粮食放开了，工业消费品和生产资料也由小到大、由易到难，逐步放开。同时，制定并实施了《关于疏通商品流通渠道，促进商品生产，搞活市场的十二条措施》。1985年，为了推进以市场为取向的改革，中共广东省委明确提出：要破除把商品经济、个体经济和市场竞争看成是“资本主义”的陈旧观念，把是否有利于发展社会生产力，作为检验改革成败的主要标准，大胆建设有中国特色的社会主义。1987年与1978年相比，广东的农副产品派购

① 黄浩、易振球：《改革之星——广东改革开放十年实践100例》，广东人民出版社1988年版，第15页。

② http：//news. sohu. com/20050212/n224287718. shtml.

品种从118种减为5种，1988年又减为3种；日用工业用品计划收购从95种减为不足10种；集贸市场从1936个增加到3482个；广东省社会商品零售总额达478.35亿元，比1978年的105.23亿元增长3.5倍①。

（二）创业者需要具备企业家的精神

回顾30年的改革开放，我们不禁要提出这样一个问题：为什么广东的党政创业者"能够杀出一条血路"，能够"先行一步"？除了一些客观的条件之外，是否还存在着一些主观的因素？

专栏4-3 创业行为

各个地方官员意识到，对那些发展地方经济有功的人，北京是特别宽容的……在改革期间，广东方面与北京高层有较好的沟通，从而收益颇多。部分信息来自香港，那里有许多北京最高层干部的子弟，香港的传媒也经常率先披露在内地还鲜为人知的中国发展的内幕，从而促使广东官员明确事情的限度并相应地调整各项行动。他们总的来说是相信改革的。

——节选自《先行一步——改革中的广东》，傅高义著，第88页

按照新制度经济学的解释逻辑，中国地方政府官员的创业行为必然存在着激励机制。关于这一点，周黎安曾指出，中国地方官员之所以有动力促进地方经济增长，地方官员的晋升以及中央政府和地方政府财政包干合同中的留存比例两个因素起了关键性的作用。随后，周黎安从锦标赛理论的视角对中国地方官员的激励机制进行了深入分析。他指出，中央在十一届三中全会以来拨乱反正和全党工作重心从阶级斗争转向经济建设转变之后，地方发展的经济绩效也就成了干部晋升的主要指标之一。经济改革和发展成为各级党委和政府的头等大事（周黎安，2007）。按照这一思路，作为地方政府的领导者，在实施创业行为时，广东的党政创业者不可避免地会考虑晋升、权力等因素。然而，在改革开放初期的背景下，由于政治

① 黄浩、易振球：《改革之星——广东改革开放十年实践100例》，广东人民出版社1988年版，第9页

环境和经济环境并不明朗，创业也没有现成的经验可以借鉴，虽然中央政府对改革者的创业行为较为宽容，但由于创业过程中充满了很多不确定性和风险。创业失败往往意味着政治前途的毁灭，甚至还会在历史上留下被骂的名声。如果仅仅是为了晋升、分权，不值得他们冒着这么大的风险去实施创业行为。那么究竟是什么原因使他们愿意冒着风险去改革呢?

奥地利学派的代表人物熊彼特曾指出，经济发展的根本动力来自于创新，而创新的本质就是生产手段的新组合。发现和实现这些新组合的人就是企业家（熊彼特，1990）。从这个角度看，广东的党政创业者实际上具备着双重身份：首先，他们是执行改革开放政策的党政干部，拥有着一定公共资源的支配权和政策的制定及执行权；其次，他们扮演了类似企业家的角色，通过对旧经济秩序的“创造性破坏”，带来了经济的变革和增长。作为党政干部，他们身负改革开放的重任，肩负着责任和义务，要为改革开放事业兢兢业业。但同时要顺应时代发展的趋势，灵活变通，只有这样才能在实施改革开放的同时，实现自己的政治理想和抱负。而作为政治企业家，他们是勇于在改革开放初期这种高度不确定环境中进行决策并承担决策风险后果的人（奈特，中译本，2006）。

自改革开放以来，随着农村经济体制改革和城市经济管理体制改革的深入发展，“产品经济”向“商品经济”过渡。计划体制逐步向市场机制转轨，改革开放已经从经济领域扩展到了社会生活的其他领域，全方位的改革开放从根本上促使整个社会结构发生深刻变迁。在这个转型过程中，意识形态的问题并没有得到完全澄清，改革也没有现成的经验可以借鉴，一切都要“摸着石头过河”，充满了很多不确定性因素。作为政治企业家，不仅要勇于做出决策，更要勇于承担决策后果，其中也包括政治风险。“先行一步”，是史无前例的一场试验，一旦出现闪失，势必对改革开放形势以及自己的政治前途造成不利影响。这就需要党政创业者具有企业家的精神、勇气和魄力。由此，正是由于广东的党政创业者的双重身份才使得他们能够勇于承担风险，不断开拓创新。

四、企业创业者：敢饮“头啖汤”

（一）企业创业者与党政创业者的关系

> **专栏4-4　粤商**
>
> 20世纪80年代，以对市场机遇敏感著称的广东人，富于冒险精神，敢饮“头啖汤”，抓住机遇办企业、做生意、拓展市场，获得了原始积累，冲到了全国的前列。
>
> 80年代中后期，珠三角在“三来一补”政策的指引下，借助香港的贸易和信息通道获得制造业前端所需的资源，迅速形成了制造业优势，在家电、IT等领域积累了相当强的实力，珠三角成为世界性的新兴制造业基地。
>
> ——节选自《新粤商》，周兆晴著，第40页

在大一统的高度集权经济体制下，中国没有现代意义上的企业，如果有被称为“企业”的，也只是中央集权体制下的生产工厂。所以在计划经济体制下，企业创业者也是不存在的。在改革开放初期，中国逐渐涌现了一些集体企业和个体/私营企业，但私营企业在当时社会中并不具有合法性的身份。一些私营企业主只能通过“挂靠”或“戴红帽”的形式进行运营，即企业注册为集体企业，但事实上是由私人所有。随着中国改革开放的推进，企业创业者作为一个合法性的社会阶层出现了。企业创业者的背景是多样的，大约一部分的私营企业主是以前政府的官员，另外的一部分是经理人员和手工业者，余下的一部分是普通工人和农民。

党政创业者是企业创业者的启动人、推动者。企业创业者的兴起与发展又促动了党政创业者的不断自我改进与完善。社会转型背景中，广东的企业创业者与党政领导者之间形成了特别富有成效的互动博弈，其中双方之间虽然有相互报酬递减的路径制度变迁，但占主导的是相互报酬递增的路径制度变迁。即如果企业创业者是依靠寻租获取发展资源的话，那么它主动行动的路线将是下面部分：企业创业者向某些党政创业者寻租，少数党政创业者向企业提供偏私性的资源供给（设租）或对其竞争对手、交易市场实行偏私化

管制，于是，寻租的党政创业者和设租的少数企业创业者得到受益。但政府自身的收益降低，企业与政府之间的互动陷入相互报酬递减的陷阱。而如果党政创业者定位于服务者和规范规制的角色，那么企业创业者可以通过一定的渠道和方式将自己的群体意见传递给党政创业者，促进规制不断优化，那么双方互动的结果一定是相互报酬递增的。

（二）“三来一补”、贴牌（OEM）、创牌

一个国家或地区的经济社会发展，取决于是否出现越来越多的有效率的企业组织，而有效率的企业组织的出现有赖于是否涌现出成千上万的敢于创业的企业家。改革开放以来，广东最早涌现了一大批企业创业者。他们主要包括：受中国政府对外开放政策吸引前来投资的外商，特别是港澳投资者及众多华人华侨投资者，如早期投资白天鹅宾馆的霍英东，泰国正大集团的谢国民等；利用海外华人华侨社会网络所获取的产品订单，开始进行“三来一补”的生产活动，出现了数不清的大批创新模式的企业家；带着“红帽子”，后来成功实现转制并在行业发展上大展身手的企业家，如美的的何享建、格兰仕的梁庆德、温氏集团等；在夹缝中顽强诞生和成长起来，并能在跨国公司产品的强大攻势前不断拓展的本土民营企业家，如立白的陈凯旋、雅士利的张利钿、广州好迪的黄家武、香江集团的刘志强等；在特区土壤中开拓打拼出来的企业家，如华为的任正非、万科的王石；不断进行改制和创新的国有企业领导人，如格力的朱江洪和董明珠、TCL的李东生、白云山和黄的李楚源、珠江啤酒的方贵权、招商银行的马蔚华、广东发展银行的李若虹、广东移动的徐龙等；使老字号品牌重新焕发新的竞争力的企业家们，如王老吉、黄振龙、阳江十八子等；还有在新经济领域中锐意创新的企业家，如金蝶的徐少春、网易的丁磊、腾讯的马化腾等。

专栏4-5　格兰仕的OEM

1978年，任顺德桂洲镇工交办副主任的梁庆德向镇党委提议建一个水洗羽绒厂，主要是以鸡毛鸭毛为原料做羽绒加工。这个提议最终是通过当时的桂洲镇党委讨论并以投票表决的方式加以确定。

1979年，格兰仕桂洲羽绒厂正式投产，业务是生产轻纺业原材料，以手工操作进行洗涤，产品主要供外贸单位出口，年产值为46.81万元。

1992年3月，桂洲畜产品企业公司实行产业结构调整，把以轻纺工业为主体的经营格局，转移成以微波炉为主导产品、多个小家电齐上，兼营羽绒毛纺织业的集团化、多元一体化复合型格局。

格兰仕采取为国际性大品牌做OEM的策略，成为意大利德龙、美国GE、日本三洋等的OEM合作伙伴。格兰仕选择以代工为主的橄榄形模式，与跨国公司的哑玲形模式对接。借助这种代工，格兰仕的国际化取得了"突飞猛进"的成果，与全球240多家跨国公司建立了合作关系，产品遍及欧洲、南美、北美、澳洲、亚洲、非洲、拉丁美洲等地区的100多个国家。

广东的企业创业者选择OEM的创业方式是与改革开放初期的客观环境分不开的。首先，从政治环境来看，在广东党政创业者地推动下，中央政府放宽吸引外资的政策，鼓励出口导向的外资和技术先进的外资到中国投资设厂；其次，从产业环境来看，广东的企业创业者非常清楚，企业规模较小时，没有能力同国外的大企业在国际市场上同场竞技，成为他们的OEM后，可以避免与国外大企业过早展开竞争，为企业生存争取到时间和精力。另外，在OEM的过程中，可以通过不断学习，对上游工序和客户的要求等了解和掌握会越来越多，发包者逐渐会交给他们更多的职能和责任，可能逐步承担包括产品设计、进一步深加工、售后服务等在内的更加广泛的工序、环节和职能，为企业的后续发展积蓄力量。

但广东的企业创业者也明白，OEM只是权宜之计，因为OEM大都处在价值链的低端，利润相当微薄，并且核心技术受制于人，缺乏关键知识产权和自主创新的能力。所以广东的企业创业者逐渐意识到品牌的重要性，在为发达国家企业开展OEM业务时，通过对生产过程的学习，有意识地积累自己的制造经验，同时通过反求

工程，对引进的设备、工艺进行摸索、探求、仿制和改进。形成自己的设计和初步研发能力之后，逐渐过渡到ODM，向产业链的上游扩展。如惠州的TCL、德赛，深圳的华为、中兴、康佳，顺德的美的、格兰仕、科龙电器等，这些企业大多是从开展加工贸易业务做起，通过加快对国外先进技术的消化吸收和二次创新，成功实现了从OEM到ODM的转变，如今都已成为拥有专业研发机构、自主品牌和知识产权，具有一定国际竞争力的大型企业集团①。

（三）在产业集群中创造效益

改革开放以来，广东形成了一系列的产业集群。其中包括：深圳的电子信息制造业产业集群；顺德容桂的电器机械生产基地，顺德龙江、乐从的家具生产基地和专业市场；禅城南庄、石湾的建筑陶瓷生产基地，禅城张槎、环市的针织、童装生产基地，禅城澜石的不锈钢加工基地和集散地；南海西樵、盐步、里水的纺织、内衣、袜子生产基地，南海大沥的有色金属集散地；中山古镇的灯饰生产基地和销售市场，小榄的五金制品、沙溪的休闲服装、南头的家电等；东莞石龙、石碣的电子信息产业集群，虎门的服装产业集群，长安的电子五金，厚街的家具；汕头澄海的玩具、潮阳的服装和化妆品，潮州枫溪的陶瓷、庵埠的食品；云浮市云城的石材；茂名怀乡的竹编；梅州雁洋的金柚等。

众多产业集群往往都是在广东企业创业者的创业过程中逐渐形成的。在集群的起始阶段，往往只有产业内的企业创业者建立的几个核心企业。但随着核心企业的发展以及品牌效应的提升，他们往往会调整发展战略，专注于打造核心竞争力。在市场力量的作用下，一批原来从事其他行业的企业也加入了配套生产行列。这些企业创业者之间经过多年的“磨合”，逐步形成了专业化的分工协作体系，一个由上游供应商、企业、营销渠道、中介机构、客户等构成的区域产业网络就形成了。这些内源型集群的形成往往是以本地

① http://theory.people.com.cn/GB/49154/49155/5468814.html.

企业创业者的创业行为为诱因。正是由于企业创业者的推进，在区域内才逐渐形成了原材料和产品市场，并通过一定的社会网络向外扩散，呈现出区域专业生产的产业组织形态。当然，在集群的形成过程中，地区之间的产业转移、地方政府的支持和引导等都发挥了很大的作用。

专栏4－6　澄海玩具集群

在计划经济年代里，澄海工业经济主要是国有和大集体，个体和私营工业很少，而且局限于修理业。20世纪80年代初期，澄海玩具礼品业从家庭作坊式生产起步，初期主要是以竹木等原始材料制作工艺礼品；或采用手动、半自动塑料挤出机，生产一次成型的静态玩具。

80年代中期至90年代中期，通过大量引进全自动注塑机，生产组合式动态玩具，玩具礼品的产量、质量有较大提高，在国内有了“玩具之乡”的美誉。一批原来从事纸制品、五金制品、毛织等企业也加入了玩具礼品生产行列，不少骨干企业、集团公司也调整了发展方向，增加投入，生产设备不断更新，使澄海玩具礼品业逐步形成原材料供应、造型设计、模具加工、零部件制造、装配成型、包装装潢和产品销售、运输等专业分工协作的生产体系。

目前，澄海玩具产业集群形成了以中心城区为龙头，凤翔、澄华、广益、莲上、莲下、东里等镇（街道）及埔美、外埔、西门、东湖、渡亭等专业村（居）为重点基础，遍布城乡的“众星拱月”的产业格局。

在产业集群的发展过程中，随着改革开放的不断推进，广东的企业创业者越来越注重提高集群产品的附加值和竞争优势。产业链高端环节主要集中在研发和营销两端。产品或产业价值链主要由研发、制造和销售等环节组成，以自主知识产权为核心的研发和以品牌为核心的销售处于价值链的两个高端。目前，在全球产业链中包括广东在内的中国制造只是在加工制造、装配环节占有一定的优势，以低廉的劳动力成本、廉价的资源等获得极低的加工费。关于这一点，广东的企业创业者正积极进入价值链的研发和营销等高附加值环节，并借助技术并购、高技术企业控股，以及跨国公司合作，实施产业集群的“高端战略”，加快企业结构“两头强、中间精”的产业链的高端嫁接（马建会，2007）。截至2005年底，广

东专业镇共有159个，GDP总额4658.32亿元，占全省GDP的20.83%，特色产业产值4683.13亿元，特色产业税收116.35亿元，特色产业企业数100728家，特色产业职工总数370.71万人，特色产业科技人员24.11万人（张百尚，2007）。

（四）创业既要解放思想，也要实事求是

著名的美国创业管理专家Timmons认为，创业流程是由机会启动的，必须组成创业团队并取得必要资源，创业计划才能顺利推进，成功的创业活动正是“机会、团队、资源”三大要素的结合（Timmons，1999）。Venkataraman指出，创业研究是考察什么人通过何种方式去发现、评价和利用创造未来商品和服务的机会（Venkatarama，1997）。Shane则强调，创业机会是如何存在的，创业者又是如何发现这些机会，何时以何种方式去利用这些机会，对这些问题的分析便成为创业研究的基本问题（Shane，2000）。在他们看来，创业就是发现和利用有利可图的机会。改革开放以后，随着香港制造业的转移，急需广东企业提供一些相配套的产业链条，这就为广东企业创业者提供了创业机会。另外，在改革开放后相当长的一段时间内，国内商品市场总体呈现出供不应求，各类商品品种稀少，质量、档次都不高。这些都为广东创业者提供了机会。

然而，只有机会并不能实现创业。作为创业者，还必须拥有资源。Barney依创业资源的重要性将其分为三项：一是人力和技术资源，包括创业者及其团队的能力、经验、社会关系及其掌握的关键技术等；二是财务资源，即以货币形式存在的资源；三是其他生产经营性资源，即在企业新创过程中所需的厂房、设施等（Barney，2000）。由于香港的绝大多数居民均为广东移民，广东的企业创业者与他们有着紧密的联系。1979年，海外华人和港澳同胞通过中国银行在香港、澳门和海外的分支机构向广东的汇款金额达7.45亿元。之后，他们继续给国内的亲戚以经济上的支持。这就解决了广东创业者所需要的一些资金资源。另外，由于广东的先行一步，有很多外来企业在投资建厂，也为广东创业者带来了一些管理企业

的经验和技术。同时，广东的党政创业者也为企业创业者提供了一些廉价的资源和优惠的政策。这正如芝加哥大学社会学家 Francis 所指出的，对大多数创业者来说，他们最重要的资源是错综复杂的个人网络，创业者拥有可利用的社会资本越丰富，创业的可能性以及取得成功的可能性也就越大（Francis，2000）。

在改革开放的过程中，广东的企业创业者抓住了机遇，为广东的经济发展做出了巨大的贡献，同时广东企业独特的成长路径也为国内其他企业的发展提供了借鉴。进一步要思考的一个问题是：广东的企业创业者的成功除了一些客观机遇和资源之外，是否还存在一些其他的因素？历史与现实表明：岭南文化是影响广东企业创业者能够取得成功的重要原因。

广东作为岭南文化的发源地，广东创业者的创业行为往往深受岭南文化的影响。岭南文化主要是以珠江三角洲地区为中心所创造的一种地方文化，它主要由三大民系文化构成：广府民系文化、客家民系文化和潮汕文化，主要包括敢为人先、务实进取、开放兼容。这些文化底蕴在广东企业创业者身上体现得尤为明显。改革开放初期，当人们为是否应该实施经济特区争论不休时，广东企业创业者就敢于引进外资并利用外资；广东创业者更多的时候是“讷于言而敏于行”。在改革开放初期，当人们还在为市场经济姓“资”姓“社”争论不休时，广东的这些创业者已经开始“先行一步”，默默无闻地在“遇着红灯绕路走”中冲破一个个禁区，从而为广东带来了巨大的经济收益。“开放兼容”的文化特性促使广东企业创业者能平等客观地对待其他文化，积极、主动地吸取、模仿和学习外来先进的技术及管理经验。

五、个体户创业者：时势所迫到造势英雄

（一）党政创业者、企业创业者与个体户的关系

改革开放之前，广东乃至全国的个体户创业者就像冬眠的昆虫

一样，被封冻在社会生活的冰层里，近乎绝迹。改革开放后，广东党政创业者率先开始落实措施鼓励个体经济的发展，个体户创业者这一阶层才得以复苏，党政创业者作为个体经济发展的制度的提供者和执行者，是个体户创业者发展的推动者。同时，改革开放初期，个体户创业者率先响应党政创业者发展市场经济和个体经济的政策动员，个体户创业者对党政创业者的这一初始政策认同最终形成扩散效应，这又激励了党政创业者在制度提供和执行上的不断自我改进与完善。因而，个体创业者和党政创业者在政策提供、政策执行和政策认同上呈现出一种相互驱动的共赢博弈。

企业家和私营企业就产生途径而言，主要有以下几种：一是由城乡个体工商户，包括家庭工厂、家庭作坊、流通领域的购销大户、服务行业的经营大户逐渐发展为私营企业。二是由农村率先富裕的“两户”（专业户、重点户）发展为私营企业。三是由租赁或拍卖的集体企业转化为私营企业。当然也不排除其他途径，比如由劳动者自己集资，采取私营企业的组织形式和经营方式。其中，前二种是主要的产生途径①。企业家一般都是依靠个体户的经营方式为他们积累了原始资金。改革开放初期，个人想创业，资金只能靠自己积累。另外，创业的激情、输赢的压力、社会的舆论迫使个体创业者几乎对所有的事情都亲力亲为。从决策、生产、营销到管理，个体创业简直就是现代企业创业的微型模版，所谓“麻雀虽小，五脏俱全”。个体创业磨炼了个人的企业家能力和管理能力。因而，无论从物质资本角度、还是人力资本积累角度，个体户不可避免地成为孕育企业家的摇篮。我们可以预见在现在的个体创业者中，将来又将蜕变出很多叱咤经济舞台的企业家。

① 王林昌：《非公有制经济管理》（修订本），武汉大学出版社1998年版，第44页。

专栏4-7　容志仁：广州个体户第一人

容志仁在阳江农村插队半年后私自逃回广州成为“黑户”，此后过了将近十年没有固定住所、没有固定收入的流浪生活。期间为了生存，容志仁发挥了各种本事：画画，当家庭教师，教语文，拉小提琴，打太极拳。直至1978年允许知青返城，他才正式结束“黑户”身份，当时和他同回广州的还有好几十万青年……

街坊的一声抱怨“西华路这里吃早餐真是个难题”激发了容志仁开设小吃店的灵感，揣着仅有的100块钱，买了碗碟、酱料等原料，加上从文化站借来的大锅和桌椅，容志仁和妻子开始了个体户创业旅程。容志仁的事迹在当时频频被全国各大新闻媒体报道，名扬全国。1981年8月，作为广东省第一个青年个体户的代表，容志仁受到了当时广东省委第一书记任仲夷的接见。

（二）街市中无奈的起步：生存型创业

像容志仁这样的一个偏爱丹青、喜唱粤曲、会玩两手魔术的文艺青年是如何被推入到第一批个体户的大潮中的呢？容志仁曾自述到：“那段辉煌乃时势所逼、生存所迫。西华路上像我这样的摊位那时并不多，个体户被叫做‘街边仔’，大家都怕做个体户，怕被人看不起。我之所以没有顾忌，是为了生存。没有生存，所有理想都是不存在的。我也没有媒体说得那么高的境界，只是在求生存过程中，客观上为群众做了一些好事。说老实话，初衷就是为了生存。”①

① 广东省档案馆：《广东改革开放先行者口述实录》，广东人民出版社2008年版。

容志仁的个体户创业之路是广东第一批个体户创业的一个缩影。那个年代个体户给人们的印象普遍是：他们或挑着扁担沿街叫卖，或蹲坐于街角，洪亮的叫声似乎总也无法掩盖他们内心深处的底气不足。回顾那个年代，虽然国家政策允许个体劳动者合法经营，但是个体户在人们心中还是个能避则避的扎手玩意儿。

一方面，受长期传统势力的影响，社会对个体劳动者的认同感不高，甚至为人们所不齿。依稀还能记得那个年代家长的语录：对男孩子训话是："不好好学习？长大去当个体户吧。"对女孩子训话则是："不好好学习？长大就只能嫁个体户了！"

另一方面，个体劳动者对国家政策的长期性仍有所质疑。历史上个体经济的相关政策的动荡变迁大大磨灭了人们的信心。新中国成立后个体经济相继经历了由扶植发展到限制乃至取消的历史变迁。1954 年我国颁布了第一部宪法，虽然提到个体劳动者经济，但同时又规定了对他们进行"改造、限制"和"向合作化过渡"，个体经济的合法性开始变得不稳定。1975 年 1 月 17 日通过的《宪法》不仅没有个体经济的提法，更是将其排除在现阶段所有制的形式之外，也就是说，个体经济的合法性没有得到确认。

改革开放初，政策的风向再次变向，主动趋向者又能有几何？为什么又有个体户愿意冒着社会风险和政治风险开始创业之路呢？他们的驱动力何在？

实质上，改革开放初期，我国出现了极大的就业压力：一是农业经济制度创新，大大提高了农业生产效率，结果出现了大量农业剩余劳动力；二是五六十年代人口出生高峰时期出生的人口，在转型时期纷纷进入劳动年龄；三是上山下乡知青纷纷返城。也正因此，政策鼓励个体户创业以便分流就业压力。

在广东，率先踏上个体户创业之路便是回城的待业青年和被国有或集体体系"遗弃"的人员，这些人存在一个共同特性——无处就业。美国心理学家马斯洛在 1943 年提出的"需求层次理论"将人的需要归纳为五大类，即生理、安全、社交、尊重和自我实现等需求，这五大需求由层次低到高排列，呈现金字塔式。也就是说

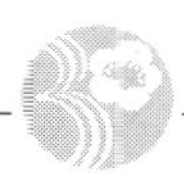

只有当低层次的需求相对满足之后，更上层次的需求才转化为强势需要。对于这些走上个体户创业之路的创业者们，他们的初衷正是谋一份工作以解决温饱问题。此时，对最根本的生理需求满足的渴望战胜了一切。默默埋藏了理想、顶住悬在头上的政治风险、强忍住人们异样的审视目光，他们别无选择又义无反顾地上路了，只因这是最后一条出路。

专栏 4－8　个体经济的政策演变

1980 年 8 月，中共中央《关于转发全国劳动就业会议文件的通知》指出“允许个体劳动者从事法律许可范围内的，不剥削他人的个体劳动。这种个体经济是社会主义公有制经济不可缺少的补充，在今后一个相当长的历史时期内都将发挥积极作用，应当适当发展”。

1981 年 10 月 17 日中共中央、国务院发布《关于广开就业门路，搞活经济，解决城镇就业问题的若干决定》，文件规定：“对个体工商户，应当允许经营者请两个以内的帮手，有特殊技艺的可以带 5 个以内的学徒。”

1982 年，《宪法》第十一条规定：“在法律规定的范围内的城乡劳动者个体经济，是社会主义公有制经济的补充。国家保护个体经济的合法权利和利益。”这样，就以根本大法的形式确认了城乡个体经济的合法地位。

1987 年 10 月，党的十三大提出建立社会主义市场经济体制，为个体经济的发展提供了广阔的空间。

1987 年国务院发布《城乡个体工商户管理暂行条例》。

可见，对于基本生存的需求的渴求便是个体户走上生存型创业之路的最原始的驱动力。

（三）当成长的欢愉与阵痛集于一身：万元户

改革初期，个体户创业者多数分布在个体经济较为密集的手工业、建筑业、交通运输业、商业、饮食服务业和修理业，他们的经营基本处于替国有和集体经济拾漏补缺的地位。由于缺乏资金，因而经营规模只能局限于小摊小贩。但他们在经营方式、服务态度、价格战略、信息获取、成本控制等方面却有着传统的经济体制无可比拟的竞争优势。他们埋头苦干，通过这些相对简单的方式迅速获

取财富，成为万元户。可能他们后来也无法想象当时因为生计所迫而走上的这一无可奈何的创业之路后来却成就了他们的经济辉煌。

“万元户”，这是个80年代初期和中期的时髦词汇，寓指首先富裕起来的第一批人。当时，普通工人每月工资仅有几十元人民币，提起万元户，大伙眼睛都放光。这个词蕴含了当时人们致富的强烈渴望及其所产生的空前喜悦。但是，这依旧是个让局内人和局外人都比较难以言表的词语：一方面，先富起来的事实让他们自身心存安慰，同时也让局外人艳羡。另一方面，尽管这些万元户中的个体户创业者取得了突出的商业成绩，但是人们对他们的社会评价却依旧不高：在经济起步阶段靠的不是知识或者素质，而是胆量和勤劳。回忆起那时万元户们作报告的场面，人们的印象是他们没有什么文化，说话语无伦次，甚至因为受到如此平生未遇的隆重欢迎而显得有些紧张和失措。所以，社会地位的不对等又让他们心有不甘，相对于那些总是被热捧的国营企业的改革英雄们，他们更加淋漓尽致地体验了成长中欢愉与阵痛的双重感受。

个体户创业者发展到万元户时所经历的成长的欢愉和阵痛还不仅止于他们经济收入和社会地位的矛盾感受。万元户同时也是个体创业者继续创业与否的“分水岭”。我们看看这些淘得第一桶金的个体创业者去向如何？

当个体户创业者成为万元户后，生存压力不再存在，个体户创业者能否越过这一“分水岭”继续创业呢？动力何在？只有存在真正的创业信仰，狂热执着于追求资本增值，那么创业行为才是可以持续的，积累已久的物质资本、人力资本和社会资本才能在创业道路上继续前行。志高空调的创始人李兴浩先生就是其中一个典型例子。如今根据1997年国家统计局统计资料，农村人均收入2999.20元，按照户均4.35人计算，平均户收入已超过万元，家家都成为万元户。万元户在失去原有的标杆作用后，彻底成为历史名词，但它在改革开放那段激情燃烧的岁月中所代表的阶层却是挥之不去的，80年代中期他们通过相对简单的方式迅速获取财富，由此形成了中国的第一批高收入群体。而暴富的日子在90年代初

便由于该领域的零壁垒进入和新崛起的企业家阶层而宣告结束。

专栏4－9　看看“个体户”挖到第一桶金后的道路如何走

安家立业型：中国早期个体户中有相当一部分来自农村，在城里安家立业往往是这部分人赚钱后的首选。他们成为中国各地第一批商品房房主。

误入法网型：学历低、不懂法是大多早期个体户的通病，在他们挖到第一桶金开始资产扩张时，有好些因此而误入法网。

立足本行型：拥有一门手艺在早年个体户的竞争中占据很大优势，挖到第一桶金后，这些人中有一部分选择了在本行当继续发展。

借力打力型：这一类型的个体户往往是政策的最大受益者，他们的第一桶金源于扶助政策，他们的第二、第三桶金依然源于政策。

投身股市型：到了1990年，早期的“个体户”大多完成了原始资本积累。在他们纷纷创办实业的同时，有部分人开始奔向时新的“投资家”的“化蝶”过程。

回乡从政型：早期的个体户大多带着浓浓的乡土情结，赚钱后回乡从政，做个致富带头人。

——搜狐新闻 http：//news. sohu. com/20060823/n244958047. shtml

（四）专业市场中的共舞

当万元户的人数不断增长时，受经济利益驱动，更多人们开始投身进入这一并无多高进入壁垒的群体，分享残余的市场空缺的蛋糕。经过个体户多年的市场经济建设，个体户创业也不再以小摊小贩的形式作为主体，而是经营同类商品的个体户在地域上由原来的分散经营转变为相对集中。从流花服装批发市场、海印电器市场、天河电脑市场、矿泉鞋业城到新市汽配城……这些专业市场中我们无处不见个体户创业者的身影。

专业市场是流通领域的重要组成部分，但是它的经济意义已经超出了流通业态的范畴，有人甚至把中国的市场经济理解为专业市场为主导的经济模式①。专业市场主要与初级产业、初级产品和初

① 王文艺：《对专业市场“二次创业”若干问题的思考》，《商场现代化》2005年第8期。

级消费相对应。这些市场在市场经济发育发展时期，起到了急先锋的作用。一方面专业市场具有大规模，另一方面有富有良好的产业依托，具有较多的硬件和软件支撑。作为一种新的销售方式，它大大降低消费者的搜寻成本，从而得到了许多消费者的认可并且迅速得到发展。同时，专业市场也成了个体创业者进入市场的一种比较容易且收益较高的途径，专业市场为个体户创业者提供了一个良好的创业环境。

专栏4-10　全国第一条以经营服装为主的个体户集贸市场：高第街

没到过高第街等于没到过广州！改革开放好多年后，人们都还这样认为。1980年10月，高第街成为全国第一条以经营服装为主的个体户集贸市场，当时被人称为"小南方大厦"。街内共有2000多商户以批量销售为主，兼有零售、来料加工、代销等，经营方式灵活多样，商品多来自各地手工业者及区街、乡镇企业。改革开放之初，高第街的年营业额就有近1000万元，上交国家税收500多万元。

——http：//www. southcn. com/news/gdnews/sz/dxp/hyxp/200408110688. htm

流花服装商圈

上世纪90年代初，广州市政府下决心改变占道经营的状况，高第街、西湖路的服装个体户们纷纷寻找出路，由此自发形成了流花服装商圈。

流花服装商圈的建设始于1992年底白马大厦的竣工，"白马模式"将广州服装市场由户外发展到室内。当时全国30多个省市、自治区的客商都纷纷前来购货，辐射面直达俄罗斯、东欧及东南亚等国家和地区，日均客流量达数万人，年交易额均在15亿元以上，在广州地区超亿元市场评比中排名第一。此后，红棉、步步高、金马、天马、流花、新大地、广控等市场如雨后春笋，纷纷崛起，由此形成了全国最大规模的服装批发集散地——流花服装批发商圈。

目前，该商圈占地面积约1.5万平方公里，1.5万多间商铺，室内经营面积达近100万平方米，汇集服装经营商铺几万户，从业人员5万多，每天平均从该地区发往各地的服装达60多吨，日成交额达2亿元人民币，年交易额逾百亿以上。在市场的繁荣鼎盛时期，全国1/3的服装都是在此批发出去的。

——http：//info. texnet. com. cn/content/2007-10-31/139878. html

但是随着专业市场的发展，同样也出现了其内部个体户因经营产品同质或近似所导致的恶性竞争或过度竞争情况。另外，市场经济纵向发展，产业壮大、品牌营销和连锁特许经营等等也都对专业市场中个体户的创业提出了新的挑战。

（五）个体户创业：永恒的创业之路？

专栏 4－11　前 2 月增长 7 倍，广东新增外贸个体户呈现井喷

来自广州海关的最新统计，自 2004 年进出口经营权向个人开禁以来，今年 1—2 月，广东省从事外贸的个体工商户达到 874 户，占全国外贸个体户总量的 73.3%；出口额达 2.7 亿美元，占全国外贸个体户出口贸易总额的比例高达 84.9%。

——http：//gov. finance. sina. com. cn/zsyz/2007－03－28/100626. html

改革开放以来，广东的个体户创业者得到了长足发展，从 1979 年的 1.56 万户增加到了 2006 年的 245.8 万户。即使在 1999 年至 2004 年全国个体经济低迷的大背景下，广东的个体户数量仍然增加了近 36 万户，见图 4－1。那么，广东的个体户创业者能否继续经久不衰地接受考验呢？机理何在？

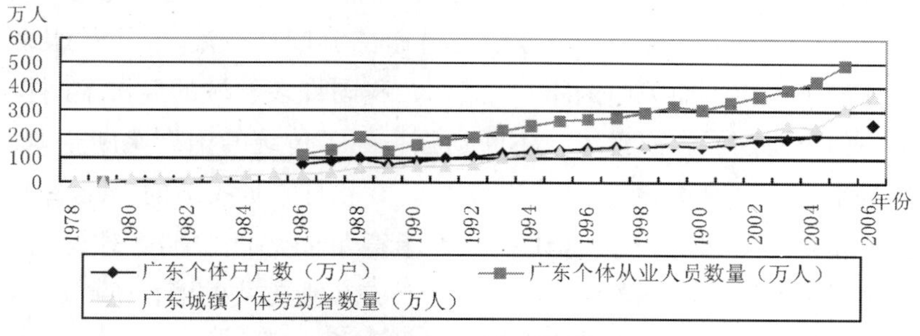

图 4－1　广东个体户数量增长图

个体户创业者的存在和发展是最基本的经济活动。首先，个体劳动方式的存在是个体经济发展的基本原因。个体劳动方式，指由生产力的技术构成决定，基本上以单个人或家庭成员为限的相互结合方式和使用劳动资料的方式。在中国，一方面，社会化生产还没有发展到社会经济生活的一切领域；另一方面，即使在完全以机械化、自动化生产工具生产的部门和行业中，也还没能完全改变个体劳动方式。由此，只要还存在着个体劳动方式，个体创业就不可避免地要存在下去。其次，劳动力的私有性也是个体创业能够存在的原因。经济学家周其仁指出人力资本存在针对产权残缺的反制机制，因此人力资本必须是私有的，而这一私有性可以通过观念上的相通滋生占有物质生产条件的萌芽、通过与非公有生产条件的结合、通过改变劳动力的投向、通过改变物质生产条件的公有形式，从而与个体创业发生联系。

针对全国个体户的缩水现象，理论界有以下几种观点：其一，科技进步，电子商务发达，越来越多的个体户把店铺开到了成本更小的网络上，而这部分个体户数目并未进入统计口径。其二，如国家工商行政管理总局局长周伯华指出："个体工商户的减少，其中最大的一个因素，是个体工商户走上了合作经营、合股经营、公司经营的道路，加大了经济发展总量的规模。"其三，《民营经济蓝皮书》认为个体户减少的主要原因是创业成本过高：1/3 的税，2/3的费，"费大于税"，创业艰难。中央党校研究室副主任周天勇也证实：法律制度的不健全造成的沉重的税费负担和政府缺位的创业服务，让众多个体户的创业活力遭遇"制度性冷漠"，也使很多个体户不堪重负而关门倒闭[①]。其四，我国许多领域的经济垄断行为不但没有削弱，而且还在不断加强，除了传统的国有垄断企业，还进来了许多带有垄断性质的跨国集团公司。而我国的《反垄断法》依然在博弈之中，这让本就处于竞争弱势地位的个体经济，在高成本面前不得不萎缩。可见，个体户创业方式的消亡不能归结为单纯的市场沉浮，它有着深层次的体制性原因。

相应于其他地区，广东个体户创业者却呈现长盛不衰之势。背后机理在于：其一，广东的创业环境较为优越。广东私有经济起步较早，体制建设较为完善。其中党政创业者发挥了巨大作用，比如为了专门促进各种类型的民营经济的发展，2003 年广东专门出台了《关于加快民营经济发展的决定》，半年内又出台 12 个配套政策，在经营领域、市场准入、土地使用、人才吸纳、资金扶持、税收优惠等方面进行了细化，这种力度和速度，全国罕有。此外，广

① http://finance.qq.com/a/20070922/000733.htm.

东的各级决策层，能够清晰地秉承法治的精神，即“法律不禁止的，老百姓就可以做”。例如新的《对外贸易法》允许个人从事对外贸易后，广东立即涌现出不少外贸个体户。加上与港澳的联系密切，自然也开拓了不少个体户创业者的视野，因而更能灵活地适应市场，求得主动，赚得财富。例如改革开放后，来料加工、来料装配就最早出现在珠三角。其二，广东“敢为人先、务实进取、开放兼容”的岭南文化和粤商冒险开拓、独立进取的商业精神也使广东的个体户创业者有着无比坚定的创业信仰。

六、广东创业者的贡献、经验及展望

影响和改变经济增长和发展的主要因素是技术与制度。若把技术进步称之为经济发展之“术”，那么制度变迁则可称之为经济发展之“道”[①]。尽管经济增长，特别是经济发展，是由多种因素共同决定的。但是，决定性的基本变量或者因素必定是制度。熊彼特认为经济发展的根本动力来自于创新。那么制度创新便是最高层次的创新。

每段历史都有其独特性，但改革开放这 30 年的历史却是最难以被重复的，因为这 30 年爆发的强劲的增长效应正是来源于制度变迁。30 年改革见证了由传统的计划体制向市场经济体制的摸索与转型。

广东省作为中国最早进行改革开放的地区之一，是全国改革开放的先锋队。而广东的创业者在其中又背负着最大风险，冲锋在广东改革开放的最前列，他们无疑就是改革开放的先锋队长。经过 30 年改革开放，广东经济已经取得了丰硕的成就，在经济总量上已经相继超过了新加坡、香港和台湾。[②] 2005 年 4 月，《财富》杂

① 华民、韦森、张宇燕：《制度变迁与长期经济发展》复旦大学出版社 2006 年版。

② 广东省省长黄华华作政府工作报告时的陈述 http：//www. hdzxw. com/hdnews/nation/200801/305256. html.

志中文版的封面故事“中国最具影响力的25位商界领袖”中有7位是广东企业家。由北京大学和《经济观察报》共同主办的2004年度“中国最受尊敬企业评选”活动，在所评选出的20家企业中，除5家跨国公司外，其余的15家最受尊敬的内地企业中有7家在广东①。2003年以后，广东个体工商户数已连年位居全国第一②，这其中创业者的功劳不可磨灭。正是他们之间的相互扶持和共同努力造就了自身的成就的同时，也造就了广东的辉煌经济。此外，他们也为其他地区的创业者提供了示范效应，驱动了其他地区创业者积极投身改革开放，进而增进了全国改革开放的热情。

然而，作为全国改革开放的最前锋，他们最大的贡献还在于对新体制进行身先士卒的探索。作为制度创新的主体，他们的创新活动汇集成一股巨大的社会力量，不断推动经济摆脱旧有的轨迹和模式，打破原有的均衡状态，实现新的发展。他们身先士卒为整个中国的改革开放探索这条发展之道的可行性和可持续性，从而从制度意义上驱动了中国改革开放的扩张和进程，成就了改革开放30年对制度变迁的探索。

广东创业者的成就原因可以归结为：天时、地利、人和。天时和地利可以归于特定时期的优惠政策和毗邻香港的地理位置。人和则归于岭南文化影响下的“解放思想”。广东创业者的“解放思想”在三个层次上得以体现：其一，在观念上，广东创业者敢于思考一切，拥有“敢饮头啖汤”和“杀出一条血路来”的气魄；其二，在制度上，广东创业者能用足有利的政策，敢于尝试探索和建立新的制度；其三，在行为举措上，广东创业者“筚路蓝缕，以启山林”，“讷于言而敏于行”，“闷头发大财”。在改革开放持续到90年代初期，当内地很多人还在为市场经济姓“资”姓“社”争论不休时，广东的这些创业者已经越过了这些意识形态障碍。

---

① 周兆晴著：《新粤商》，北京大学出版社2007年版。

② http://finance.sina.com.cn/g/20070122/07123268099.shtml.（统计日期截至新闻发布日期：2007年01月22日）

党政创业者作为制度创新的策划者和推动者，主导谱写了改革开放 30 年的主旋律，他们在改革开放中扮演着双重角色：一方面既是执行改革开放政策的党政干部，拥有着一定公共资源的支配权和政策的制定及执行权，同时又要顺应改革的形式，灵活变通，实现自己的政治理想和抱负；另一方面又扮演了类似企业家的角色，通过对旧经济秩序的“创造性破坏”，带来经济的变革和增长。

企业创业者在改革开放这样一个微妙和关键的年代蜂拥而至，那股涌动的激情上演了一场场企业崛起大戏。在改革初期，整体创业环境并不明朗，企业创业所必需的人才、资金也比较缺乏，同时也面临着很多意识形态上的问题。少数富有冒险精神、“敢饮头啖汤”的企业创业者被推上了改革舞台，他们用或婉约或极端的方式，开始了破茧成蝶的自我蜕变与不可思议的创业传奇，他们的成就不断充实了我们的改革积累。

个体创业者作为一个特殊的群体，一个时代的缩影，在改革开放的浪潮中，留下了不可磨没的踪迹。当他们出于生计，别无选择地在刀尖上起舞时，可能他们自己未曾意识到自己对于这个时代的重要意义，然而时势却使他们不可推卸地首当其冲成为制度的试身者和催熟者。他们的努力在换来自身的财富成为万元户的同时，也成就了社会的繁荣，获得了社会的认可。后来在他们中间蜕变出了不少主宰经济舞台的优秀企业家。

“大江东去浪淘尽，千古风流人物”，这些曾经承载着时代历史使命的创业者的故事，我们永远也说不尽，道不完。“雄关漫道真如铁，而今迈步从头越”，在改革开放 30 年的历程中，不管处于多么困难复杂的社会环境，广东的创业者的这份豪气、胆识和坚持永远无法磨灭。

然而值此改革开放 30 年之际，在取得丰硕成果的同时，我们还要展望创业者的未来。其中有两个问题值得期待：其一，经过 30 年改革，市场体制逐步完善，创业环境也日趋成熟，新一代的创业者将面临的是更多的机会还是威胁？新时期成功创业最需要的是什么？如何利用自身的优劣势去把握呢？其二，那些在改革开放大潮中已经成功创业的创业者将如何成功守业和持续创业？创业难，守业更难，而持续创业更是难上加难。沧海横流，方显出英雄本色，我们相信：广东的创业者一定会创造更加辉煌的未来。

第五章
劳动者：农民工和职业经理人

从“民工潮”到“民工荒”①

广东人最喜欢“8”这个数字，把它看作是“发”财的谐音。因此，非常多的广东企业喜欢在初八这天开工，初八能开工，象征着全年都有发财的好运。而从1989年2月10日开始，随着外省涌入广东的民工日渐增多，一个新的名词在社会中出现并被大家所接受，这就是“民工潮”。似乎形成了规律，自1989年以来每年春节后的一个月时间左右，总要爆发一次百万民工出来寻找工作机会的“民工潮”，而且随着岁月的流逝，它的数量也在与日俱增。

据不完全统计，在1989年，高峰时每天广州火车站要容纳10万民工，这些人大多数是年轻人，主要来自湖南、四川、广西、江西和湖北等地的农村。广东省政府专门成立疏导小组，由省长叶选平任组长，组织人员到车站、码头、路边对滞留人员进行说服，规劝他们尽快返回家乡。广东省政府还专门派工作组赶赴湖南、广西等临近省份，请求当地政府配合劝阻“盲流”。一时间，“民工潮”成为各大报刊连篇报道的重点，“民工潮”更是惊动了中央劳动部的官员，惊动了国务院的领导，他们不得不停下忙碌的工作，把眼光投向广东，投向广大的农民兄弟。国务院办公厅在1989年的3

① 该案例参考：莫荣（1992）的《民工潮的背后，中国农民的就业问题》以及《赢周刊》（2004年11月4日）和《羊城晚报》（2005年1月12日）的相关报道。

月5日发出紧急通知：要求各部门严格控制民工盲目外出和大量集中外出。

从此以后，几乎每年的春天都会随着“民工潮”的提前到来也过早来到了。虽然在全国各地，春节一般都是7天长假，有的地方还要到正月十五才上班。但从初四、初五起，外地的“民工潮”就开始升温。因为“比别人早半拍、快半拍，无疑就有了更多的机会”——每个满怀希望的农民工都是这样想的。但是对于广东省政府而言，每年春天的“民工潮”所产生的各种问题总会让人焦头烂额。为了缓解“民工潮”，广东省劳动局不得不出了一条“下策”：春节期间一律不允许企业新招工人，违反者给予重罚。

然而到了2004年，“民工潮”问题似乎发生了一些变化，以往熙熙攘攘、来之不绝用之不尽的农民工没有这么多了，那广东大量需要人力资源的企业怎么办呢？东莞厚街钜元鞋厂有2000多名工人，由于2004年底人员流动，公司计划2005年招200名工人，总务陈小姐描述：15日才来五六个人应聘，“现在来东莞的民工一年比一年少了”。东莞金旺鞋业有限公司生产管理主任陈保亚表示，该公司2005年计划招100个女工，目前招工形势紧张，最后能不能招到他心里完全没底（南方网，2005年3月15日）。为了能招到人，尤其是技术好的熟练工人，南海一家内衣制造厂专门抽出两个人负责招工，他们经常在晚上开车到人群聚集多的大街上贴招工广告。同时还在厂门口摆出桌子接待应聘者，对面工厂见势也摆出桌子，就像打擂台一样和这家内衣厂唱对台戏。

面对这种情况，广东省在2005年改变实施十多年之久的“节后一个月不准招工”的政策，以鼓励企业用工、民工找工的政策取代原来的“六不准”。同时，从广东省政府到各地方政府都出台了一系列的措施。如劳务市场整治行动，加强省际劳务协作，建立泛珠三角区域劳务合作机制等。从以前组织工作组请求其他地区的民工不要来广东，变成了组织工作组请求其他地区的民工来广东。

一、引　言

外省现在在广东的农民工一共有1700多万人。我们充分肯定农民工对广东的社会经济发展做出了很大的贡献，我们对他们表示衷心的感谢。

——广东省省长黄华华

这是广东省省长黄华华同志在2007年3月参加全国“两会”期间，针对外来农民工对广东所做出的巨大贡献以及当前的农民工问题而做出的一番感言。作为广东新兴劳动者阶层重要代表的农民工、职业经理人等阶层，都是改革开放的产物，都是社会主义市场经济产生和发展的成果。没有改革开放的伟大尝试，就没有这些“新生事物”的产生，更没有当前生机勃勃的劳动力市场，而作为改革突破点和“排头兵”的广东地区，也见证了农民工、职业经理人的产生，更是劳动力市场改革的发源地和试验场。

在改革开放之前，在城市地区，劳动力市场的封闭、分配制度的僵化和工作的低效率成为计划经济的通病。“国家分配”、“统包统配”的情况使得劳动力的自由流动变得几乎不可能。行政级别、待遇上的“一刀切”使得工资的提升取决于工龄的长短，待遇的好坏取决于单位的性质而不是个人的能力和努力程度。“工人比农民好，全民所有制企业比集体企业好，重工业企业比轻工业企业好，军工企业比民用企业好”似乎成了一般规律。企业生产计划由国家下达，工资由国家发放，工资级别由国家确定，工资并不与效益挂钩，职工完全依靠“守株待兔”等待国家发工资，哪里还有什么积极性去做好工作？在农村地区，为了转移人口与就业之间日益尖锐的矛盾，加上一些政治性考虑因素，农村实际上成为容纳剩余劳动力的蓄水池，农村大量实质上的剩余劳动力被锁定在土地上，这种用牺牲农业劳动生产率换取失业隐蔽化的做法加深了人口与耕地的矛盾，导致了农村的日益贫困化。

而这种状况，都在1978年的政治经济体制改革后逐步发生了改变。而改革的突破点几乎都在广东。通过就业体制改革，大力发展私营、个体经济，吸引“三资”企业，广东在80年代不仅转换了大量农民的身份，而且吸引了百万外来农民工，农村的广大剩余劳动力实现了转移；在广东的“三资”企业里，中国的职业经理人开始出现；国有企业工资体制的改革、“双向选择”的出现使得劳动者更有动力为自己的明天而奋斗……新兴的劳动者阶层、广东的劳动力市场是在变革中产生的，同时也在不断的变革中追寻自己的最佳位置。

本章选取了改革开放以后，广东新兴的劳动者阶层中两个非常典型的组成部分：“农民工”和“职业经理人”，探讨他们的成长经历以及所遇到的问题。然后，再描述整个广东劳动力市场的产生和发展情况。

二、广东经济繁荣的基础：农民工

由于历史的原因，相对于中原地区而言，广东的开发较晚，人口分布稀疏，劳动力资源有限。宋元以来由于战乱的影响，中原人民持续不断的南移，开始北方移民大都聚居于粤北地区，他们与当地居民一起开发山区经济，形成广东人口分布北多南少的格局。随后由于广东经济的渐次开发，劳动力南移。明清时期特别是康乾以来，广东经济进入了全面开发阶段，珠江三角洲等沿海地区的土地开发和围垦业发展，不断吸引大量的省外劳动力和本省北部过剩的劳动力，从而成为广东劳动力资源开发的开始阶段①。

新中国成立以后，为加快工业发展步伐，避免农村人口向城市过多流动，增加城市负担，政府通过户籍管理制度限制农村人口进入城镇，逐步形成了“城市办工业，农村搞农业”的二元经济结

① 鲍彦邦：《明清时期广东劳动力资源的开发》，《暨南大学学报》1996年7月刊，第73页。

构和“市民住城镇，农民不进城镇”的二元社会结构，极大地限制了劳动力的自由流动。和全国其他地区一样，在改革开放以前，广东可能大量吸纳农村剩余劳动力的非农产业主要在城市地区。农业部门的剩余，也通过价格剪刀差和计划经济的方式，绝大部分被转化为城市的工业资本积累。同时，农村中所谓的“工业企业”主要是社队企业，其规模很小，吸纳不了多少农村剩余劳动力。以1978年为例，当年广东乡镇劳动力共有1774.5万人，而从事一、二、三产业的劳动力分别为1662.5万人、71.0万人、41.0万人，只有6.3%的农村劳动力从事非农产业。[①] 大量剩余劳动力以人民公社的劳动方式被“固定”在农业生产上，实质造成了大量的隐性失业。

但是，伴随着1978年改革开放后，农村地区经济体制改革的深入，特别是家庭联产承包制的实施极大地激发了农民的生产积极性，在农业劳动生产率获得很大提高的同时，农村隐性失业日益公开化，人口与就业的矛盾日益尖锐。在农业再也无法吸纳如此多的剩余劳动力的情况下，广大的农业剩余劳动力就需要寻找新的就业机会。然而，由于当时生产和生活资源的配置往往都是以刚性的国家计划的形式进行的，全国大部分的城市或者工业地区无法拥有相应的生产和生活资源去满足大规模流动的农村剩余劳动力的需求。因此，农村剩余劳动力大规模的转移在当时看来，似乎是一件不可能实现的事情。但是，广东一系列改革开放政策所形成的独特的工业化发展道路，恰恰是将“不可能”变成了“现实”，为中国农村剩余劳动力的转移开辟了一条崭新的途径。

（一）百万民工下广东：那里的世界很精彩

在改革开放，特别是进入80年代后，随着国家改革开放政策的逐步稳定，广东的国民经济发展也走上了一条快速的工业化发展之路。除了原有的正在进行体制改革的公有制企业外，乡镇企业和

---

① 《广东统计年鉴》（1992）。

三资企业也大力推动了工业化的发展，这是广东工业化道路的特色——工业资本积累同时发生在城市和乡镇这两类地区，各种所有制类型的企业都推动了工业化的发展。在国家改革开放政策的鼓励下，加上外资的快速流入，广东的部分地区，特别是珠江三角洲的乡镇，出现了工业资本积累加速的现象。而“落户”于广东的乡镇企业和外资企业往往具有劳动密集型产业性质，这就决定了其经济增量必须建立在大量劳动力投入的基础上。当本地劳动力供给不能满足对劳动力的旺盛需求的时候，外地劳动力的大量流入便成为可能；同时，由于乡镇企业发展导致珠三角地区城市化与工业化的同步，使外地劳动力向工业集中的广东乡镇流入的制度性障碍降低。

所以，和以往的政府和行政干预下的劳动力流动不同的是，首先吸引广东省内不发达地区和省外农村剩余劳动力的并非是城市中的工业企业，而是大量存在农村中的，往往属于非公有制性质的乡镇或者三资企业，这就是我们以前经常所说的“离土不离乡”。因为相对于进入大城市的重重约束而言，进入这些乡镇地区工作的“制度性”成本比较低。早在70年代初，在广东的一些地区就出现了乡镇企业的雏形，当时称为社队企业，即人民公社办的企业和生产大队办的企业。1983年，随着中央政策的逐渐明朗，这些企业成为乡镇企业。1978年广东乡镇企业已初具规模，吸收劳动力194.6万人。到了80年代中期的1985年，吸收劳动力的数量增加到了402万人，而到了“民工潮”影响日益广泛的1990年，乡镇企业吸纳劳动力人数达到了658.3万人。①

在80年代，和珠三角乃至广东活跃的工业经济不同的是，在广东一些相对落后的地区以及内陆经济发展较落后的省份，人多地少，大量农业劳动力富余，而当地经济很不活跃，乡镇企业发展较慢，劳动力就业机会少，农村的剩余劳动力难以就地转移消化。农村劳动力资源与生产资料增长的不平衡性，致使两者在当地不能实

① 《乡镇企业统计年鉴》（1991）。

现有机结合，大量的剩余劳动力需要到外地去寻找结合机会，这也就产生了一种劳动力外流的推力。由于地区之间经济发展差距拉大，收入、就业供求态势不同，劳动力的跨地区流动自然增加。我们可以从 1988 年的农民收入比较和涌入广东的外来工情况来验证当时的实际状况。在 1988 年，广东农村农民人均收入为 808 元，珠三角的中山和顺德的农民人均收入甚至达到了 1872 元和 1677 元，而在一些内陆省份，湖南仅有 515 元，江西 488 元，四川 449 元，广西 424 元。[①] 因此，1988 年底，广东省外来劳动力达到了 320.31 万人，其中省内外来劳动力有 257.15 万人，占 80.3%，省外的有 63.16 万人，占 19.7%。这些外来劳动力大都分布在广东的珠江三角洲一带。分地区看，最多的是深圳市 93 万人，其次是广州市 41.26 万人，佛山市 32.44 万人，珠海市 16.5 万人。所以，当时的外来劳动力主要集中于 80 年来以来经济发展迅速的广东“四小虎”和宝安。截至 1988 年底，东莞市共输入外来劳动力 36.89 万人，中山市 11.44 万人，南海县 13.88 万人，顺德县 6.72 万人，宝安县 46.79 万人，仅此 5 市县的外来劳动力就占全省外来劳动力的1/3强。整个珠江三角洲经济开放区的外来劳动力已超过 150 万人。[②]

因此，改革开放所带来广东地区的工业化发展，吸引了大量的农村剩余劳动力。从组成结构上来看，这些剩余劳动力由两个部分组成。一部分是本地农民和广东欠发达地区的农村剩余劳动力向工业领域转移；另一部分是大批外省劳动力来广东“打工”。而且在 80 年代初期，广东工业发展更多吸纳的是省内劳动力，而一直到 80 年代末和 90 年代初开始，省外劳动力的比例才逐步占据上风，这就是后来称之为“民工潮”现象的由来。从流入地区来看，广东吸纳劳动力的重点地区是珠三角地区。

1992 年广东省劳动部门对农民工的构成以及来源等情况作了

---

① 《中国统计年鉴》、《广东统计年鉴》（1989）。

② 转引自杜道洪（1996）。

这样的描述："全省各类企事业单位（包括乡镇企业）招用外省劳动力达170多万。他们来自除西藏以外的全国各地，其中70%左右为湖南、广西、四川的劳动力，年龄一般在17～24岁之间，主要分布在珠江三角洲地区，其中东莞、深圳宝安分别为39万和23万人，80%的外省劳动力集中在乡镇企业、'三资企业'和'三来一补'企业。除此以外，广东省从事农村种养业和流散在社会上从事建筑、搬运等劳务的外省劳动力尚有200万人左右。"①

而从1989年开始，每年农民工的大规模流动都会在春节期间演化为逐渐为社会大众所熟悉的"民工潮"，而且经久不衰。每年涌入广东的农村劳动力络绎不绝。如果你在那个时候有机会去一趟广州、深圳，或是东莞，你就会看到这样的景象：在火车站、汽车站，从一趟趟南下火车、汽车里走下来的，有许多就是那些衣服穿得并不入时、表情淳朴的农民工，他们像雨水一般"落到"、"流到"了广东大大小小的城市里，便慢慢渗透了进去。然后，在建筑的工地，在大的工厂与小的作坊，在酒店和饭馆都可以看到他们的身影。还有一些是没有融入的，三三两两还站在路旁、职业介绍所等待着他们的工作，也等待着他们的希望。每一座广东的城市甚至经济发达的城镇地区，都将成为他们奋斗以及梦想开始的地方。

从表5－1"民工潮"高峰期间的统计数据中我们可以看出近年来广东农民工的基本变化情况，首先农民工的总量一直在迅速增加。而从农民工的构成结构来看，省内（广东省内农村地区）、省外农村劳动力的比例基本上保持1∶2乃至1∶3的状况，这说明保证广东工业发展的农民工并非全部来自省外，广东省内非发达地区和农村地区的剩余劳动力也占有相当的比例。其次，从外省农民工数量明显波动的年份（1996—1998、2002—2004）来看，广东劳动力的供应体制比较脆弱，很容易受到外部政策环境、经济波动的影响。之所以广东外省劳动力数量有非常大的提高，和全国的城市劳动力市场改革，大批城市劳动力下岗分流有关系。内地国有企业下

① 转引自莫荣（1992），第46页。

岗分流的全面实施使得大批剩余劳动力来到广东寻找工作。因此，在 1996 年之后，广东外省劳动力的年度增加量都接近甚至超过了百万。而 2002 年之后广东农民工的大幅波动，一方面受到中央农村政策的影响①，也和内地和长三角地区工业经济发展吸引的劳动力有关系。再次，相对于外省劳动力的变动来看，广东省内的劳动力供给保持了一个相对稳定，逐步上升的态势。

表 5－1　1994—2004 年广东吸引的省内外劳动力　单位：万人

年份	年末实有外省劳动力	年末增加的外省劳动力	年末实际外出劳动力
1994	343.64	66.38	196.13
1995	359.79	76.14	178.94
1996	360.31	61.95	184.93
1997	410.13	113.3	180.84
1998	431.69	91.88	176.34
1999	464	93	208
2000	534.6	120.8	214.1
2001	592.3	122.5	220.3
2002	746.8	102.31	233.1
2003	885.43	252.24	290.71
2004	989.71	143.36	309.44

资料来源：《广东统计年鉴》（1995—2005）。

广东的次发达地区和外省的农村剩余劳动力在改革开放后广东工业化的推动下，在没有任何社会保障的前提下，从传统农业分离出来，转移到附着在农村土地上的工业和第三产业上。这一过程完全不同于计划经济下国有企业或社队企业的招工，这是中国 20 世纪 70 年代末以来最先涌动的“自由择业”和最早的劳动合同制度。它为后来大规模全国性的剩余劳动力转移树立了榜样，也为中

① 2004 年之前，农民实际收入曾经 7 年处于徘徊状况，而从被誉为“农民增收年”的 2004 年开始（当前收入比上年提高 12%），农民收入显著提高，2004 年成为农民收入增加的标志性年份。而农民收入增加的比例中，最多的是转移性收入，特别是来自国家的补贴收入增加。2004 年，农民得到的转移性收入增长 19.3%。

国劳动制度、劳动力市场的改革做出了尝试性的贡献，为中国的劳动力真正进入市场迈出了第一步。农民工的流动在传统体制之外开辟了一条工农之间、城乡之间生产要素流动的新通道，为广东发达地区工业和第三产业的发展提供了源源不断的低成本劳动力，填补了广东制造业、建筑业、餐饮服务业等劳动密集型产业的岗位空缺，而且促进了中国的劳动用工制度、劳动力市场的改革，促进了通过市场合理配置劳动力资源机制的形成。同时，在解决农民工问题的过程中，广东乃至全国各级政府的职能定位、管理理念、行为方式也都发生了很大变化，传统的户籍制度、劳动就业制度和社会保障制度也由此产生了重大变革。由于广东在改革开放的初期，选择的产业几乎都是劳动力密集型行业，需要大量的劳动力来推动经济发展，因此，没有农民工的辛勤劳动，就没有繁荣的广东经济。而且，农民工给广东增添了活力和生机，最具有典型性的就是深圳，其总人口中，民工占了50%，难怪深圳人说“没有民工，就没有深圳速度”。在许多广东的城市里，农民工几乎包下了所有苦累脏险工种，弥补了很多行业招工不足的问题。不仅如此，随着部分较高素质的农民工具备了技工、技师等专业知识，也开始成为工业企业中的技术骨干，其中的优秀人员也成为广东劳动者的优秀代表，在国家、省市政治舞台上发挥着参政议政的作用①。

但是，我们也不得不承认，几十万、上百万甚至上千万的外地流动大军在广东经济发达地区徘徊，不仅增加了社会成本，也增加了城市交通、食宿、教育、社会管理等压力。到80年代末和90年代初，在广东工业化浪潮的带动下，珠三角的“民工潮”规模也急剧增长，特别是在1989年以后每年出现明显的“民工潮”之后，政府已经越来越关注这个问题，也制定相应的政策进行应对。但是当时的政策仍然是局部性和地方性的，这些政策更多的是针对“民工潮”所带来的交通和城市基础设施的压力等方面的问题。这个时期政府的政策，也主要是社会秩序角度的，而不是就业角度

① 《广东农民工当选首个全国人大代表》，《广州日报》2008年2月18日。

的，而且对农民工应有的权益和权利，还没有形成统一的认识和看法。

专栏5－1　广东最年轻的“农民工人大代表”

26岁的四川宜宾姑娘魏小明最近忙得不可开交：每天要工作8小时，业余时间和节假日还要到各个社区、工厂派发问卷，走访农民工，列席深圳宝安区人大有关会议，为参加妇女座谈会准备发言材料，晚上还要自学政治、社会、法律等知识……

魏小明是谁？为什么如此忙碌？其实，她只是一个普通的四川宜宾姑娘，2001年毕业于宜宾工业学校，后在家务农，2002年来深打工，从一线普工做起，现为深圳凯欣达多媒体有限公司行政助理。2007年12月，她当选为“广东省第十一届人大代表”，从那天起，她就成了特区的“大忙人”。农民工当选广东省人大代表，这在深圳和广东历史上属于首次，在全国也属于首创。而25岁的魏小明，是其中最年轻的一位。

“代表这个词，就是表示我是从周围的广大群众里选出来的。那就意味着代表应该对选举人负责，为自己代表的选民谋利益。比如我，就要关注农民工阶层的切身利益。”魏小明认为，人大代表不只是一种荣誉，更是一种责任。在广东省第十一届人民代表大会上，魏小明和其他几位农民工代表联名提出了“关于解决农民工医疗、社保全省接转制度”和“建立健全工会体制，切实发挥企业工会作用”等建议。

——材料引自《宜宾晚报》（2008年2月29日）和《南方都市报》（2008年1月15日）的相关报道

当改革开放进入90年代中后期以后，随着宏观经济的“软着陆”和国有企业的深化改革，广东的许多地区都和全国其他城市一样面临农民进城、城镇新增劳动力就业、国有企业的下岗失业人员再就业“三峰叠加”的严峻形势，广东的失业率也显著上升。同时，宏观环境的影响，也使得国家认真考虑农民工流动对城市就业所造成的冲击，1994年11月劳动部公布了《农村劳动力跨省流动就业管理暂行规定》，限制农民工的流动，加强对农民工的管理（例如采取农村劳动力“务工证”制度），以保证城市就业市场的问题。在这种状况下，广东也采取了一些相关的“保护措施”，在处理农民工就业问题时，采取了一些“堵”的政策，或者采用

“先城市、后农村，先本地、后外地，先本省、后外省”的“三先三后”政策，以保护城市和本地利益①，这在一定程度上制约了农村劳动力的合理流动。在这些地方“政策”的影响下，加上国家农村政策的倾斜，农村经济发展，农民收入水平逐年提高以及长三角、环渤海地区等地的经济快速发展，终于使以往涌向广东的劳动力呈现出多极化流动的趋势，而这种趋势从2004年开始变得明显起来。

（二）从“民工潮”到“民工荒”：到了广东也需要改变的时候

2004年开始，我国一些沿海发达地区相继出现了“民工潮”和“民工荒”并存的独特现象。这一方面反映了我国农业剩余劳动力转移就业的新情况和新特点，也反映了沿海发达地区在经济发展方式上的改革要求。国家劳动和社会保障部专门成立了民工短缺调查课题组对珠三角、长三角、闽东南、浙东南等主要的劳动力输入地区和湖南、四川、江西、安徽等主要的劳动力输出大省进行了重点调查，结果显示：企业缺工主要发生在珠三角、闽东南、浙东南等加工制造业聚集地区。需求缺口大、严重短缺的是18～25岁的年轻女工和有一定技能的熟练工；缺工严重的主要是从事“三来一补”的劳动密集型企业；主要集中在产品竞争激烈的制鞋、玩具制造、电子装配、服装等加工行业②。事实上，这些行业恰恰是我国农业剩余劳动力跨地区实现转移就业的主要行业。

而在广东，从2004年3月份开始，制鞋、玩具和制衣等劳动密集型产业就开始感到普通工人尤其是女工缺乏。七八月开始达到高峰。广东省农调队2004年下半年的调查表明，广东省劳动力市场已开始由纯粹的买方市场逐步向卖方市场转变，估计广东全省用

---

① 湖南省统计局：《对农产品跌价和农民收入增长缓慢的思考》，2001年调查报告。

② 劳动保障部课题组，2004。

工缺口为100万人左右。为了缓解2004年出现的“民工荒”，广东省在2005年改变实施十多年之久的“节后一个月不准招工”的政策，以鼓励企业用工、民工找工的政策取代原来的“六不准”。但节后入粤的外来工数量却较往年有所下降。据广州市春运指挥部的统计数据，截至2005年2月15日，通过铁路到达广东的外来工超过100万，比去年同期减少7.6%[①]。面对这样的严峻形势，政府官员、企业领导的心里都是沉甸甸的。

但是，劳动力市场失衡是劳动力市场的结构性失衡而非总量性问题，突出表现为技术岗位缺口大与部分新增劳动力和下岗失业人员就业难并存的结构性矛盾。因此，“广东不是没有就业岗位，而是急需一大批具有一定职业技能、综合素质较高的劳动力”。广东省劳动保障厅培训就业处处长陈斯毅道出“民工荒”的真相。[②]

“民工荒”现象并非广东所特有，2004年以来，浙江、江苏、福建等东南沿海地区都不同程度出现了用工短缺问题。2005年国务院办公厅发出《关于做好农民进城务工就业管理和服务工作的通知》、劳动和社会保障部发出《关于废止及有关配套文件的通知》、2006年1月国务院颁布《国务院关于解决农民工问题的若干意见》，各个地区的用工形势和中央政府一系列政策的出台都表明：整个国家对农民工流动的态度和状况有了清醒的认识，农民工政策导向发生了根本性的转变。

从广东的角度来看，这些政策和现实状况发生转变的根本原因就是广东的生产要素成本（特别是相对要素成本）正在大幅提高，广东工业企业（特别是中小企业）长期以来的廉价劳动力的竞争优势正在大大弱化，以制造业为主的广东企业将要处于一个转折期，转型升级迫在眉睫。因此，并不仅仅是来广东的农民工发生了改变，而是广东自身必须改变。

---

① 《节后入粤外来工少于往年穗不会出现“民工荒”》，《南方都市报》2005年2月17日。

② 《高技能型人才仍旧走俏，2006年广东职场展望》，金羊网2006年1月17日。

专栏5-2　广东的“民工荒”

尽管招聘说明上写着招普工200人，但张纪凤显得还是颇为心满意足：“今天不错，招了十几个人。”张纪凤为了招到工人颇费心机。在东莞厚街镇的劳务大市场里，她租了一个面积最大的摊位，两张招聘图表分外醒目，还有一台电视机不停播放介绍工厂的录像。电视机对面摆了20多张椅子，应聘者可以慢悠悠地坐下来，边看录像边听张纪凤讲解。

张纪凤所在的旭辉注塑厂原有300名工人，由于去年年底增加了一个分厂，要新招200人，但一直没有招够工人。“真是不知道是什么原因?”张纪凤满脸迷惑，“工人一下子特别难找。我们招人都这么困难，其他工厂招工难就可想而知”。

一切仿佛都颠倒了过来，往日熙熙攘攘，来之不绝用之不尽的农民工没有这么多了，那广东大量需要人力资源的企业怎么办呢？从广东省政府到各地方政府都出台了一系列的措施。如在全省开展名为“春风行动”的劳务市场整治行动，加强省际劳务协作，建立泛珠三角区域劳务合作机制等。从以前组织工作组请求其他地区的民工不要来广东，变成了组织工作组请求其他地区的民工来广东。另一方面，广东企业也积极提高民工的工资福利综合水平，改善工作生活环境，增强凝聚力。在各类招聘广告中，“月薪千元”、“有社保”、“加班工时合理”等字句显得十分惹眼。同时，广东也取消了规定外省民工返乡过节的比例，给企业灵活权；加大劳动力供求信息的指导和发布，指定一处或多处向进城求职劳动力提供免费求职登记、岗位信息、职业介绍等服务；全面开展入粤民工就业咨询服务周活动，举办多种形式的招聘洽谈会；加大维权的联动力度，积极与有关部门查处企业拖欠民工工资案件等等。

——资料来自《羊城晚报》(2005年1月12日)和《HR管理世界》(2004年8月4日)的相关报道

首先，从外部宏观环境来看，农业比较收益提升使部分农民工回流，而且长三角、环渤海等地的工业化迅速崛起，使农民工就业选择的空间大大拓展，造成了分流，这些都是广东“民工荒”产生的大环境。但是从广东自身经济转型和制度总体环境看，也还有很多需要变革的地方。

从广东的工业结构来看，由于装备制造业比重过低、加工度较低，产业升级比较困难，造成工业发展中大量依靠劳动密集型产业的状况较难改变。由于装备制造业在工业化中后期对工业的产业升级具有战略意义，因此，国民经济发展的持续发展和“质量优势”

往往取决于机械装备产业的发展状况。日本20世纪六七十年代的重化工业就是以机械工业为核心带动起来的（王岳平，2001）。而到2002年，广东装备制造业产值仅占工业总产值的20%左右，这必然制约广东工业结构的升级。同时，由于工业加工度较低，产业升级的状况不容乐观。2003年，广东重工业平均增加值率（增加值/总产值）为27%，仅仅比轻工业高1%，因此，从全球分工的角度来看，广东工业整体上仍处于全球化产业链条的低端，靠低廉的劳动成本优势获得微薄的加工费①。这些状况都造成了广东工业发展长期依赖劳动力密集型产业的状况。同时，2003年广东工业劳动生产率为77150元/人，不仅大大低于日本和美国等先进国家，甚至与北京100439（元/人）、上海122344（元/人）等同等发展水平的省市也存在显著差距。因此，广东企业以往的低成本战略、低效率和“人海战术”在外部经济和制度环境发生变动的情况下，遭遇到了巨大的冲击。

同时，广东的一些地方政府对待农民工的制度环境上，也有一些不尽如人意的地方。例如，外省农村劳动力向广东流动过程中的各种部门和地方政府的收费（例如就业证暂住证、治安管理费、卫生管理费、特殊工种的技术上岗证、特殊行业的健康证等等），随着民工潮的不断扩大而水涨船高。某些地方政府公开或者不公开设置的“门槛”所导致的繁复手续和层层费用加重了外省劳动力的负担，使劳动力的流动减少，形成现实中的“缺口”。同时，尽管近年来广东对计划经济时期形成的城乡分割的户籍制度进行了多次改革，然而，外来劳工与本地居民在培训、子女教育、社会保障方面仍然存在着一些不平等待遇，从而造成外来劳工难以做出在异地长期定居的个人决策，也难以融入当地的社区文化中去。

所以，由于劳动力成本的上升和外部竞争的加剧，广东以往依赖的劳动密集型产业已经不再具有相对优势，必须要向高附加值方向发展，不能再以简单靠扩大生产规模来保持增长速度，不能再以

① 《南方日报》2004年7月18日。

廉价劳动力作为最主要竞争方法。面对新的挑战，“十一五”期间，广东也将进一步加快产业结构向高级化和适度重型化转变，经济增长方式的转变也将迈出实质性步伐，尤其是用人数量最多的珠三角企业产业升级步伐将加快。这预示着广东产业调整的两个方向：一是在劳动密集型产业的基础上提高技术水平和劳动生产率；二是产业从劳动密集型向资本和技术密集型转变。部分劳动密集型产业提高技术含量，部分劳动密集型产业转移出珠三角，而用高层次的产业进行替补。而从2003—2005年劳动力市场需求情况来看，用人单位对技能型劳动者（明确要求有职业资格证书或专业技术职称）的需求明显增加，分别占需求总量的42.4%、46.5%和48.1%，这些都反映出广东今后调整的方向。

但是，如果进行产业升级，提高工人劳动生产率，则往往意味着放弃廉价劳动力优势，也就放弃了追逐廉价劳动力的短期资金，经济增长动力将不得不依靠劳动生产率的提高，依靠技术因素。而产业的升级、产业转移、经济发展方式的转变却是个相对缓慢的过程，因此，“民工潮”和“民工荒”所产生的“阵痛”在短期之内是不可避免的。但是作为政府而言，对产业升级和农民工的政策改革也是不可避免的。政府一方面需要重新审视劳动力市场的工资水平，使其真实地反映市场中劳动力要素的稀缺程度，特别是减少地方性制度收费方面给农民工所带来的成本，减少这些不合理的扭曲因素。另一方面工资的增长点必须建立在生产率不断提高的基础上。这即要通过技术开发和产业升级，提高生产率。也要加大对农民工进行人力资本的投资，不断提高劳动力的素质。从广东农民工的流动情况来看，本省劳动力的供应情况一直比较稳定，这应该成为广东农民工劳动力投资的重点。外省劳动力总量虽然不断上升，但是每年增加的波动上下起伏不断扩大，这说明对于外省劳动力而言，不仅需要考虑如何雇佣他们、培养他们，而且还存在如何“融合”他们的问题。广东经济越发达，需要的外省人才也越多，而“融合”他们的需求也越迫切。因此，除了考虑农民工的经济利益以外，还要提高农民工的社会地位和地域认同，不仅要把外来

工真正当作广东人，在户籍、住房、子女教育等各个方面使外来民工逐渐融入广东的社会生活。而且，更核心和更重要的是重新确立“广东人”、“广东劳动者”的历史定位和应该包括的人群，从而形成对广东省内和省外人才应用的完整思路和体系。

专栏5-3 优秀农民工可以入户广东

优秀农民工可以落户广东城镇，广东的农村贫困家庭子女更可以免费上技校……对于广东的劳动者来说，《广东省委、省政府推进产业转移和劳动力转移的决定》是一份高含金量的决定，一系列配套措施更是一个个大实惠。

为这项文件配套的《关于做好优秀农民工入户城镇工作的意见》，是全国第一个推进优秀农民工进城落户的省级专项政策文件。规定取得技师以上职业资格证书的农民工可以直接入户珠三角城镇。经核准入户的优秀农民工可以将户口迁入自有住房、用人单位的集体户口，也可迁入当地政府指定的户籍代管单位。优秀农民工入户后没有住房的，可纳入当地廉租房或经济适用房政策范围，解决其住房问题。

此外，广东每年将对100万在岗农民工进行技能等级提升培训，对全省45岁以下、有劳动能力的中青年农民提供一次免费技术技能培训，确保每个农村家庭都有一名以上有就业能力的劳动力接受职业技能培训等实实在在的措施，确保农村劳动力素质不断提高，以适应产业升级优化对劳动力的需要。

——资料来自大洋网（2008年5月30日）上的报道《广东规定优秀农民工可进城落户可享廉租房政策》

而在“融合”农民工方面，沿海地区的另外一些发达省份已经有了相关的政策，这些政策和措施也可以成为广东进一步深化改革、解放思想的参考。2006年，浙江省省政府正式提出“改革农民工登记管理办法，加快相关立法修改，逐步在全省范围内取消暂住证制度，转而实行居住证制度”。而根据2007年11月新近发布的《浙江省居住证申领办法（征求意见稿）》，居住证将与社保、就业、教育、居住等挂钩，使持证者享受与同城市市民一样的服务，而且还在子女就读、计划生育、劳动保障方面享受到与浙江省内市民一样的优惠政策，外来工能够享受到生活中各个方面的“市民待遇”，其实已与市民没有什么区别①。而作为最先进行改革

① 《东方早报》2007年11月22日。

开放的广东而言，在这方面的“步伐”也应该迈得更大和更快一些。

从长远来看，广东“民工荒”的出现是必然的，并不见得是一件坏事，因为它说明农民工的就业有了更大的选择。它给地方政府、给本地企业上了生动的一课，也为政府和企业提供了进一步深化改革、解放思想的契机。从产业转变上来看，要么依靠技术创新和管理创新，走品牌发展道路，做大做强，要么准备将产业向劳动力资源更为丰富、成本更为低廉的内陆地区转移。在政策思想上，也面临着如何正确对待农民工，如何尊重农民工的选择和创造性的问题。我们有必要深思，在今后的改革发展进程中，该建立怎样的体制，来保证以前的政策弯路不再重复，保证农村劳动者的伟大创造更加顺畅地为整个社会所认同。到了广东，需要改变自己的时候了。

三、广东职业经理人风云录：中国社会发展的缩影

在所有的劳动力群体中，职业经理阶层是一个特殊的群体。这一群体的出现，自然是与市场经济系统的发育发展直接相关的，但与特定的历史条件也有很大的相关性。大批合格职业经理人的出现是地区乃至一个国家经济社会发展的重要标志之一。

17世纪末，当世界贸易的大帆船驶入中国大陆南端的广州港的时候，发现在珠江岸边有一片对外开放的商馆区，由总揽外贸的专业组织接待远方商户，统购进口洋货，营销中华物产。这就是在中国外贸史上显赫一时，令中外商贾八方云集的“广州十三行”。这个1685年成立的，中国历史上最早的官方外贸专业团体是具有半官方半私人性质的外贸垄断组织。而十三行商人也被认为是近代以前中国最富有的商人群体之一。十三行商人在广州商馆区内，既是外贸经纪人，又是约束外国商人行为活动的责任者。因此从某种意义上说，他们也是广东最早的“外贸经理人”。由于十三行地区曾是在华外国人的集散地，通商贸易自然地带来中外文化的交汇与

碰撞，使最初的贸易货栈发展成为中西文化交流的重点场所。十三行商人较为开阔的视野、广博的见识，使他们从商务与时代的需求中，最早地接受了外面的世界，成为吸纳西方科学文化的先行者。随着后来中国的外贸中心由广州转移到上海，广东的十三行虽然逐渐衰败。但是有大量广东十三行商人带着身家来到上海。华南科学院梁承邺认为“有资料记载在上海开埠早期，有70%～80%的商人都是来自广东。他们主要从事饮食业和百货业，潮州人则垄断了当铺业”。他们脱离了和封建官府的联系，成为中国早期的民族资产阶级和经理人阶层。

虽然广东早期的十三行商人和改革开放后当前逐渐发展的广东职业经理人阶层在产生的原因、面临的环境以及具体构成方面存在很大的差别，但是他们的发端都是中国和国外的经济贸易交流，都是市场经济和商业贸易逐步发展的产物。当代广东的职业经理人阶层产生于广东改革开放的历史背景，是伴随着外资企业的不断进入、国有企业产权改革和民营企业的不断发展壮大而产生和形成的。他们生存于三个显著不同的企业板块：第一部分是改革开放后出现的广东“三资”企业的管理人员，包括来自海外的和在本土招聘和培养的职业经理人。第二部分是原来的国有和集体企业的干部。随着国有企业制度改革的深入进行，原来的企业性质发生了相应的改变后，这部分人逐渐从行政干部系列脱离出来，成为新的职业经理人阶层。第三部分来自较大规模的私营企业或高新技术产业领域中的民营企业，随着企业规模的扩大和管理复杂性的增加，一些企业主聘用职业经理人来为其经营管理企业；而另外一些企业主则通过企业股份化、上市等途径使自己从业主型的创业者转变为职业经理人（例如深圳万科的王石等）。

由此可见，与西方发达国家相比，我国职业经理人产生的背景是极其复杂的。也正是由于我国目前企业类型的多样性以及历史文化等方面的影响，我国现有的职业经理人不仅来源迥异，而且生存环境大不相同，从而其职业素养和管理水平也有较大的差别，尚未完全形成一个具有内在一致性和可比性的职业经理人队伍。但是尽管如此，对于改革开放后，在市场经济下逐步发展起来的中国企业而言，管理人员（经理）已经越来越职业化、专业化，也发挥了越来越重要的作用。由于受到我国具体“国情”的影响，职业经理的发展历程以及当前所面临的问题和西方发达国家存在很大的差异。广东作为中国最早改革开放的地区，广东职业经理人的“历史”也最长，产生了如万科王石、美的方洪波、格兰仕俞尧昌、格力电器董明珠等一大批优秀的职业经理人，广东职业经理人的“成长经历”也就是中国职业经理人“成长经历”的一个典型缩影。

（一）广东的三资企业：中国最早的职业经理人培养基地

作为全国最初开放的省份，三资企业以及“三来一补”加工业成为改革开放初期广东工业发展的重要增长点。外资给广东带来的不仅仅是资金和技术，更重要的是带来了先进的管理思想、管理方法和管理理念，这种管理方法和管理手段和以往计划经济下中国企业的管理方式有很大区别，属于两种完全不同的体系，因此在三资企业开始创办的时候，大多数企业都感觉到了管理人才缺乏的问题。一个外商投资70万美元创办的合资企业中，高中毕业生占10%，而初中和小学的工人占到了90%，几乎没有什么正规的管理人员，在合资企业刚刚创立的时候，管理人员和高级职员都是从国外聘请的；同时，合资企业也聘请和培养一些中方雇员，这些人在外方人员离开后都成为管理人员。

随着中国改革开放政策的明确和稳定性的增强，外资企业也逐步认识到，要在中国站稳脚跟，需要一批精通中国政治、经济、法律事务的人才为他们服务，出谋划策，以保证企业的各种行为符合中国的国情。同时，外资企业以高薪争夺的高级人才相对西方发达国家的薪酬水平还是很低的，从而节省大笔费用。最后是通过招收中国管理人员达到文化认同，招收大量的中国员工将使企业的影响深入人心，加速国人对企业的认同，这无疑将大大提高企业知名

度、提高产品竞争力。这就状况都为外资企业培养管理人才提供了外部条件，从而导致了中国最早的职业经理人群体的出现。对中国新兴的本土职业经理人而言，他们所处的领域是一片空白，以往的经验对他们而言也许是一种束缚，一切都将从头开始，而最困难的，则是观念的转变。他们在社会转型过程中产生，在很不规范的市场经济体制中成长；他们的能力、性格和理念、职业道德和前景将接受市场竞争的考验、锻造。他们成为社会中产阶层也是社会经济发展、成熟和稳定的标志。

专栏5－4　“洋行里的女雇员”

如果要哭，王小姐恐怕每天都会泡在水里了，在原来的机械厂，她是有名的“小辣椒”，师傅哪敢动不动就批评她。可是，现在仿佛一切都颠倒了过来。她只是在上班的时候接待了一个中学时最要好的同学，两人在恳谈室只聊了10分钟，那个在中国待了多年的山本就探头探脑地推开门好多次，同学一走，山本明知故问地说：“是谈业务吗？王小姐，私人会客请在下班以后，我们花钱请你，不是让你来侃大山的！”还有一次，就更不近情理了，她只用商社的信封给成都的姑妈写了一封信，那山本居然当着那么多人的面让她交了5角外汇券，还说什么下不为例。——当然，那已经是3年以前的经历了，现在她名片上的头衔是业务经理，她谈成的订单个数已经是三位数，金额累加在一起，更是让很多人数得头晕，所以甭说山本，连商社的社长也对她另眼相看。是生活塑造了她。

——资料来自《南方周末》（1993年8月17日）长篇系列报道《洋行里的女雇员》

在改革开放的初期，管理人员的“经营者才能”还没有完全成为真正意义上的商品进入流通领域。但是，和原有的国有的企业厂长经理相比，新兴的职业经理人在自己的职权范围内，除了承担守法经营的义务外，只对出资者承担资产保值和增值的责任。他们通过自己取得的客观经营业绩，证明自己的价值并得到社会的认可，而不是通过上级的“考核”认定。

（二）是激情还是浮躁：“高薪聘帅内幕”

当改革的指针转到了90年代，随着体制变革的深入，大批国营、集体、联营和个体企业也如雨后春笋，应运而生，不过在90年代初期，很多所谓的职业经理实质上还只是停留在对一个职务的称谓上，他们中绝大多数要么是企业的创始者，要么是具有行政级别的国有企业管理人员。投资人（股东）和经营者（经理人）的界线还比较含混，距与两权分离下的专职于企业经营管理的职业经理人还相差甚远。

从1994年至1999年，随着改革开放的不断推进和《公司法》的颁布实施，在轰轰烈烈的企业改革大环境下出现了呼唤职业经理人的声音。重视人才、吸引人才，这是每个有志快速发展的企业的共同愿望，这个时候大家讨论最热烈的就是经理人的薪水问题，很多企业都提出了“高薪聘帅”的广告，似乎有了高级管理人才的加盟，企业的成长就有了保证。1994年7月29日的《羊城晚报》所报道的《高薪聘帅内幕》可以作为这一时期的典型代表。1994年7月，地处深圳宝安区的纺织公司以36万年薪招聘经理，重金效益之下，有数百人来应聘，从黑龙江到乌鲁木齐，从云南贵州海南岛……各地纷纷有人写来应聘函。甚至在宝安的“老外”也跃跃欲试。难道这36万真有如此大的魅力吗？工作人员说，这两天也有不少有“来头”的人来应聘。有人开“宝马”私家车，有坐“奔驰”专车来的，更有人愿意10万、20万做抵押金，看来，事件并没有我们想象的那么简单。

企业高薪聘帅的最后结果我们不得而知，但其反映了当时的这种现象：一方面，管理型人才第一次被企业和社会所认同，被认为是企业成长的核心要素，大量的描写管理、经营的书籍开始出现，这些都奠定了中国管理发展和职业经理未来发展的基础；但是在另外一个方面，各种浮躁以及似是而非的各种观念尘嚣其上，“管理”、“经理”、“经营”等词汇被大量的滥用，结果造成现实中职业经理能力和诚信受到质疑和考验的局面出现。当时有一个笑话广为流传：在深圳大街上，一快招牌突然掉下来，砸死了五个人，其中有四个是“经理”，还有一个是“副经理”。

（三）成长和反思：广东职业经理人的未来发展之路

1999年以来，国家进一步明确发展社会主义市场经济的方向，提出了中国企业的发展方向是建立现代企业制度，为我国职业化建设带来了极好的机遇。也正是在这一阶段，大量的民营私有企业规模迅速壮大，原有企业中高层管理人才严重不适应企业的发展，高薪引进管理人才、所有权与经营权分离逐渐成为大势所趋，市场呼唤“金领”和高级白领阶层的诞生，于是“空降兵”满天飞，“高薪制”层出不穷，终于开始形成一个新的社会阶层：职业经理人。2002年出版的由中国社科院编撰的《当代中国社会阶层研究报告》，首次把经理人阶层同国家与社会管理者阶层、私营企业主阶层和专业技术人员阶层并列，作为整个社会阶层结构中的主导阶层，这意味着学术界对经理人社会地位的认可。2003年8月1日启动的《国家职业经理人标准》及培训、评价体系，标志着中国职业经理人时代的来临。2003年8月，广东省职业经理人协会成立。协会主要是由从事企、事业经营管理的职业经理人（高级管理人员、CEO）和企业家自愿组成的全省性、非营利性法人社会团体。广东的职业经理人也开始拥有了自己的正式组织①，同时，广东一些重点高校的MBA专业也越来越发挥出了职业经理的培养、联络等重要的作用。

广东作为民营企业集中的地区，职业经理人问题早已成为企业乃至社会非常关心的问题。但是，在过去的几年里，广东的民营企业围绕职业经理人的任用以及去留问题，上演了一幕幕的悲喜剧：吴士宏在2002年离开TCL后，突然又在2007年选择了回归TCL；陆强华先后脱离创维集团和高路华，最终选择了自己创业；姚吉庆辞去华帝集团总经理职务；黄骁俭空降金蝶不到两年，又重返原来的SAP；俞尧昌在格兰仕去而又回……这么多的职业经理人纷纷

① 但是遗憾的是，广东职业经理人协会并未发挥其真正的作用，从网上搜索的情况来看，其主要的工作在和某些大学举办收费性的培训上。

“跳槽”、“下马”，甚至有不少经理人“落马”，如科龙的顾雏军管理团队成员、健力宝的张海管理层成员、三九药业的管理团队成员等等。在令人眼花缭乱或扼腕叹息之余，不由得使人思考：职业经理人到底怎么了？企业在成长中如何有效融合经理人？为什么有的职业经理人竟然身陷囹圄[①]？

号称中国职业经理第一人的姚吉庆在中山华帝的沉浮就是一个典型的例子。华帝燃气公司的7位创业者经过几年努力，将华帝打造成中国灶具第一品牌。1999年10月28日，华帝集团突然爆出新闻，7位创业股东宣布集体引退二线，担任董事，经营全部交由职业经理人队伍打理，并聘请姚吉庆担任公司的总经理。7位老板为了彼此间权力与利益的平衡将他推向前台，而当老板们新的权、利平衡达成时，他就不得不被架空乃至于黯然离去。痛定思痛，姚吉庆2002年复出威莱国际，对于资方的股权要求更为直接的原因并不是出于对资本增值的分享欲望，而是为了取得决策的话事权，其背后的潜台词是为了更好的自我保护。“知本”也须借助于货币资本的力量保护自己[②]。而同样是在广东的高路华，职业经理人陆强华试图通过“内部人”而非资方的控制来保障自身的利益与地位。他想创新，然而他的创新不是真正引入现代企业机制，而是想通过树立自己的绝对权威来取代资方的权威，这不可避免地背离了一个职业经理人应有的规范。

从很多广东民营企业的案例中我们可以看出当前职业经理人，特别是当前民营企业内部的职业经理人所面临的“尴尬”局面。从他们的经历来看，无论是MBA的教育还是以前外企的工作经验，虽然都能够给予他们丰富的管理经验和管理技巧，但是面对中国企业很多固有的背景特征的时候，特别是企业的“家族化”或者“泛家族化”管理模式的时候，他们所面临的是完全不同于西方的中国的历史文化和政治背景，他们所遇到的困难，以及所需要的转

① 《职业经理裂变之年》，《中华工商时报》2003年1月30日。

② 姚吉庆：《从资本奴隶到资本主人》，《南方日报》2002年2月25日。

型，都是非常艰难的。但是广东一些优秀的职业经理人仍然为我们做出了表率。其中一位非常具有示范意义的“代表”，就是被誉为中国职业经理标杆的美的电器总裁方洪波。

专栏5－5 职业经理的标杆——美的电器总裁方洪波

职业经理人应该是什么样的人？被誉为中国职业经理标杆的美的电器总裁方洪波认为：“老板是天生的，是天才。而职业经理人是严密的机器标准件，是打工仔，靠的是职业的素质和能力。职业经理要有职业的心态，要与老板建立互相信任的关系。敬业、团队、学习、协调、合作都是职业经理人必备的素质。”

1992年，方洪波从东风汽车辞职后来到广东顺德，凭借其扎实的文字功底，进入美的总裁办。方洪波那时的工作，是出版《美的》企业报。从组稿到写作、编辑，是方洪波的主业。在这个过程中，方洪波了解了美的，也分析了美的，并渐渐开始参与公司的宣传、推广工作。在这个过程中，老板何享健发现了他的才干，于是提拔他为公关科副科长。后来，方洪波从公关科副科长到科长，再到广告部经理、市场部经理。而在1997年，美的遭遇严重危机，空调业务陷入谷底，到底任用谁来挽狂澜，在美的最高决策层引起了不小的争议，何享键力排众议，启用而立之年的方洪波，使其主管美的空调国内销售业务。

方洪波上任之始，大胆提出“让销售向营销转变，让生产制造向顾客需求转变”。1998年，全国空调大战拉开序幕，方洪波组建的营销军团，做到了只要有空调的地方就有美的营销人员，其空调销量剑指三强，达90万台，增长速度是200%，美的借此不仅解除了危机，还一举奠定其空调行业一线品牌的地位。

开山之举便出手不凡，使何享健更对其刮目相看。2000年，因其在空调业务中的出众业绩和声望，方洪波出任美的空调事业部总经理，销售额几乎占整个集团的60%。2001年，美的空调内销220万台，出口30万台，据说销量其时已跃居全国第一。其后美的与东芝、开利合作，乃至2004年兼并华凌，均为业界侧目。在此过程中，方洪波的身份也一直在变，从空调事业部总经理到集团副总裁，再到制冷事业部总经理、华凌集团董事长，基本上是一路升迁，被美的视为股肱。

方洪波可学，又可能学不来，因为他的成功除了其自身的行为典范外，也离不开美的老板何享健的开明和胸怀远大志向，选贤任能，正如美的广告语那样：因为志存高远，所以领先。方洪波在下述方面给中国职业经理人做出了典范：

1. 内敛。从未暴露任何野心，赢得何享健的信任，为自己职业发展迎来好的外部环境。

2. 表现。总能在不同阶段表现出自己某方面成绩，使得业绩说话成为可能。

3. 沟通。随时随地与资方保持良好的沟通渠道，为自己扩权提供可能。

4. 忠诚。从国营企业出来一直坚持自己的选择，一步一个脚印。

5. 学习。从内刊编辑到营销副总，他学习能力很强。

——部分内容来自《经理人》（2007年1月30日）上的相关报道

从历史上来看，欧美的很多家族企业在达到一定规模时，很多企业实行了所有权和经营权分离的方式，企业由职业经理人员（非企业股东）组成的管理层负责经营管理，而以往控制企业的大股东（家族）并不直接参与企业的经营决策和日常管理。这种被钱德勒称为“管理革命”的过程，在西方发达国家经历了100多年的时间。但是这仅仅是美国的经验，而且从美国企业的发展历程来看，这一过程仍然是非常漫长的。在20世纪初期，“美国的经济体系仍然含有金融的资本主义和家族式的资本主义要素。经理式的资本主义尚未居于支配地位”①。一直到20世纪50年代时，在美国经济的一些主要部门中，经理式企业才逐渐成为现代工商企业的标准形式。从德国和日本的家族企业发展历史来看，家族企业主与高层职业经理有效地共享经营控制权也是一个比较长期和普遍的现象。这说明家族企业的内部治理结构存在着多种类型，纯粹的“所有权经营权的统一”与纯粹的“两权分离”的治理结构之间存在着巨大的企业成长空间，家族企业的发展和变革方向与一个国家的社会文化传统、社会资本有很大的关系。不能一概而论地说家族企业一定会向现代经理式企业发展。企业的制度选择与演变受很多因素的影响。

在当前中国的现实情况下，由于民营企业处在社会转型的背景之中，传统的道义信用规则的功能弱化，超出血缘亲情的家族关系以外的社会网络连接往往会出现重大破损，而以法律契约为基础的信任制度又不健全。这些状况导致企业即使在规模很大时，所有权和经营权也可能并不会彻底分离，即使在创业家族拥有的所有权比例已经很小的情况下，经营权（控制权）仍可能在创业家族中代际（如父子之间）相传。这种特殊的情况，即使是成功地吸收了大量外部资本以及聘用了大量职业经理的大型民营企业也会如此。

因此对于民营企业的职业经理人而言，摆正自己的心态，找准自己在企业中的定位，以及确定自己的发展方向和道路，才能够真

---

① ［美］钱德勒：《看得见的手》，商务印书馆1977年版，第579页。

正找到施展自己才华的舞台。同时，对于企业家而言，如果想要自己的企业走向辉煌，也需要有一个包容百川的胸襟，三顾茅庐的恭谦和气度。深圳万科对职业经理人的培养可以说是职业经理人成长模式的典范。万科被称为是中国房地产界的“黄埔军校”，在这里，培养着一批又一批的房地产的“高级将领”。一个例子是在2001 年7 月深圳大梅沙土地竞标中，四家竞争单位竟然有三家“操刀手”系出万科。2001 年2 月，年轻的职业经理人郁亮出任万科集团总经理，这标志着万科的管理由创业者向职业经理人的平稳过渡。万科苦心经营的职业经理培训体系，引起业界的广泛关注。用万科集团人力资源部经理的话来说，万科对职业经理人的培训，其实从新职员入职那天就开始了。对企业的员工来说，除了薪金奖励之外，更重要的是发展前景、内部晋升的成长空间，因此他们需要培训来提升个人素质。2001 年6 月，万科完成了第一期对各地新任经理的大规模培训。其间，惠普副总裁、集团多位老总披挂上阵，担任培训讲师。在万科，基本素质较好的职员，在工作数年之后，会被列入 TPP（Talent Promotion Project）培训计划。这一体系，通过“管理才能测评”、“圆桌会议”，对有潜力的骨干人员加以关注，源源不断为集团各个层面输送管理人才。

也许，像万科这样的企业在当前可能是少数，面对中国改革开放后新的社会环境，广东的职业经理人还有很长的一段路要走。在这段路途中，还会有很多风风雨雨，经理人的悲剧和喜剧也许还会不断发生。他们究竟能走多远，我们不得而知，但是，他们毕竟已经迈出了第一步。

职业经理阶层的形成、科层组织的高效率是组织能力的重要标志，也是一个地区或国家经济竞争力的关键。企业历史学家钱德勒通过对以现代大企业为基础的管理资本主义在三个西方主要工业国——美国、英国和德国的历史发展进行了比较研究，发现工商企业通过其组织能力的发展在美国、英国和德国的工业经济发展中发挥了核心作用。组织能力利用规模经济和范围经济，实现了管理集中化，并对生产、销售和管理进行集中投资以使企业的结构合理化。

企业的组织能力一旦确立，就会立即继续为市场份额和利润而竞争，并以此为利器向外国市场和相关产品市场扩张①。

从西方发达国家的经验来看，职业经理和高层管理者在多年竞争和增长中发展起来的组织能力，促使管理权和所有权的进一步分离，并增强了职业管理者对企业决策的控制。这种结构的兴起是发展组织能力的关键因素，而且它似乎也是钱德勒用来解释以上三个国家企业不同模式形成的关键变量。因坚持个人管理而忽视组织能力使英国工业付出了高昂代价。当英国企业家踌躇不前时，美国人和德国人进行了使他们得以占领国际市场的投资，结果是，美国和德国的工业产值到第一次世界大战前夕超过了英国，老牌英国工业地位相对衰落。钱德勒的经验性研究正是试图告诉我们，职业经理阶层的形成，才会帮助工商企业形成完整的管理结构，建立企业的组织能力，进而提高企业的竞争能力。而工商企业的发展，也会影响整个经济的竞争能力，乃至经济的前进方向。

所以，对于政府而言，着眼的不仅仅是微观层面的职业经理人的去留或者培养问题，而应该更关注如何建立和完善培育职业经理人阶层的市场机制，创造职业经理人良好发展的市场环境。而重点在于三个方面：一是在地区性的或者行业性的协会中，增加有关职业经理人的信息、培训等服务功能；二是应该首先尽快组建和完善专门针对职业经理人的中介市场机构；三是建立分地区、分行业的职业经理人协会，尽快让这些职业经理人协会发挥其应有的功能。这些组织对职业经理人和雇用职业经理人的企业来说，可以提供信息服务（企业和职业经理人的资格认定、诚信考察、人才档案资料）、培训服务，协助市场交易（将优秀职业经理人通过微机联网和各种媒体，推荐给企业选择，组织双方双向选择的机会），以及对职业经理人与聘用企业的合同争议进行仲裁或调解，从而减少企业和职业经理人之间的信息不对称，保证经理人市场的真正形成。

---

① ［美］钱德勒，《规模与范围》（中译本），1992年版，第1140页。

四、从就业保障到社会保障：广东劳动力市场的建立和发展

劳动力市场是西方经济学研究劳动问题的核心，一般经济学理论中所阐述的劳动力市场是指广义的、抽象的、以市场机制来调节劳动力供求的经济关系①。一般来说，就业、工资、社会保障、劳动法规、职业教育培训、对特殊劳动者的保护等问题都是劳动力市场不可缺少的内容。

在计划经济下，没有劳动力市场的概念和运作空间。城市中的公有制企业是进行工业生产的基本单位，为了将剩余劳动力转移到重工业的建设，同时保证生产计划的有序性，政府对劳动力市场进行了干预，形成了计划经济下劳动力市场的两个特征：劳动力价格的扭曲和劳动力市场的分割。为了得到用于发展重工业的剩余劳动力，国家压低了职工的工资。由于工资由劳动部门来制定，就业由劳动部门来安排，因此，行业间、企业间的工资差距即使客观存在，也未能借助于劳动力的合理流动而消除。同时，由于偏向重工业的发展方向导致经济的资本密集程度提高，对劳动力的需求相对较少，而政府又试图借助于行政力量来消除失业，于是造成国有企业雇用了过多的劳动力。这种不合理的劳动力配置所产生的种种问题在计划经济下非常明显，并在改革开放之后逐步得到了改变，其变革的核心就是劳动力市场的建立和逐步完善。即增量的劳动力更多地借助于市场机制而不是行政手段进行配置了，这一过程就是劳动力市场的建立和发展过程。我国的劳动力市场改革是从就业体制开始的，逐步延伸到分配制度、社会保障体制等多个方面。而广东作为改革开放的试验区域，起到了劳动力市场改革的排头兵作用。

① 宋晓梧（2006）。

（一）广东的就业制度改革：把就业问题当作经济问题来抓

在1978年，随着全国以家庭联产承包责任制为特征的农村经济体制实行改革，劳动生产率也逐步提高，农村的剩余劳动力开始出现；同时，以往由于各种原因从城市转移到农村的人员开始回迁，这种由于经济结构不合理所导致的劳动力过剩，使得城镇劳动就业问题尖锐化。这种情况在1979年达到高峰，当时需要在城镇中安置就业的劳动力达到1538万人，相当于1960—1976这16年全民所有制企业职工的净增总量①。

所以，由于在传统体制下，我国劳动力资源配置由政府用统包统配的方式实现，劳动关系大都表现为劳动者和政府有关部门的关系，劳动关系中的问题都被行政手段所抑制或用行政手段来解决。这种“抑”的方式所带来的就是问题的不断积累和严重化，而广东也面临同样的问题，而且由于广东处于沿海的敏感地区，其工业化发展在计划经济时代一直受到中央政府的制约。但在改革开放启动后，广东面对严峻的就业形势的做法就是把“把就业问题当作经济问题来抓”，即首先通过大力发展工业，用“疏导”的方式创造就业机会，保证就业。其中比较典型的就是佛山和江门的例子。1979年，佛山、江门的城镇待业劳动力为1.4万和1.7万，待业率达到11.1%和13.2%。面对严峻的就业形势，两地首先调整经济结构，发展能够吸纳大量劳动力的劳动密集型产业；同时，发展城镇集体所有制以及个体经济，放手发展对外贸易和多种形式的劳务合作。到1982年，这两个地区的城镇待业劳动力却只有1815和535人，待业率下降到了1.3%和0.6%②。从表5-2可以清楚地看到，改革开放初期广东就业的严峻形势，其城镇待业率明显高于全国水平，但是从80年代中期，广东改革开放初见成效后，失业

① 《广东统计年鉴》(1989)。

② 《改革之星：广东改革开放十年实践100例》，广东人民出版社1988年版。

率明显下降，而且一直低于全国水平。

表5－2　　全国和广东城镇地区待业（失业）率　　单位:%

年份	1978	1980	1985	1987	1990	2000	2005
全国	5.3	4.9	1.8	2.0	2.5	3.1	4.2
广东	5.6	5.1	1.9	1.8	2.2	2.5	2.6

数据来源:《中国劳动统计年鉴》,(1978—2005)。

首先，通过工业化和经济结构的调整，广东不仅解决了劳动力过剩的问题，而且成为劳动力引入吸纳的大省。1983年成立的广东省人才交流服务中心，仅仅在刚成立的1983—1986年就为32456名各级专业技术人员办理交流调动手续，其中外省引进的人才占79.5%①。

其次，广东也在逐步引入市场经济体制的情况下，保证市场机制开始在劳动力资源配置中发挥基础性作用，促使企业和职工形成劳动关系的两个主体，从而使得劳动关系在内容和性质上都发生了深刻的变化。即首先承认劳动力的雇佣也需要采取商品形式，从而使劳动者获得了支配自己劳动的权利，他可以与用人单位相互选择，自由结合，共同议定劳动条件和劳动报酬，从而也使他摆脱了对单位的依附和从属，使劳动者的主人翁地位由抽象变为现实，利益得到保证和实现。在具体的政策的实施上，在通过发展经济，保证就业，解决劳动力过剩问题的同时，作为计划经济向市场经济的试点区域，广东也开始在劳动合同制、工资和社会保障制度方面进行改革，一时间，广东的各种改革成为全国经济改革的“亮点”。

改革开放之前，广东的就业制度仍然是传统的“铁饭碗”制度，职工毫无危机感，“干多干少一个样、干与不干一个样”，“反正生老病死都由国家管着”，这种就业观念成为培养“惰性”的温床，不利于企业效率的提高。虽然全国都面临着同样的问题，但是

① 《改革之星：广东改革开放十年实践100例》，广东人民出版社1988年版。

作为改革开放前沿地区的广东，为了适应开放的新形势，以及引进外资的需要，首先打破了这种“大包干”的就业制度。1979年，珠海经济特区首先在石景山旅游中心推行劳动合同制，企业和职工签订劳动合同，确定双方的责、权、利关系及工作年限。深圳经济特区也决定从1980年开始在外商投资企业中对全部职工实行劳动合同制度，并取得了良好的成效。1983年，广东省正式规定，全省的国有及集体单位从社会新招工人，一律实行劳动合同制，1985年，广东全省劳动合同工人数已经达到34.94万人，从社会中公开招聘的人员占90.8%，接受统包统配的人员仅仅占9.2%，1989年，劳动合同工人数达88.86万人，占全省职工总数的10%。在就业制度上，广东先行了一步。

表5－3　合同制职工占全民所有制职工比例　单位:%

年份	1985	1986	1987	1988	1989	1990	1991
全国	3.7	5.6	7.6	10.1	11.9	13.3	14.9
广东	5.1	7.8	10.1	11.0	12.8	14.5	16.2

数据来源:《中国劳动统计年鉴》(1985—1991)。

劳动合同制的实施和“大锅饭”制度的打破使得一个新的名词在社会上流行并为大家所熟知——“双向选择”；也使得一类新的机构在广东产生并逐渐发展起来——“人才交流中心”、“职业介绍所”。劳动合同制的实施决定了在今后职工进入企业后并不是固定不变的，更加不可能像以前一样“一配定终身”。一些当时的优秀企业实施了以前看起来似乎“不可思议”的严格制度。例如深圳康佳公司有这样的规定：上班必须提前5分钟到岗，下班必须到点才能离开岗位，厂区抽烟罚款30元至1000元以至开除。一个员工违反规定偷摘厂区内的芒果被开除；一位生产线拉长从废料库里拾了一块玻璃给朋友被开除。顺德万家乐燃具有限公司开除了一名职工，原因是这位职工用车间的不锈钢做了两把小刀。

在这种背景下，很多企业开始逐步抛弃以往的干部晋升制度。

全体职工不论是固定工、合同制还是临时工，他们的晋升机会都是平等的，谁有本事，谁的贡献大就提拔谁。现在你是这一岗位，但是实践上证明你不称职，你可能很快就换了另外一个岗位，“能上能下”的制度使企业能够进一步形成内部员工的竞争机制，有利于人才的脱颖而出。

另一方面，职工也获得了较为充分的择业权，使劳动者的择业意识增强，根据广州市 1991 年的调查，九成以上初次就业的合同制工人要求签订为期不超过 5 年的劳动合同，以实现重新择业的权利，“炒老板鱿鱼”和“被炒鱿鱼”已被视为正常的现象。在 90 年代初期，佛山市国有企业职工流动率为 11.8%，乡镇企业的职工流动率达 25.8%，广州市的纺织、服装行业甚至达到了 30%。在广东，人们对暂时性失业的心理承受能力较强，择业性失业的比例也不断上升。

（二）工资收入分配体制改革：“博士的价值”在哪里体现？

和就业制度类似，广东对工资制度改革的调整也起步很早，浮动工资制度、承包制度等在农村行之有效的改革方案在 80 年代初期就开始在广东试行。1981 年，南海县和江门市部分国有企业在全国率先实行“联销联利浮动工资制”，1983 年，省内的一些建筑施工企业施行“百元产值工资含量包干”。1985 年，广东实行工资总额和经济效益挂钩的企业迅速增加，到 1988 年，佛山市区实行这种改革的企业已达 136 家，占国有企业户数的 98%，广州地区的 223 家，占实行承包经营企业的 67%。

工资制度的改革在两个层次上进行，一是通过考核企业的经济效益状况来提取工资总额，解决过去企业吃国家“大锅饭”的状况。例如地处广州的广东省鱼珠木材厂，是一家有 2500 多人的综合性木材加工厂，1985 年核定上缴税利基数 687.7 万元，工资总额基数 350 万元，浮动比例为 1∶0.65。实行挂钩后，企业利润比上年增加 42.3%，上缴税利增加 10.6%，工资总额增加 7%。

二是扩大企业的工资分配自主权，实行多种形式的工资形式，从而解决职工吃企业“大锅饭”的问题。又如广州重型机械厂，该厂把工资、产量、利润等指标分解到各分厂承包，分厂又将承包指标分解到班组，实行层层承包，承包者完成指标可以获得高于职工平均工资1～2倍的收入，若目标利润下降10%～15%，承包者只有基本生活费。在一个效益好的乡镇企业中，一个顶用的工程师比职工平均工资高上4～5倍在广东是非常正常的事情，而这种状况在以往盛行平均主义的国有企业中是不可想象的事情。

专栏5－6　博士的价值

马军是华南理工大学毕业并留校任教的博士生，他到顺德美的电器公司应聘，并说明他的专业可解决高效节能空调的设计问题。该公司老总答应要他并征询他的意见。马军留下后很快拿出了单一工程节能空调并通过了国家鉴定，1991年美的高效节能空调投入批量生产，马军被聘为高级工程师，月薪2300元，宿舍里电话、彩电、冰箱、沙发一应俱全，全由公司配备，而且从1992年起，每出售一台高效节能空调还能得到一定的提成收入。

——节选自《经济日报》1992年4月25日

分配向市场一线倾斜，这就是广东改革开放后分配格局的鲜明特点，甚至一度形成了这样的情况：从政不如做工，做工不如经商；大城市不如小城市，小城市不如乡镇；国家部门不如集体，集体不如个体和私营。尽管这种“倾斜”未必十分合理，但这毕竟是一种新的尝试，是新中国成立以来第一次打破了“向上”的分配体系，而转向面向生产经营第一线的“向下”的格局。

（三）社会保障体制：建设从一般劳动者到“社会边缘人”的“全面安全网”

在1980年推行劳动合同制的同时，广东也在全国率先尝试实行社会保障制度。在80年代到90年代，广东的社会保障体制从无到有，初步建立起涵盖一般劳动者的社会保障体系。首先建立的是劳动合同制工人的社会养老保险制度，1983年底，广东省在东莞、江门试行全民单位固定工退休金统筹，在取得了一定的经验后，

1984 年在全省全民以及集体单位全面推广。到 1988 年，新的社会养老保险制度在广东初步建立，全省参加社会养老保险的各类职工达到 411.2 万人，正式职工的投保率达 96% 以上。1995 年开始实施城市最低生活保障制度，1998 年这一制度开始覆盖农村地区，这使得广东的低保制度有了一个鲜明的特色——城乡一体化。

到 90 年代中期，面对社保费征缴难的难题，广东省从 2000 年 1 月 1 日起启动地税部门统一征收全省的社保费，使覆盖全社会的社保费征缴这个"大难题"取得突破并获得丰硕成果。广东的具体做法是：从 2000 年 1 月 1 日起，在全省范围内统一实行社会保险费由地税部门征收，充分发挥税务部门征收的刚性作用；工商部门对未办社会保险登记缴费和社会保险年审不合格的企业和个体户，暂不办理营业执照年审，对拒不参加社会保险或无故拒缴社会保险费的，暂扣营业执照。

专栏 5-7　广东社保"安全线"全面看涨

广州白云区某鞋厂的外来工刘军对政府的政策特别有体会，进入 2004 年 12 月，广州市新出台的最低工资标准给他送来了"大礼"。广东省政府明确要求，从 2004 年 12 月 1 日起各地均应调高最低工资标准，并首次明确将过去最低工资标准中不包含的个人缴纳的社保费也包括进来。按此计算，广州 684 元/月的新标准比 510 元/月的旧标准名义增长 34.1%，扣除社保费后实际增长是 11.9%。而刘军算的账是：过去由于未明确规定，老板认为 510 元/月的最低工资标准已经包含了社保费，结果扣除社保费后他每月到手的才 300 多元，很多人也因此不愿交社保，而按新的标准，交了社保，他到手的还有 500 多元。

而 50 岁的广州东山区居民郑今明则感到更满意了，曾经每天起床"头都是麻的"。下岗后，一家三代要靠其年迈父母的退休金艰难度日，出去应聘，"人家一看自己的年龄和文化程度，就摆手兼扭头"。上个月，他所在的珠光街在家访中发现了这户"零就业"家庭后，马上建档、推荐就业、专人跟踪。如今，郑今明有了物业管理员的工作，1000 多元的月收入加上各种社保，让他很满足。

——节选自 2005 年 1 月 5 日《羊城晚报》：政府撑腰"造血"广东社保"安全线"全面看涨

截至 2000 年 11 月底，广东全省地税部门共征收社会保险费入库 133.17 亿元，增收 35.53 亿元，增长 36.4%；社会养老、失业保险基金征缴率达到97.12%。到2003年10月底，广东省社会保险基金累计结余635亿元，占全国的1/3以上，广东省参加企业养老、失业、医疗工伤和生育保险的人数均居全国首位。

表5-4　　广东省历年年末参加各险种的人数　　单位：万人

年份	养老保险	医疗保险	失业保险	工伤保险	生育保险
1998	599.9	80.3	420.9	767.27	217.11
1999	766.4	124.1	440.7	798.32	210.32
2000	1172	350.3	748.5	960.66	231.57
2001	1370.3	544.8	819.5	990.09	250.07
2002	1405.4	717.7	890.2	1049.91	258.67
2003	1145.7	877	954.1	1120	330.76
2004	1588.8	1034.2	1005.8	1215.1	376.8
2005	1564.9	1255.3	1099.1	1605.1	419.4

注：参保人数包括参保的从业人数和离退休人数；数据来源于《中国劳动统计年鉴》。

广东的社会保障成为全国社保体系中涉及人数最多、社保数额最大的省份。目前全省地级以上市99.7%的街道和96.1%的乡镇都建立了保障工作机构，县（县级市）也有89.1%的街道和82.1%的乡镇建立了机构，进一步拓展了社会保障服务网络。大力推进了企业退休人员的社会化管理服务。目前，全省企业退休人员实行社会化管理服务的人数已达到170.6万人，社会化管理服务率达85.8%。其中深圳市企业退休人员已100%实行社会化管理。但是，随着城市化进程的加快和国有企业改革的深入，出现了大量农民工和灵活就业人员，这部分人的社会保险工作应当引起政府部门的重视。因此，“十一五”期间广东省扩大社会保险覆盖面依然任重而道远。

随着全面社会保障体系的建立，广东社保的目光开始转向低收入家庭、外来农民工这些传统意义上的“社保困难户”。通过建立最低工资标准、失业保险金、基本养老金、最低生活保障线等方

式，广东为他们提供了社会保障的“全面安全网”。至2003年末，在广东就业半年以上相对稳定的流动就业人员约1900万，其中外省人接近1300万，省内流动就业人员600万。这些流动人员以农民工为主。截至2003年底，广东省参加企业基本养老保险的1145万人中，外来工参保人数约200万；参加失业保险的954万名参保人员中，有340万名是外来工。

就广东省目前条件来看，失业保险、工伤和生育保险可以选择一元化制度安排。养老保险则需要考虑多元化制度安排。而且由于广东地区之间社会保障体系发展不均衡，不能够在短时期内实现全省城乡社会保障体系统筹，只能分阶段、分地区完成。通过城市化推动城乡一体化社保体系的发展，目前广东省社会保险的统筹层次多在县市级，还未实现省级统筹。由于历史原因，这种低水平的统筹方式导致某些项目的费率在各地差别很大，加剧了地区之间的发展不平衡。另外，由于统筹层次低，基金实力不强，遇到较大风险时很难抵御。而且，这种低层次的统筹方式使得基金不能在更高一级范围内调剂使用，不能平衡各地区间的基金余缺。因此需要设立省级养老金，统一缴费基数、比例和待遇水平；设立地方性养老金，体现地区之间的差异。“十一五”期间，广东省社会保障的目标之一是要实现养老保险的省级统筹和其他社会保险的升级（指统筹层次的提高）和扩展，以及社会保险待遇的社会化发放。

五、小　结

任何一次大的社会变革，都是以思想解放和观念更新为先导的。在改革开放初期，由于人们的思想观念还处于旧体制、旧观念的束缚之中，对改革开放有犹豫、徘徊和观望，有争论、非议和干扰，特别是“左”的影响根深蒂固、阻力无处不在。不排除“左”的僵化的思想干扰，就激发不起敢闯敢冒的勇气，就走不出因循守旧的“死胡同”。在这种情况下，解放思想成为必须首先解决的问题，而排头兵和示范地区就成为解放思想的关键。可以说，这一时期，广东每一项改革开放重大举措的出台和实施，都是以思想解放、观念更新为前提的；而每一次的思想解放、观念更新，都有力地推动了改革开放的进程。广东的开放对全国具有示范意义。在全国的开放格局中，广东省往往处于开放的最前沿。因此，“从对外开放来讲，广东省是全国的排头兵。沿海十四个开放城市看着特区，特区看着深圳，从全国各省来讲则看着广东”①。这就是广东对外开放中的地位，也是对广东对外开放示范意义的最佳诠释。

从广东劳动力制度、劳动力市场的改革来看，在计划经济时期，城市劳动力市场的封闭、分配制度的僵化和工作的低效率，农村人口与就业之间日益尖锐的矛盾，成为我国在劳动力市场方面所面临的主要问题。广大的城市和农业剩余劳动力就需要寻找新的就业机会。然而，由于国家实行计划配置，人力资源大规模的流动根本不可能实现。但是，广东一系列改革开放政策所形成的独特的工业化发展道路，以及由此而涌现出来的“自由择业”和最早的劳动合同制度。为后来大规模全国性的剩余劳动力转移树立了榜样，也为中国劳动制度、劳动力市场的改革做出了尝试性的贡献。

广东劳动力市场的改革，不仅促进了广东经济的发展，填补了广东基础设施建设、工业、服务业等等劳动密集型行业的岗位空缺。而且，广东的示范效应进一步促进了中国劳动力市场的流动，企业的用工制度、劳动力市场由此发生了改革，并促进了通过市场合理配置劳动力资源机制的形成。在解决农民工问题的过程中，各级政府的职能定位、管理理念、行为方式也都发生了很大变化，传统的户籍制度、就业制度和社会保障制度也由此产生了重大变革。在广东引入外资企业的同时，企业所带来的先进经验和管理模式也产生了中国第一代职业经理人，中国职业经理人的“漫漫征途”由此而生。

在分配体制以及保障体制改革上，由于国营企业是计划经济的

---

① 中共广东省委办公厅：《中央对广东工作指示汇编（1983—1985年）》，《谷牧同志听取广州、湛江两市负责同志汇报工作时的讲话》（1984年6月9日），第164页。

主体。推进城市经济体制改革，冲破计划经济体制的包围，首先要转换国营企业经营机制。广东首先进行了一系列改革，并在全国引起了较大反响。广东的改革经验就是向市场靠拢。一是国营企业由过去的财政统收统支办法改为实行超计划利润提成奖；二是改革机构重叠、多头领导的工业管理体制，撤销各工业主管部门，由当时的“经济委员会”直接管理或指导国营企业，；三是扩大国营企业的自主权，实行“利润包干，逐年递增，超额分成，一定三年”的承包制[①]。广东成功的改革经验陆续都为其他地区仿效，并在全国推广。和分配体制相对应的，广东也在全国率先尝试实行社会保障制度。在20世纪80年代到90年代，广东的社会保障体制从无到有，初步建立起涵盖一般劳动者的社会保障体系。全面社会保障体系的建立，保障和维护了劳动者的利益。

广东在劳动力市场上的各种改革取得了巨大的成就，成为全国经济改革的“亮点”，也为广东经济的发展提供了巨大的动力。但是，也必须认识到，面对改革开放的新局面，面对国内国外的新形势，以及广东面临的新问题，广东也存在“全国各地学广东，广东究竟如何前进?”的问题。同时，在原材料、劳动力成本的上升以及外部竞争加剧的情况下，广东所面临的宏观环境已经发生改变，外部竞争加剧。广东所具有的传统劳动密集型产业优势已经减弱。在广东经济结构正在发生变化，经济增长方式也将发生转变的同时，劳动力市场、劳动制度新一轮的改革、新一轮的“思想解放”也刻不容缓。但是我们相信，在这场新的征程中，广东会像过去一样，再度成为改革开放的象征和代名词，再次扮演“探路”、“先行”的角色，再次“先行一步”！

① 《从实际出发，大胆改革经济体制》，《南方日报》1980年7月4日。

重要事件：1978—2008

- 1979年，珠海经济特区在全国率先在石景山旅游中心推行劳动合同制，企业和职工签订劳动合同，确定双方的责、权、利关系及工作年限。
- 1981年，广东的南海县和江门市部分国有企业在全国率先实行“联销联利浮动工资制”。
- 1983年，广东省正式规定，全省的国有及集体单位从社会新招工人，一律实行劳动合同制。
- 1983年底，广东省在东莞、江门试行全民单位固定工退休金统筹，1984年在全省全民以及集体单位全面推广。
- 1989年，第一次大规模的“民工潮”发生，以后每年春节后的一个月时间左右，总要爆发一次百万民工出来寻找工作机会的“民工潮”。
- 2003年8月1日，国家颁布了《国家职业经理人标准》，标志着中国职业经理人时代的来临。
- 2003年8月，广东省职业经理人协会成立。
- 从2004年开始，广东出现了“民工潮”和“民工荒”并存的独特现象。

第六章
以开放促发展

广交会：广东外贸演变的缩影

为发展我国与世界各国的贸易关系和友好往来，中国出口商品展览会（中国出口商品交易会的前身，即广交会）于1956年秋季在广州应运而生。首届交易会于1957年春在原中苏友好大厦举办，广交会成交额从1980年的44亿美元发展到2005年的611亿美元，占当年中国一般贸易年出口总额的1/4，成为名副其实的“中国第一展”。在第100届广交会中广东交易团以61.2亿美元居于首位，远远领先于浙江的35.7亿美元和江苏的27.4亿美元。作为举办地的广东“食得头啖汤”，借助广交会发生了翻天覆地的变化，广交会也成为广州的一张名片。

首先它促进了广东外贸尤其是一般贸易出口，虽然外贸渠道已从过去的广交会一统天下到如今各大展会尤其是专业性展会的推出，但每年广东省企业在广交会上的成交额仍占到当年全省一般贸易出口的近1/3。改革开放初期，广东一般贸易出口只有14亿美元，而2005年广东省当年一般贸易出口额为533亿美元，其中当年春秋两届广交会的成交额就达到151.9亿美元。

其次它折射出广东外贸体制改革的变迁，广交会改革开放初期，只有单一的外贸专业公司参加。现在由外贸公司、三资企业、私营企业一起带动了整个广交会的成交。以广东来看，第99届参加的企业达到1500家，共有3939个摊位，其中私营企业占了一半多。

同时广交会推动“广东制造”向“广东创造”转变。第86届广交会机电产品成交量首次超过轻工工艺品，居第一位；第99届广交会，机电产品成交额占总成交额的比例高达四成；第95届广交会，首次设立品牌展区，设立保护知识产权机构，鼓励企业自主创新。国家外经贸部重点扶持的79个出口商品名牌中，广东就占了11个。

广交会对于广东无形的影响在于成为广东经济国际化的助推器，2006年吸引了来自212个国家和地区的192691名采购商到会，成交国已从举办之初的港澳，东南亚扩展到欧盟、美加、日本、大洋洲、中东、拉美等国家和地区，客商亲身感受改革开放30年来广东投资环境的改善和产业水平的提高，以及整个经济社会所取得的巨大成就，对广东来说无疑是一笔巨大的财富。跨国公司将订单直接转移到广东生产，推动了广东加工贸易发展，带动了相关配套产业的发展。

2006年10月15日，温家宝总理宣布“中国出口商品交易会”将在第100届改名为“中国进出口商品交易会”，表明中国正努力从出口导向的外向型经济模式向出口、进口和内需并重的开放型经济转变。中国商务部2006年10月11日公布的《商务发展第十一个五年规划纲要》提出，中国将从重视出口创汇向进出口均衡发展、实现贸易平衡转变，而广东正迎来新的巨大机遇和深刻转型。

一、引　言

“要针对港澳华侨的顾虑，想办法争取利用这一大笔外汇，它们在香港市场上是找不到出路的”，“敞开大门，引进外资，这个想法很好，你们赶快写个报告，我们到北京进一步研究”。[①]“努力

① 1956年5月，毛泽东视察广东，陶铸等人向他汇报了香港资本时的回答。

把党内党外、国内国外的一切积极的因素，直接的、间接的积极因素，全部调动起来，把我国建设成为一个强大的社会主义国家。"①

多搞点"三资"企业，不要怕。只要我们头脑清醒……我国现阶段的"三资"企业，按照先行的法规政策，外商总是要挣一些钱。但是，国家还要拿回税收，工人还要拿回工资，我们还可以学习技术和管理，还可以得到信息、打开市场。因此"三资"企业受到我国整个政治、经济条件的制约，是社会主义经济的有益补充，归根到底是有利于社会主义的②

上两段话出自中国共产党两代领导核心对于外资问题的讲话。第一段话出自党和国家缔造者——毛泽东，1956 年 5 月在视察广东时陶铸（时任广东省委第一书记）、林李明（时任广东省委书记）向他汇报利用香港银行低息贷款，发展南方工农业生产的问题，毛泽东在谈及华侨资金有 5 亿美元流入香港，但华侨对回国投资怕将来会被"共产"时的讲话。广东关于利用外资发展沿海工业的设想为毛泽东探索一条跟苏联过去道路有所不同的中国工业化道路，提供了新的视角和途径，自然引起了毛泽东的高度重视。然而接踵而来的是急风暴雨式的阶级斗争和无休无止的政治运动，中国在国际竞争中错失良机，远远地被别人抛下，强国富民的重担自然而言落到第二代领导核心——邓小平的身上。

第二段话是邓小平在 1992 年南方重要讲话中对三资企业的专门论述。其实早在 1980 年他就提出"吸收外国资本、外国技术，甚至包括外国在中国建厂，可以作为我们发展社会主义社会生产力的补充"，这对当时冲破封闭经济发展，推动思想解放起了巨大作用，这也是中央政府对于广东先行一步进行对外开放试验最好的支持。从 1979 年至 1982 年广东吸收 FDI（外商直接投资）4.98 亿美

① 《论十大关系》（1956 年 4 月 25 日），《毛泽东文集》第 3 卷，人民出版社 1999 年版，第 25～26 页。

② 《邓小平文选》第 3 卷，人民出版社 1993 年版，第 372～373 页。

元，占到同期全国11.66亿美元的42.7%。[①] 虽然国际社会风云突变，苏联解体，东欧剧变。1989年国内政治风波刚刚平息，国际社会对中国进行经济封锁，中国对外开放步伐放慢了。[②] 1983—1988年中国吸收FDI年平均增长38%，而1989—1991年下降为13.4%，广东省则从30.2%下降至25.54%。中国改革开放路向何方成为困扰中国的头等大事。基于这个背景，邓小平给出了上述讲话，拨散了几年来困扰人们的迷雾，为中国坚持改革开放的道路指明方向。同年召开的中共十四大确立了社会主义市场经济体制的改革目标，广东加快进一步对外开放的步伐。

由此可以看出，中央最高领导人对于对外开放的方针都是基于广东省发展现状做出的。广东作为国家对外开放的试验场，承担起"杀出一条血路来"的历史重任，包括思想观念、制度选择和发展模式等，推动广东经济社会步入良性循环，开始了经济的腾飞之路。经过30年的改革开放，广东省现已成为中国内地第一经济大省，其发展道路特别是崛起历程历来为海内外所瞩目。从经济学的角度来看，广东对外开放的"先行一步"具有显著的正外部性，第一，广东在吸收外资、设立特区和体制改革先行一步，全国其他地方在不用承担任何成本的情况下享受广东模式带来的制度创新效应。第二，改革开放以来广东经济表现出"世界走一步，中国走三步，广东跨四步"的先发优势，[③] 改变了广东在国际分工中的地位。按照比较优势理论，广东省在改革开放初期按照资源禀赋发展劳动密集型产业，随着开放进一步深入，这些传统产业将会逐渐转移到周边省份，从而形成经济辐射力。因此，在改革开放30年之际，系统分析广东省在对外开放的发展轨迹、体制变迁以及影响机制，对广东省对外开放进行前瞻性思考，以便全面了解中国对外开

---

① 广东省和中国数据均来源于《新中国五十年统计资料汇编》，中国统计出版社1999年版。

② 当时的情况是有些外商抽掉资金以及将"三来一补"及三资企业转移到东南亚等地区，旅游业萎缩，广州几家五星级宾馆客源很少，门可罗雀。

③ 广东省统计局：《世界走一步，广东跨四步》，第1页。

放的历史进程和发展方向。

事实上，广东省的对外开放与港澳尤其是香港是密切相关，香港是世界自由港、转口贸易中心和国际金融中心，在20世纪50年代至70年代实行了经济腾飞，创造了东亚奇迹。广东省毗邻香港，具有良好的区位优势，加上拥有近2000万的华侨同胞和港澳同胞，文化血缘的特殊关系使广东最有可能成为港澳投资和华侨投资进入中国的首选之地，资源禀赋的差异和产业结构的互补性都将这种可能性转化为现实的推动力。而且广东省历来都具有对外开放的优良传统和改革的深厚底蕴，按照试验—推广—趋同的中国渐进式改革的道路，广东省作为中央政府进行对外开放的试验地和窗口，获得了政策上的倾斜（比如经济特区的设立、外贸体制改革等）和暂时的排他性收益，在全国先行一步。在对外开放的同时，广东省抓住了本身的资源禀赋特点，发挥比较优势，贸易主导从劳动密集型（玩具、服装、纺织大等）转向技术密集型（机电产品、计算机通信等产品），拉动了产业结构的升级，促进了经济增长。广东在全国先行一步，2006年广东省GDP、对外贸易、实际利用外资和财政收入等经济重要指标分别约占全国的1/9、1/3、1/4和1/7。①图6－1概括广东省对外开放的发展走势：

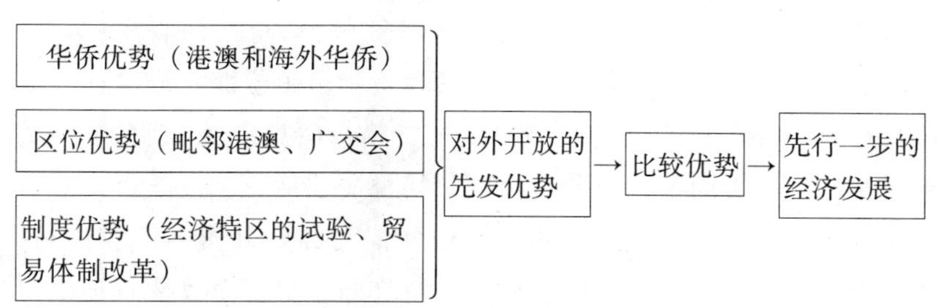

图6－1　先行一步：广东省对外开放趋势

① 数据来源：《中国统计年鉴》和《广东统计年鉴》。

二、广东对外开放前的历史背景

（一）广州：历史上的东方世贸中心

研究广东改革开放初期的历史，必须回到原点。一直以来广州都是中国对外贸易的中心城市，称为“东方的世贸中心”，为中国对外贸易发展起了不可磨灭的作用。地处中国大陆南端的广州港，是历史上“海上丝绸之路”的传统商埠。清朝康熙盛世撤除明朝以来的禁海令，实行开海通商政策。1685 年，伴随着日益频繁的国际商业交往，中国历史上最早的官方外贸专业团体——广州十三行应运而生。它是清政府设立在广州口岸的特许经营进出口贸易的洋货行，是具有半官半商性质的外贸垄断组织。

1757 年，自认为“天朝物产丰富，无所不有，不需与外夷互通有无”的乾隆皇帝，面对蜂拥而至的外国商船，在南巡回京之后，断然在全国实行防范洋人、隔绝中外的闭关锁国政策，宣布撤销原设的沿海各关，仅留广东的粤海关一口对外通商。粤海关设立通商的当年，广州商人经营华洋贸易二者不分，没有专营外贸商行。次年四月两广总督吴兴祚、广东巡抚李士祯和粤海关监督宜尔格图共同商议，将国内商税和海关贸易货税分为住税和行税两类。住税征收对象是本省内陆交易一切落地货物，由税课司征收；行税征收对象是外洋贩来货物及出海贸易货物，由粤海关征收。为此，建立相应的两类商行，以分别经营贸易税饷。前者称金丝行，后者称洋货行即十三行。从此洋货十三行便成为经营外贸的专业商行，洋货十三行作为清代官设的对外贸易特许商，要代海关征收进出口洋船各项税饷，并代官府管理外商和执行外事任务。作为粤海关属下的中外交易场所，广州十三行成为清帝国唯一合法的外贸特区，中国与世界的贸易全部聚集于此，直至鸦片战争为止，这个洋货行独揽中国外贸长达 85 年。得天独厚的政策环境，造就了南国历史上令世人瞩目的经济文化的辉煌时代。从此，这个洋货行的命运便

与清王朝的兴衰紧密相连。

十三行曾是在华外国人的集散地，通商贸易使最初的贸易货栈发展成为中外文化交流的窗口，洋行商人成为吸纳西方科学文化的先行者。历史上形成的外贸传统，孕育了洋行商人较为开阔的视野、广博的见识，他们从商务与时代的需求中最早地接受了外面的世界。对外贸易锁定粤海关一口之后，广州口岸洋船聚集，商贾使节往来不绝。据清宫档案记载，1754 年，洋船到港 27 艘，税银仅 52 万两。1790 年，洋船增至 83 艘，税银达到 110 万两。到鸦片战争前，洋船多达年 200 艘，税银突破 180 万两。十三行成为清政府财源滚滚的“天子南库”。

来自各国的商船，每年五六月间泊靠广州港，带来异地的工艺品、土特产和工业品，在十三行商馆卸货交易后，带着中国丝绸的华贵、瓷器的典雅和茶叶的芳香，于九月十月间乘风回归。一通商之后，经十三行完成的贸易额迅速增长。这就是 18、19 世纪中国的对外贸易景象，也是当今每年在广州举办的“中国出口商品交易会”的雏形。

（二）改革开放前高度集中的外贸体制

虽然广交会一直是我国对外贸易的重要渠道，但是中央决定广东对外经济活动实行特殊政策和灵活措施后，广东原有的外贸体制的特征：垄断经营、“大锅饭”、财政补贴、进出口两难等弊端日益显现，成为先行一步的障碍。自 1958 年起，国务院规定由外贸部统一领导、统一管理，外贸各专业公司统一经营，实行指令性计划和统负盈亏的高度集中的对外贸易体制，汇率则有中国人民银行统一制定，外汇由中国人民银行、对外贸易部和财政部集中管理。

高度集中的外贸体制主要是实行进出口许可证制度，统一管制进出口商品的数量、价格、贸易方式和贸易对象；实行外汇管理，一切外汇收入按照国家规定的汇率卖给银行，一切外汇支出必须由主管部门批准，向国家银行购买；实行保护性关税和进出口商品检验制度。

高度集中垄断外贸体制是与建国时期国家的经济发展战略、计划经济体制相适应的，并符合当时的以进口替代为主的外贸发展战略，它对我国经济发展起过一定的作用，但随着国内、国际形势的变化显出明显的不足：一是无法从我国的资源禀性出发，采用比较优势来发展对外贸易；二是外贸存在“隔层”，国内外贸企业大大落后于国际先进水平，经济效益低下；三是长期为进口而出口，国内产业发展严重扭曲，进出口结构不合理，国民经济的发展难以为继，人民生活水平长期得不到提高。随着我国计划经济体制的松动、经济发展战略的转变，传统的外贸体制必须进行改革以便适应国际和国内形势的发展变化。

（三）1978年之前广东对外开放的尝试：出口商品基地

1956年后粤港边境封锁，不准群众下海捕鱼，给边（沿）区的生产带来了严重损失，特别是总路线、“大跃进”、人民公社“三面红旗”导致出现了严重经济困难。[①] 1961年5月1日，陶铸到宝安检查工作时指示，要“利用香港，建设宝安”，努力把宝安县建成游览区。一个月后，他进一步明确：“香港和宝安是城乡关系，香港是宝安的城市，宝安是香港的郊区。在深圳要建立游览区，让香港人到深圳游览。”从1961年6月开始，宝安县开始大规模出口稻草，到香港换取化肥，紧接着广东省同意九龙海关和宝安外贸局提出的全县对外大开放，与香港发展“小额贸易”的建议。60年代广东特别是宝安等沿海地区采取的一些灵活、宽松的政治经济政策，代表了广东当时由“封”到“开”、由“收”到“放”的尝试。

粉碎“四人帮”后，广东以积极主动的姿态，利用毗邻港澳

---

① 1957年，宝安（现深圳）全县逃港18800多人，1962年，有10多万人涌入宝安县，6万多人偷渡出境，5万多人被收容遣返。资料来源于尹安学：《解密44年前深圳初次开放》，《羊城晚报》2005年12月17日。

的有利条件，抓住香港产业调整的机遇，决定在毗邻港澳的宝安、珠海两县建立外贸出口基地，进行改革开放的初步尝试，得到了党中央和国家有关部位的肯定与支持。1977 年 11 月，邓小平、叶剑英视察广东，邓小平听取广东省委负责人汇报，在谈话中说："说什么养几只鸭子就是社会主义，多养几只就是资本主义，这样的规定要批评，要指出这是错误的"，"供应香港、澳门，是个大问题。……比如，搞几个现代化养猪场、养鸡场，宁肯进口一点粮食养猪养鸡，以进养出，赚回钱来。生产生活搞好了，还可以解决逃港问题。"1978 年 4 月 19 日，他在中央政治局讨论《今后八年发展对外贸易，增加外汇收入的规划要点》时指出："路子放宽一点，可以多吸收一些（外汇）"，"现在的问题是如何做得快一些好一些"，"广东搞出口基地，要进口饲料，应该支持，试一试也好嘛。以进养出，进口多少，出口多少，要一桩一桩地算，加强经济核算，加强管理。"1978 年 4 月，受谷牧委托，国家计委和外贸部组成港澳经济贸易考察组，对香港、澳门进行了实地调查研究。考察团向中央递交了《港澳经济考察报告》（以下简称《报告》），提出利用和引进港澳资金、技术、设备，迅速发展沿海经济。《报告》引人注目之处在于，提出把靠近港澳的广东宝安、珠海划成出口基地，力争经三至五年的努力，把两地建设成具有相当水平的对外生产基地、加工基地和吸引港澳客人的游览区。《报告》还建议广东把宝安、珠海两县升格为省辖市。《报告》在中央最高决策层引起了极大的反响。1979 年 1 月 23 日广东省委决定，将宝安县改为深圳市，珠海县改为珠海市。1979 年 2 月 14 日，国务院对广东省《关于宝安、珠海两县外贸基地和市政规划设想》报告作出批复，大致为：（1）今后三年，宝安、珠海两县外贸基地和市政建设国家预算内投资 1.5 亿元，由国家计委按建设进度分年专项拨给广东省，广东省负责包干建设。（2）可以使用银行外汇贷款。（3）两县发展外贸和旅游事业需要增加的劳动指标，由国家劳动总局纳入年度劳动计划，分期分批安排。（4）1979—1981 年，两县的税收和利润除了归还贷款之外，三年以内，暂不上缴，留给当地用于经济建设和各项事业开支。国务院在批复中要求，必须从各方面充分利用两县的优越条件，“除了初步规划的项目外，为方便港澳同胞看病就医，还可扩建医院、药店；吸收港澳同胞和华侨的资金，合建工厂、农场和其他事业，也可试办。总之，凡是看准了的，说干就干，立即行动，把它办成”。

出口商品基地建设虽然是个新的尝试，但它依然是计划经济体制下的一种措施，其范围和影响有限。广东如何勇敢地迈出改革开放的第一步，成为一个当时关系全国的重要问题。

同时广东也在积极落实侨务工作，1979 年 3 月底，广东召开了全省侨务工作会议和第二次归侨代表大会，强调要正确认识华侨的地位和作用，全面贯彻落实各项侨务方针政策，充分调动华侨、港澳同胞和归侨、侨眷建设家乡的积极性。广东主要抓了因“海外关系”而造成的冤假错案的平反、落实“侨改户”政策、解决侨房问题等三项工作。1979 年后各级政府在财政困难的情况下，拨出大笔资金用于落实侨房政策，在国内外产生了很好的影响。广东华侨、港澳同胞的桑梓之情重新燃起，踊跃捐赠、投资，支持家乡建设，为广东改革开放的起步做出了不可替代的贡献。

三、广东先行一步的对外开放：体制变迁与渐进式改革

（一）渐进式的吸收外资历程

1978 年 12 月召开的中共十一届三中全会，提出以经济建设为中心，实行改革开放。广东由于地处沿海，毗邻港澳，华侨众多，成为改革开放的前沿。1979 年党中央和国务院批准广东在对外经济活动中实行“特殊政策、灵活措施”，拉开广东在全国先行一步的序幕。30 年来，广东的实践证明发展外向型经济和在世界经济全球化环境中有效利用国内国际两种资源，两个市场。从广东的对外贸易来看，大致可以分为三阶段：

第一阶段（1978—1983 年）：吸收“三来一补”的外商投资。[①]

时任省委书记林若曾经撰文说广东省当时所做三件事是：思想大解放、突破“两个凡是”，开展以“包产到户”为主要内容的农村体制改革；落实了干部政策和华侨政策；率先创办经济特区。[②] 1978 年国务院颁布《开展对外加工装配业务试行办法》，广东率先发展来料加工。1978 年 8 月 30 日东莞二轻局和香港信孚手袋制品公司签订协议，港方负责进口设备、原材料和产品外销，东莞方面提供厂房和劳动力，9 月 15 日全国第一家对外来料加工工厂——东莞太平手袋厂正式开工，该厂第一年就获得加工费 100 万元，为国家获得外汇收入 60 多万港元。顺德的容奇镇，由镇党委出面，请来香港商人，办起“大进制衣厂”。原料、销售都由港商负责，生产设备也由港商提供。这种与外商的合作模式就是后来风行一时的“两头在外”。但是在当时，它却是一种“离经叛道”。到 1978 年底，广东全省有关单位与外商签订的和公私合营的加工装配协议与合同达 151 项，98 种产品，总金额达 1.549 亿美元。当年，广东为国家创汇 16.7 亿美元，比 1965 年增长 4 倍多，其中外贸出口收入 10 亿美元，非贸易外汇收入 6.7 亿美元。

“三来一补”企业的兴起对粤港澳来说形成了“前店后厂”的经济关系。港澳地区利用海外贸易窗口优势，承接海外订单，从事制造和开发新产品、新工艺，供应原材料，进行市场推广和对外销售，扮演“店”的角色。珠江三角洲地区则利用土地、自然资源和劳动力优势，进行产品的加工、制造和装配，扮演“厂”的角色。

更重要的是，通过“三来一补”企业，培养了一大批人才。以东莞为例，“过去世世代代种田的农民，洗脚上田搞‘三来一补’和香港商人打交道，和欧美、日本商人打交道，办起了一间又一间的工厂。成千上万的农民变成了企业管理者，成了产业工

① “三来一补”是指来料加工、来样加工、来件装配和补偿贸易。

② 林若：《回顾广东改革开放二十年》，《广东社会科学》1999 年第 1 期。

人。这对东莞加速发展外向型经济是很有意义的”。[①]

第二阶段（1984—1991年）：发展三资企业和引进技术阶段。

“三来一补”企业大都属于劳动密集型企业，设备简陋，技术低，能耗大并且污染环境。最重要的是“前店后厂”的模式，产品开放、销售和经营管理完全控制在外商手中，不可能成为广东省外向型经济可持续发展的主体。1984年6月9日，谷牧在广州听取广州、湛江两市负责人的工作汇报，研究两个城市在列入全国14个沿海开放城市后的起步问题。他说：“我觉得广州有工业基础，有科技力量，在深圳、珠海以及整个珠江三角洲都已经动起来以后，广州就不能再搞一般的‘三来一补’之类的大路货了”，“我的意见，广州、湛江两市目前的重点要放在体制改革和引进外资搞老厂的技术改造上”。[②]

这一时期，在没有先例可循的情况下，广东大力发展三资企业，成为第一个“吃螃蟹”的省份，做法和措施是成功的。其中中外合作经营是广东省首先运用的，即由外商出资金，中方出土地或工厂厂房及设备，由外商经营，到期无偿收回来，不但办工业，也可办其他非生产性企业，还有租赁等多种形式。1984年，广东迎来了利用外商直接投资的第一次高潮。当年，签订三资企业合同1105宗，超过前五年（1979—1983年）的总和（1057宗）；协议利用外资116958万美元；实际利用外资54163万美元，基本达到了前三年（1981—1983年）的总和（58972万美元）。与“三来一补”企业相比，三资企业可以在外商直接参与经营，共担风险（或单独经营，自负风险）的基础上，实现外来资金、技术以及管理经验的整体引进，经济效益和社会效益巨大。

从20世纪80年代开始，广东吸收外资从原有的“三来一补”企业逐步向三资企业转型，严格控制新办的“三来一补”企业。

---

① 《坚持对外开放，发展外向型经济》，中共广东省委办公厅：《广东在改革开放中的探索》，第98页。

② 《谷牧同志听取广州、湛江两市负责同志汇报工作时的讲话》（1984年6月9日），中共广东省委办公厅：《中央对广东工作指示汇编》（1983—1985年），第164页。

广东外资的方式开始以合资、合作和外商独资经营为主；从饮食业、旅游业等非生产性项目为主逐渐转变为生产性项目为主。广东省积极利用外资培育交通、能源等基础设施和名牌产品、支柱产业，同时利用外资改造设备，提高技术水平。改革开放头 10 年，广东省共签订各种形式的利用外资合同 8.81 万宗，实际利用外资 79.29 亿美元，已注册的外商投资企业 8124 家，占全国同类企业总数的 60% 以上。并且用 44 亿美元从国外引进 100 多万台技术设备和 2400 多条生产线，使全省 70% 以上的企业得到改造。到 1992 年，广东已拥有三个经济特区，两个沿海开放城市，四个经济开放区，六个高新技术区，近四十项经济试验开放区政策，形成了多层次、多形式、多功能的全方位对外开放格局。

第三阶段（1992 年至今）：发展外向型高科技产业和全方位的开放阶段。

1992 年邓小平南方讲话后，广东掀起新一轮改革开放的热浪，对外开放得到了迅速发展，形成了外向带动的经济发展模式。从全国范围内推进对外开放的步伐，自 1993 年以来，中国一直是世界上吸收 FDI 最多的发展中国家。以中共十五大为标志，冲破姓“公”姓“私”的樊篱之后，再一次解放思想，“利用外资是邓小平理论的重要组成部分，是对外开放这项基本国策的重要内容，是建设有中国特色社会主义经济的伟大实践之一”。这为外商投资向更深层次和更广领域发展提供了强有力的理论支持。广东抓住毗邻港澳、华侨众多的区位优势，提高广东对外开放的整体素质；发挥经济特区的窗口、试验基地和排头兵的作用，加强与国际经济合作与国际接轨；体制改革的深化逐步放宽了外资进入的行业和标准；加入 WTO 后，广东积极参与国际分工合作，主动承接新一轮世界产业和国际资本转移，营造开放型、低成本、高效率的投资环境，世界 500 强在广东兴办了近 500 多家企业或 100 多家研发中心，如广东北电研发中心、广东西门子竞争力中心等，说明广东外资企业逐步由加工制造向研发设计转变，促进了广东的技术进步，体现出广东省良好的投资氛围和巨大的市场潜力。截至 2005 年，广东省累计批准设立外商投资企业近12万家，实际吸收FDI 1628.6亿美元。累计引进各类技术7654项，合同金额184亿美元。

中海壳牌南海石化项目是我国最大的中外合资项目，由荷兰皇家壳牌集团成员之一的壳牌南海私有有限公司与中海石油化工投资有限公司、广东投资开发公司共同投资，选址于广东惠州大亚湾北岸，占地面积4.27平方公里，投资总额为43亿美元，中外方各持有50%股份。2002年11月1日，中海壳牌项目奠基动工，进入正式实施阶段。而且通过产业链和配套设施，李嘉诚先生先后投资的惠州港、汽车电子城、精细化工城、深圳大工业区、深圳东部新城等投资总值超过5000亿元的大项目，成为外资拉动经济的典型案例之一。

广东省在利用外资时基础设施建设先行，营造投资环境；完善政策法规，按国际惯例办事；发展"三来一补"、三资企业，探索多种形式利用外资；发展外向型经济，以经济国际化带动工业化和城镇化；坚持外引内联，对技术、设备、管理进行引进、消化、吸收、再创新等等，形成了广东全方位的外向型经济模式。

（二）自上而下的贸易体制变迁

根据中央关于"认真总结和运用国内外一切行之有效的经验，制定新的政策，对现行的外贸体制和其他有关的经济体制进行重大的改革的精神"，[①] 广东不失时机地放权搞活，扩大地方对外贸易的权限，扩大对外贸易的渠道，促进工贸结合，开展多种形式的灵活贸易，推动了外贸体制的渐进式改革。

第一阶段（1979—1988年）：扩大外贸经营权。中央政府对外贸经营权利的下放成为改革的中心内容。广东提出"对外更加开放、对内更加放宽、对下更加放权"的方针，下放外贸经营权、调整进出口主体结构并放开三类商品出口经营等审批试点探索。

---

① 《关于大力发展对外贸易增加外汇收入若干问题的规定》（1979年4月），中共广东省委办公厅：《中央对广东工作指示汇编》（1979—1982年），第2页。

1980—1983 年，根据中央决定，广东实施以地方为主管理的外贸大包干体制，在出口成本一定三年不变的情况下，出口收汇实行包死基数，超基数部分实行中央与地方倒三七分成的做法。为了多出口、多创汇，广东采取了四条措施：一是把大包干指标分解为出口计划、出口成本、盈亏总额三项指标，实施定额管理和增盈减亏分成，对基层外贸企业试行定额承包或单项奖励，对一些连年亏损的企业实行节约分成、超亏不补等。二是调整出口经营体制，对具备自营出口条件的地方和企业授予出口经营权，形成以专业外贸公司为主体的多层次、多形式、多渠道的外贸经营机制。三是改革出口商品价格体制。摆脱外贸收购经营“行政干预”，基本实行收购“实事求是，随行就市”、内外销同价、优质优价，在国际国内两个市场、两种价格灵活经营中获取比较经济效益。四是改革外汇管理和使用制度。贯彻创用结合的原则，打破外汇统收统支的“大锅饭”，多创汇的可以多留汇、多用汇，调动了方方面面创汇的积极性。这就是当时的“外贸包干制”。外贸包干打破了外贸出口独家经营的沉闷局面，确立了自主经营、自负盈亏、自我发展的观念，唤起了外贸工作者的首创精神。在实行的 4 年间，广东的进出口贸易取得较大进展，其中出口翻了一番，（1980—1983 年），出口创汇超过 77. 3 亿美元，上缴中央贸易外汇 50. 7 亿美元，全省外汇留成 28 亿美元。1984 年以后，广东外贸体制结束包干制，重新恢复为全国集中经营、统负盈亏的做法。

从 1980 年开始，按产销结合、工（农）贸结合、内外销结合的原则，以扩大出口、增加收汇为目标，以国际市场为导向，从基层生产企业开始，实行工、农、技、贸等多种形式的横向联合，试办一批专业公司，形成完善的出口生产体系和新的出口实体。广东省可以批准成立经营地方产品出口外贸公司，外贸企业与省内生产企业联合设立的工贸公司。1988 年 5 月，国家将进出口经营权的审批权限进一步下放，广东省广州、经济特区以及国家批准的经济开发区的外经贸主管部分有权审批自属的外贸公司。至此，广东不仅成立 13 家专业外贸公司，还成立了一批地方性进出口公司，拥有进出口经营权企业由1979年的13家增长到1988年的1576家，占全国的26%。

第二阶段（1989—1999年）：规范外贸审批权。由于外贸经营权的下放造成了“政企不分、抬价抢购”等问题，国务院开始清理整顿外贸公司。1989—1991年，广东审定了经营性外贸公司的撤留标准，专业外贸公司按各自专业性质经营二类商品，同意省外贸开发公司等6家企业作为综合性公司经营若干二类商品，[①] 其他外贸公司经营三类商品；生产企业只能经营资产产品。经过两年多时间的清理整顿，广东省外贸经营企业调整为1206家，占全国的31.7%。通过撤并一些确实没有出口经营能力的企业，对各类外经贸企业的出口经营范围实行严格的限制，规范广东进出口贸易秩序，保证了外贸经营承包制的顺利实行。

1991年外贸体制确立了“统一政策、平等竞争、自主经营、自负盈亏、工贸结合、推行代理制、联合统一对外”的原则，旨在结束外贸长期“吃补贴”的历史，将外贸企业推向国际市场。取消出口商品的三类管理，改为除少数重要商品由国家组织经营，其他商品放开经营。这一阶段外经贸经营权的管理基本由全国统一政策制定，广东从1995年基本停止新的外经贸公司的审批，所有获得进出口权的企业均需按照外经贸部规定的程序报批。截至1999年，广东拥有进出口经营权的企业达3534家，占全国的12%，所占比例趋于下降。

第三阶段（1999—2004年）：审批制向备案制过渡阶段。1999年1月1日，国家对全国大型工业企业实行自营进出口权备案登记制，而且备案机关下放到省级外经贸主管部门，经营范围限定于自产产品的出口业务和生产所需的设备、零件、原辅材料的进口业务。随着我国加入世界贸易组织（WTO），进出口审批制从2001年7月起正式进入了进出口经营资格的登记制和核准制分类管理。

---

① 这6家外贸企业是：广东省外贸开发公司、广东省外经发展公司、广东海外贸易公司、粤海进出口公司、东方进出口公司、广东（蛇口）进出口公司。

广东省登记机关有省外经贸厅及广州、深圳、珠海、汕头市外经贸局。外贸流通经营核准机关是外经贸部。为了扶持广东民营进出口企业发展，2003 年广东外经贸厅利用在生产企业备案登记方面的自主权限，调整了生产企业申请自营进出口资格注册标准：“珠三角”地区为 100 万元，山区和东西两翼地区为 50 万元。此后商务部调低了企业进出口经营资格的注册资金条件，外经贸流通企业最低注册资本金从 500 万元降至 100 万元。国家对外经贸渐进式的“松绑”极大刺激了企业开展外贸经营的积极性，截至 2004 年 6 月底，广东省拥有外贸经营权资格的企业达到 24240 家，占全国的 18%，其中私营企业为 19368 家。

第四阶段（2004 年至今）：实行备案登记制阶段。2004 年 7 月 1 日《对外贸易法》开始实行，配套文件《对外贸易经营者备案登记办法》正式实行，最大特点就是外贸经营权的获得由许可制改为备案登记制，将外贸经营主体范围扩大到个人（非自然人），取消生产企业和外贸流通企业的分别。全国可以办理备案登记的第一批机关就有 48 个，广东省有省外经贸厅及广州、深圳、珠海、汕头市外经贸局，2005 年 7 月增加 59 个机关，2006 年 10 月增加 46 个地级市作为第三批备案登记机关，至此广东省所有地级市外经贸局全部拥有备案登记权。外贸经营权变为备案制，剔除了关于外贸经营资格的条件要求，成为外贸经营管理重要的制度安排。截至 2006 年 12 月 31 日，广东省共有 66701 家对外贸易经营者，占全国的比例达到 22.23%。

四、广东对外开放 30 年的一些事实

广东省进口总额从 1978 年的 2.04 亿美元上升至 2006 年的 2252.58 亿美元，出口总额从 13.88 亿美元增至 3019.42 亿美元，分别增长了 1103 倍和 217 倍。贸易总额从 1978 年的 15.92 亿美元上升至 2006 年的 5272 亿美元，年平均增长率为 23%，从 2003 年至 2006 年每年都跃升一个千亿美元的台阶：

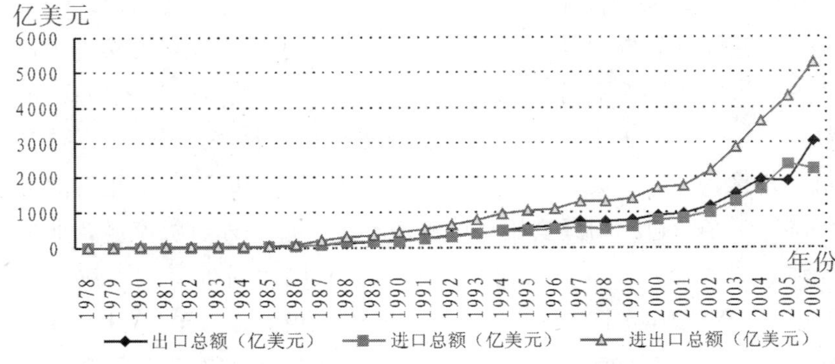

图 6－2　1978—2006 年广东省 FDI 流入量

同时广东吸收外资迅速增加，从 1979 年的 3074 万美元跃升至 2006 年的 145.11 亿美元，27 年增长了 472 倍，年平均增长率为 26%，图 6－3 为 1979—2006 年广东省 FDI 流入量增长趋势：

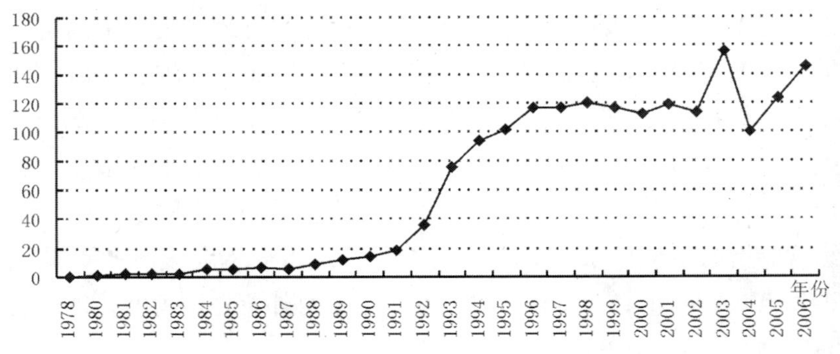

图 6－3　1979—2006 年广东省 FDI 流入量

作为全球吸引外资最大的发展中国家和贸易第三大国，中国的对外开放一直备受关注。而广东作为中国改革开放先行一步的地区，在对外贸易中与不同发展阶段和具有不同资源禀赋结构的国家和地区进行贸易，并且使用相对稀缺的生产要素（如资金和技术），从而达到经济发展的目的。同时广东省大量吸收外来资金，引进技术来发展，发挥比较优势和出口导向型贸易方式，体现出“世界走一步，中国走三步，广东跨四步”的发展奇迹，下面简要

地说说广东在对外贸易和吸收外资方面的一些特点及在中国对外开放中的地位。

（一）广东外向型经济程度高

经济学家将一个国家对外贸易的依存度（即进出口总额占国内生产总值的比重）来判断一个国家对外开放的程度。本章构造了贸易依存度的指标来衡量改革开放以来广东省国际贸易在整体经济中的比重，从 1978 年国际贸易只占 GDP 比重的 13.81%，[①] 到 1988 年贸易开放度突破了 100%，达到 102.21%，此后呈现上升势头，最近几年更是达到 150%，见图 6－4：

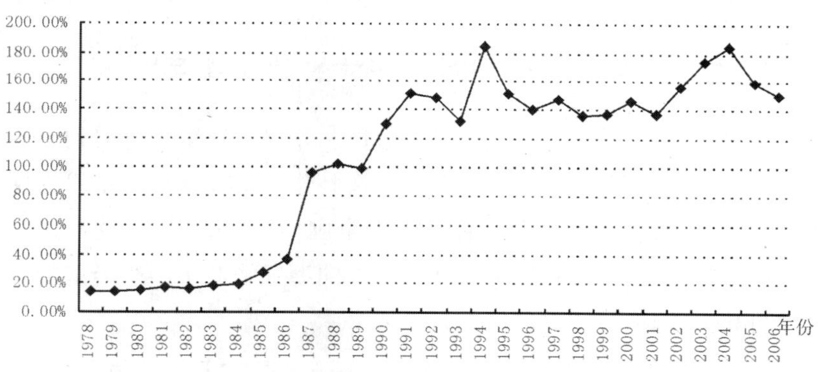

图 6－4　1978—2006 年广东省贸易依存度趋势图

另外将广东省进出口贸易总额看成一个国家的贸易总额，在全球范围内进行国际化比较。我们根据 2006 年世界贸易组织（WTO）对世贸成员国的排名，将广东作为一个“国家”加入进行排名，结果发现广东省 5272 亿美元的进出口总额已经超过俄罗斯和印度等国家，超过亚洲“四小龙”的中国台湾，逼近于曾是中国外向型经济发展模板的韩国、新加坡和中国台湾，位居世界的第 15 位。

① 计算贸易开放度时采用的汇率为一年内的平均汇率，资料来源于《中国统计年鉴》。

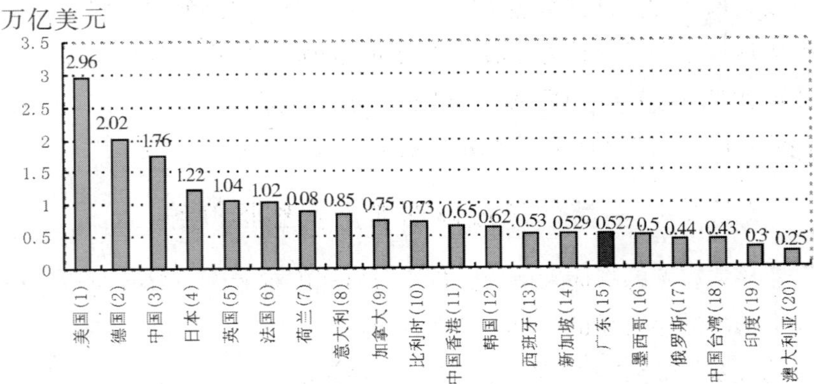

图 6－5　2006 年广东省国际贸易总额位居全球第 15 位

（二）广东充当全国对外开放的“排头兵”

广东对外贸易的发展在改革开放以来始终走在全国的前列，占全国的比重从 1978 年的 7.71%，一直上升到 20 世纪 90 年代中期最高的 40% 以上，现在仍然保持占据全国1/3的份额，远远超过广东省经济总量在全国的比重，体现出外向型经济对于广东经济的重要性和在全国举足轻重的地位。

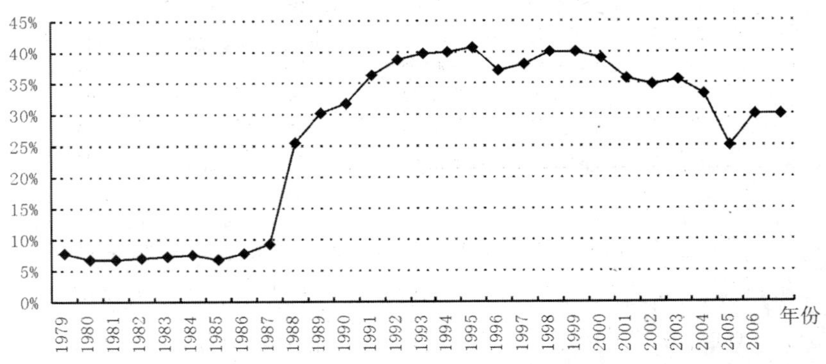

图 6－6　1979—2006 年广东省对外贸易在全国的地位趋势图

自 1992 年邓小平南方讲话后，中国对外开放的政策和格局向全国推广，各地纷纷效仿广东模式，大力吸收外资，提高对外开放

程度，广东的先发优势逐步减弱，广东先行一步开始产生明显的正向效应，全国其他地方吸收外资数量急剧提高，广东的相对地位从改革初期 1984 年 FDI 所占全国的 43.1% 逐步下降，到 2005 年 20%，广东吸收 FDI 进入稳定增长的阶段。

（三）广东对外开放伴随着产业结构升级

广东在对外开放初期，以优惠政策和廉价的土地和劳动力，积极承接港澳制造业的转移，大力发展“三来一补”企业，粤港澳三地逐步形成了“前店后厂”的经济关系。由于生产成本较低，交货周期短，广东以服装、鞋帽和玩具为主的产品在国际市场的竞争能力大大增强。“三来一补”企业的兴办，符合产业向成本低谷流动的经济规律，促进了港澳和发达国家或地区的劳动密集型产业向广东的转移，加工贸易成为最主要的贸易方式。

表 6－1　　广东加工贸易的比重趋势　　单位：亿美元

年份	加工贸易进出口总额	占总进出口比重(%)	加工贸易出口总额	占总出口比重(%)	加工贸易进口总额	占总进口比重(%)
1987	135.16	64.25	67.51	66.58	67.65	62.08
1988	197.19	63.57	97.86	66.05	99.33	61.31
1989	232.35	65.31	128.1	70.72	104.25	59.69
1990	287.69	68.66	160.08	72.04	127.61	64.85
1991	371.85	70.8	204.44	75.51	167.41	65.79
1992	463.25	70.46	252.62	75.5	210.63	65.23
1993	526.11	67.15	291.36	77.92	234.75	57.33

20 世纪 90 年代初以来，广东高新技术产品出口连续多年名列全国首位，形成了以机电产品、高新技术产品为主导的出口商品格局，2000 年机电产品出口和高新技术产品出口分别占出口总额的 54.4% 和 18.5%。珠江三角洲已成为全国规模最大、发展最快、出口总额最大的高新技术产业带。广东出口结构也实现了向工业制成品为主的转变，初级产品出口份额逐年下降，工业制成品从 84.6% 上升到 96.3%，进口产品结构也实现了以初级产品为主向

以工业制成品为主的转变，2000年工业制成品进口占总进口的比重达88%，广东的对外贸易商品结构已经初步得到改善。

表6-2　　广东进出口商品结构　　单位：亿美元

年份	出口		进口	
	工业制成品比重	初级品比重	工业制成品比重	初级品比重
1987	84.6	15.2	93.1	6.9
1988	85.3	14.7	93.1	6.9
1989	87.8	12.2	89.9	10.1
1990	90.2	9.8	91.5	8.5
1991	92.4	7.6	91.4	8.6
1992	93.6	6.4	93.1	6.9
1993	93.3	6.7	93.6	6.4
1994	92.4	7.6	92.1	7.9
1995	93.4	6.6	92.5	7.5
1996	93.7	6.3	91.8	8.2
1997	93.6	6.4	90.7	9.3
1998	94.7	5.3	90.1	9.9
1999	96.1	3.9	89.7	10.3
2000	96.3	3.7	88	12

广东不仅是世界劳动密集型产业的制造基地，而且逐渐成为资本密集和技术密集型产业的生产加工基地。2006年，广东出口机电产品和高新技术产品2045.3亿美元和1044.4亿美元，分别比2001年增长2.7倍和3.7倍，占当年出口总额的67.7%和34.6%，分别比2001年提高了9.7个和11.2个百分点，出口商品结构进一步优化。

表6-3　　广东出口金额最大的前10种商品所占比重

1989年出口商品前10位		2005年出口商品前10位	
商品名	比重(%)	商品名	比重(%)
化工原料	6.01	机电、电器	31
服装	4.88	核反应堆、机械设备等	22.85
棉布	3.83	玩具	5.5
钢材	3.77	家具及床上用品	3.8

续上表

1989 年出口商品前 10 位		2005 年出口商品前 10 位	
棉针织品	2.93	光学、照相	3.4
水产品	2.39	针织物	3.2
动植物油	2.11	鞋类	3.1
化肥	1.82	非针织衣服	3
彩电	1.74	塑料及其制品	2.7
石油及制品	1.68	钢铁制品	2

（四）广东 FDI 主要来源于港澳、华侨投资

广东省拥有遍布全世界的华侨优势，中国近现代历史上许多著名人物是广东的华侨先驱。在实业界方面，有回国兴办第一家缫丝厂的南海籍华侨陈启沅，兴办“张裕葡萄酒公司”的大埔籍华侨张振勋等；在商业界方面，有创建上海永安百货公司的华侨郭乐、郭泉兄弟，创建先施百货公司的华侨马应彪等；在教育界，有开创中国留学教育先河的珠海籍华侨容闳等。此外，还有集实业家、慈善家、领事、侨领一身的珠海籍华侨陈芳，为汕头市政建设做出贡献的泰国米业大王澄海籍华侨陈慈黉等。现在分布在世界各地的华人华侨有 3000 万之众，而原籍广东的华侨就有 2000 万之多，占全国的2/3，遍及世界 100 多个国家和地区，居全国之首。全球海外华人（含港澳）总资产超过亿美元，华资厂商总市值 6750 亿美元，可动员资金达 2000 亿 ~ 3000 亿美元。霍英东、李嘉诚、李兆基、曾宪梓等香港富商都积极投资于广东省，为广东改革开放做出了巨大的贡献。

基于无法复制的“血缘优势”，广东省成为港澳台和华侨直接投资内地的首选，加上政策的先行一步和投资环境、基础设施的改善，广东的先发优势日益明显，2003 年广东实际利用外资 155.8 亿美元，侨资（包括港澳和台湾地区）达到 120 亿美元。1979—2004 年广东省吸收 FDI 投资达到 1504.9 亿美元，港澳台三个地区投资达到 1087.67 亿美元，所占比例高达 72.3%。这在外商投资多元化的今天，港澳台投资对于广东而言举足轻重，见图 6－7：

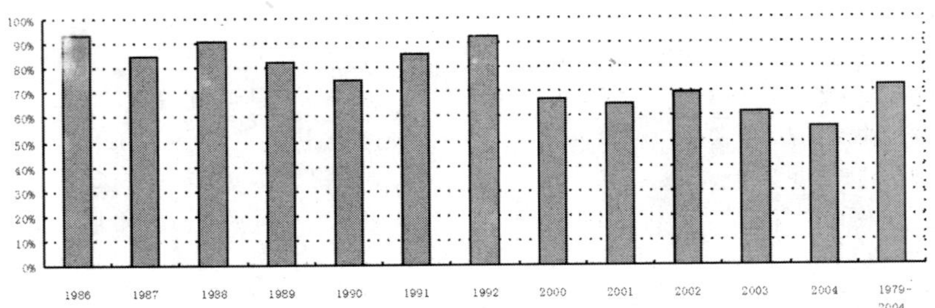

图6-7　1986—1992年和2000—2004年港澳台所占广东FDI的比例

专栏6-1　商界巨子霍英东追随广东改革开放每一步

1978年12月，霍英东在《澳门日报》上看到一篇报道称中山县翠亨村将开辟旅游区，就决定在中山建温泉宾馆。内地当时没有中外合作建酒店的先例，没有任何经验可以借鉴。霍英东联合何贤、马万祺等港澳富商，组成中澳投资建设有限公司，与广东省旅游局签署“补偿投资协议”，投资4000万港元兴建中山温泉宾馆，于1979年动工，1980年建成，从此拉开了他投资广东的序幕。1979年4月，广州白鹅潭畔兴建白天鹅酒店的协议正式签署，由霍英东投资5000万港元及提供管理、技术，广东省政府提供“砖瓦沙石”、土地和人力，合作期为15年。1983年2月6日，白天鹅宾馆正式全面开业，它不仅是我国第一家自行设计、自行建设、自行管理的现代大型中外合作酒店，也是中国首家中外合作的五星级酒店。随后李嘉诚、郑裕彤、李兆基等7家香港财团投资建设的广州中国大酒店于1984年开业，利铭泽、李兆基等投资建设的广州花园酒店于1985年开业。

1982年霍英东捐赠600万港元兴建了番禺大石大桥，随后捐款1000万港元，兴建1900米的洛溪大桥，捐资3000万港元兴建番禺沙湾大桥。1981年，他和何贤用捐赠和低息贷款6000万，发动建设广珠公路上的四座大桥。1984年全部完工、通车，广州至珠海的时间比原来缩短一半以上，并率先提出在四座桥推行收费还贷、以路养路、以桥养桥的新方法。广东的交通面貌发生了巨大的变化：广东省同期建桥1000多座，省内四通八达的交通网络，大大改善了广东的投资环境。

自1990年初起，霍英东开始把大部分精力投入到广州南沙的建设之中。1989年4月，由霍英东牵头投资的番禺虎门汽车渡轮有限公司成立，1991年5月6日，虎门大渡口正式通航。这个渡口将珠江三角洲大部分地区至深圳、香港之间的路程缩短了40~120公里。他又投资建设了南沙客运港，开展南沙至香港的客运服务。霍英东基金会为占地250公顷的南沙咨讯科技园投资30亿港元，为广东第一家外商独资五星级酒店蒲洲大酒店投资3.5亿元。从2002年起，霍英东基金会决定3年内在南沙再投资12亿元，用于建设数座大厦。目前173平方公里的“大南沙”，已逐渐呈现一个现代化海滨新城的雏形，成为广州“南拓”战略最重要的一步。

> 根据《福布斯》2006年3月的世界富豪榜，霍英东的财产达289亿元，在世界富豪榜中排名第181位，是香港十大富豪之一。其商业王国包括建筑、航运、酒店、淘沙、百货、石油等业。1998年3月当选为全国政协副主席，2006年10月28日因病于北京逝世，享年84岁。
>
> ——资料来源：《霍英东传》，冷夏著，中国戏剧出版社2005年版

（五）广东的贸易主要是香港和欧美国家

改革开放初期，广东的开放主要是对港澳的开放，港澳是广东外贸进出口的主要市场和转口基地。据不完全统计，香港的制造业，有2/3以上的劳动力是广东提供的；珠江三角洲逐步成为香港制造业的基地。香港是自由贸易港和世界转口贸易中心，使FDI的投资具有贸易互补效应，刺激广东出口贸易的发展。

2001年，美国、日本和香港地区分别是广东前三大贸易伙伴。中国“入世”之后，欧美也相应降低了中国产品的准入门槛，再加上欧美市场庞大、欧盟东扩等因素的影响，自2005年起，欧盟超越日本，成为广东第三大贸易伙伴。2006年，广东与香港、美国和欧盟的贸易额分别达到1126.2亿美元、786.9亿美元和554亿美元，继续稳居前三位。

（六）广东对外开放是渐进式推进的过程

改革开放以来最显著的特点就是从封闭、半封闭经济走向开放经济。从1978年开始，中国决定实行对外开放的战略，1979年中央政府决定在广东、福建两省率先实行灵活政策、特殊措施，对外开放；1980年8月全国人大通过《广东省经济特区条例》，决定兴办深圳、珠海、汕头、厦门4个对外开放的经济特区；作为经济特区政策的延伸，1984年春开放14个沿海城市，其中广东省有广州和湛江两个城市；1988年中央政府决定扩大开放范围，即扩大特殊政策及其辐射范围，实施“沿海地区发展战略”，将长江三角洲、珠江三角洲、闽南三角地区和山东半岛、辽东半岛列为沿海开

放区；1988年决定此前行政隶属于广东的海南独立建省作为最大的对外开放经济特区，在广东、福建两省建立范围更大的改革开放试验区；1991年为了鼓励转口贸易和转口加工贸易，中央政府增设了浦东外高桥、天津港、深圳沙头角和福田等不征关税的特殊贸易区——保税区，并在深圳特区建立保税生产资料市场，将沿海开放战略扩展成沿海、沿边、沿江开放战略，进而对全国实行全方位开放。

国家开放政策基本上都是在广东试验的基础上，总结经验向全国推广，是一种自下而上的制度变迁过程。在这一过程中广东的开放对全国具有示范意义。在全国的开放格局中，广东省处于开放的最前沿，开放范围最广、开放程度最高、开放功能最完备。20世纪80年代初期，在全国创办的4个经济特区中，就有3个在广东；开放的14个沿海城市，广东又占了2个；80年代中期，我国开辟的3个经济开放区，就包括珠江三角洲地区。广东在开放方面进行的试验性探索，扮演了开放探路者的角色，发挥了开放排头兵的作用，为其他地区的开放积累了宝贵的经验教训。“从对外开放来讲，广东省是全国的排头兵。沿海十四个开放城市看着特区，特区看着深圳，从全国各省来讲则看着广东。”① 这就是广东对外开放中的地位，也是对广东对外开放示范意义的最佳诠释。

五、为什么广东对外开放先行一步?

（一）新的理论解读

对于吸收外商投资的影响因素，传统文献强调大多数是地区所能给予企业的比较优势，包括自然条件、基础设施以及其他的资源禀赋、资本和劳动力等。另外来自于外部性、递增的规模受益等造成的集聚效应，代表性的文章如Cheng和Kwan（2000），他们认为

① 广东省统计局编：《世界走一步，广东跨四步》，第1页。

由于良好的基础设施、低廉的劳动力成本以及稳定的宏观经济状况，FDI“用脚投票”的方式选择了中国。这些研究中的变量具有较强的内生性，稳健性值得推敲；忽视了东道国的制度、地理和文化等因素的影响；现有外商直接投资与之前外商直接投资在形式和目的上有了很大的变化，而文献中并无给出合理的解释，下面我们就这些问题解读一下当前的最新文献：

1．FDI 具有地理性聚集特征。

自从 20 世纪 80 年代后期以来，跨国公司的投资活动迅速增长。跨国公司为了开拓市场（水平的 FDI）或者为了节省成本把某些生产环节分布在不同国家（垂直的 FDI）造成了全球化的生产方式（Feenstra，1998）。

FDI 具有地理性聚集的特征，并呈现出显著的国（地区）别效应（来源地效应），外国投资者对当地的市场情况、基础设施、政治制度以及政府决策等方面的信息不了解，这种信息不对称的劣势使外商投资决策需要耗费相当大的信息成本，为了减少信息缺乏可能给地理定位决策带来的奉献，外商一般选择企业较为集中的地区进行投资，因为先前投资者的“示范效应”在一定程度上可以弥补信息不对称可能造成的损失（Weber，1997）。贺灿飞和魏后凯（2001）对中国 207 个城市的实证分析得出结论是信息成本最低化行为导致了外商偏好在某地区形成聚集。He（2003）发现外资企业存在显著的国别聚集效应，同一母国的外资企业具有很高的聚集效应。Fujita 和 Thisse（2002）认为集聚可以看作是经济增长在地区维度上的对应物，在很多地方可以观察到企业倾向于聚集在一个地理区域，Krugman（1991，1995）强调集聚效应可能部分来源于某种技术地区性的扩散效应和外部性。

徐康宁和王剑（2007）发现 FDI 的地理新聚集显示出比较明显的动态演化特征，他以江苏为例，1998 年之前 FDI 地理性聚集更多受外资聚集所传递的投资环境信息、来源地聚集和一般性外资聚集的正向影响。1998 年以后，外商投资策略演化为产业配套和接近市场原则指导下的“理性投资模式”，一般性外资聚集所产生

的负向外部性超过或接近示范效应的正向外部性，从而不足以影响潜在投资者的定位决策，甚至限制了潜在投资者进入。因此，国别聚集效应在FDI地理性聚集中起到的作用更为显著，FDI的产业聚集往往表现为同一来源地产业资本的聚集。

2. 基于中国经济转型的制度环境考虑。

中国经济在过去30年的高速增长极大地吸引了全世界的注意力，20世纪70年代末和80年代初的成功主要源于农业改革（Yao，2000），从80年代末开始，中国进入了大规模农村工业化（Rozelle，1994）和城市工业改革时期。国家国际贸易政策的改变对创造可持续经济发展所需的良好外部条件起到了重要作用，中国贸易政策从经济改革前的进口替代和自力更生转变为改革后的推动出口和对外开放（Yao和Zhang，2001；Grove et. al，1994；Hay-etal1，1994）。除了推动出口政策，其他一些基础性的改革，还同时进行包括外汇市场自由化！鼓励外商直接投资和以增强我国国际贸易比较优势为目的的工业重组。

过去30年是改革与开放并举的时代，中国经济的所有制发生了巨大变化，国有企业在工业总产值的比重由1985年的64.9%下降至2001年的21.7%。国有企业效率低下、管理机制僵化、国有企业比重大以及国有企业与当地政府的密切关系，都可能造成该地区经济政策重心放在国有企业的发展，影响所在地区的经济环境。研究表明，国有企业比重大的地区，非国有经济如乡镇企业受到不利影响，初始时期国有企业比例高的地区，随后十几年的长期经济增长率明显低于同类地区。

Huang（2005）在一本广受关注的著作里讲中国之所以吸引了大量的FDI归因于中国扭曲的低效率的金融体系的存在。他指出因为扭曲的金融体系，国有企业很容易得到融资，而非国有企业很难从正规的金融体系获得融资，使非国有企业的发展更依赖于FDI提供的资金支持。此外国内资本市场不发达，外商投资还在国有企业公司化过程中充当了主要角色之一，这两个原因，都会使得在给定的地区和产业内外商投资与国有企业比重呈负相关。

Bai（2006）指出资本和金融中介都未能将资源配置给最有效率的实体部门，在这种情况下，吸引和利用FDI实际上相当于将投资配置外包给外商，因为后者“更懂得如何进行投资”。他发现行业的资本密集度越高，外资所占比重越低，这是因为低水平的固定资产投资不足以充当“担保物”，这些行业难以得到金融部门的资金支持，从而外资进入就显得必要。

而在金融扭曲的情况下，引进FDI相当于进口企业，金融低效使有竞争力的企业组织稀缺，是FDI大量涌入的原因。由于金融体系的低效率和对私人企业的歧视，中国有竞争力的企业组织是稀缺的，引进FDI相当于进口企业，一种将劳动力、资本、技术与管理结合起来可以直接生产出具有国际竞争力的产品的组织形式（张军，2003）。实际上FDI是资本、专利及相关技术的结合体，因而其对增长的作用是多方面的，对技术先进国和发展中国家的影响大不相同。（Balasubramanyam等，1996）。FDI带来了“打包的资本、管理技术和生产技术”（Johnson，1972）。也就是说，FDI不仅是指物质资本，而且涵盖了人力资本、技术知识等多种因素的广义资本概念。

3. 地区间FDI的竞争来源于财政分权。

王永钦（2007）认为通过政治集权、经济分权，地方政府在追求GDP增长时有了动力。为了获得政治职务的晋升机会，地方官员会大力推动经济增长，如招商引资。为了吸引FDI，各地在提供优惠条件方面展开了激烈竞争，甚至不惜相互“拆台”，或以牺牲本地福利水平为代价，形成“囚徒困境”的局面（张晏，2006）。Tung和Cho运用1981—1995年的数据，发现税收减免政策对中国的经济开发区产生了积极作用，不同税制对FDI的组织形式也产生了影响。

罗长远（2006）认为中国全方位开放政策在行业具体表现为，大多数行业不是开放给某些特定的国家或地区，而是对全部外资开放，外资进入后形成的“竞争效应”，打破了原有的市场格局，使大多数行业的集中度得以下降，为新企业的产生和成长扩展了空间，从而带动了地区竞争加剧。

(二) 广东吸引大量 FDI 的新视角

1. 广东对外开放的政策优势引发了先发优势。

黄新飞（2007）总结对外开放 30 年来广东经济取得的成功经验，我们认为广东在对外开放方面做到了“天时”（政策优势）+“地利”（区位优势）+“人和”（华侨资本），在全国取得了先发优势。改革开放 30 年，广东省的对外开放在全国先行一步，主要是由于广东省具有良好的区位优势，加上拥有近 2000 万的华侨同胞和港澳同胞，文化血缘的特殊关系使广东最有可能成为港澳投资和华侨投资进入中国的首选之地，资源禀赋的差异和产业结构的互补性都将这种可能性转化为现实的推动力。而且广东省历来都具有对外开放的优良传统和改革的深厚底蕴，按照试验—推广—趋同的中国渐进式改革的道路，广东省作为中央政府进行对外开放的试验地和窗口，获得了政策上的倾斜（比如经济特区的设立、外贸体制改革等）和暂时的排他性收益，在全国先行一步。

2. 经济转型为外商投资进入广东提供了制度保证。

传统经济体制下的中国经济发展，受到两方面的抑制：一是扭曲的产业结构；二是低下的微观经济效率，由于违背资源比较优势人为地推行重工业优先增长的发展战略，使经济结构遭受严重扭曲，由此丧失了本来可以达到的更快的增长速度，而国有企业不具备自生能力（Lin，2005）。长期以来，政府为了改善国有企业“管理能力低下、技术水平落后”的状况，在各方面（如资源利用、市场进入、税收及进出口等）给予外资优惠政策，鼓励他们与国有企业进行合资、合作，加上市场的不完全，私人资本受制于金融、市场准入等多种约束而处于极度分散的状态，FDI 就有可能进入中国市场来弥补“市场缺陷”。这些市场缺陷面临着两难选择：抛弃赶超战略，需要大力推进劳动密集型产品的发展；而规模有限的产品和效率低下的金融市场，削弱了劳动密集型产业的发展与其收益，并提高其成本。这种局面使决策者意识到开放的重要性，开

放使中国有机会同时利用“两种资源”和“两个市场”。异地投资的存在为中国突破这些难题找到了出路，它与丰裕劳动力要素相结合，绕过金融市场存在的扭曲，生产并出口具有国际竞争力的产品，进一步绕过了国内产品市场的扭曲。

张俊妮和陈玉宇（2006）在分析所有制结构对区位的影响，发现国有企业比重对外商直接投资的影响是负的，新的外商投资企业倾向于选择进入那些在同一产业内国有企业比重低的地区，如果国有企业比重下降10%，那么新的企业选择广东的概率从原有水平的23.1%（2001）再增加1.9个百分点，是全国所有省份中增加幅度最大的。

3. 经济集聚效应进一步加剧了FDI进入广东。

集聚效应来源于三方面：一是来源于技术扩散、劳动力专业化与中间投入品的生产和使用。技术知识的信息可以在企业的管理者和员工之间交流和扩散，正式的技术也许可以通过教育培训等手段在全球范围扩散，但是企业经营中的无数具体信息，比如基于经验基础的技术窍门、管理知识等，只可能在一定的地理区域内缓慢逐渐向外扩散，地理上聚集在一起的企业就可以从这种地区化的扩散中受益。地理距离接近增加了不同企业相关员工之间的非正式的交流的机会。二是来源于共享劳动力市场。在工业化时代，一个共享的劳动市场的存在可以使雇主与就业者之间的配比更容易也更富有效率。这种劳动市场对就业者也富有效率。比如某些企业遭遇困难，就业者可以在周围别的企业获得工作机会，而且不同企业聚集在一个地区，使企业在工资谈判中的优势地位受到削弱。三是来源于产业的中间投入品的供货商和需求者之间在地理上的聚集。为了节省交通成本以及其他各种可能成本，某些企业在选址的时候更加倾向于靠近资金的投入品供货商。

在分析集聚效应对区位选择的影响时，张俊妮和陈玉宇（2006）的经验研究发现广东2001年前外资企业产出份额每增加10个百分点，那么新投资企业选择广东的概率就增加了3.3个百分点，如果按照广东外资企业数量占全国的份额23.1%（2001年）

继续分析，这个比例会增加到26.4%，增加幅度是14.3%，是全国集聚效应最高的省份。

外商直接投资的地区性倾向的一个重要原因是，早期改革的重点是1980年开放广东和福建的4个经济特区，1984年开放14个沿海城市，1988年的海南岛和1991年的上海浦东新区。当然选择沿海城市作为开放区是有根本原因的，与内陆地区相比，沿海地区有更好的农业和工业基础、更有效率的交通体系、更优的环境和人力资源，更为重要的是毗邻中国内地最大的投资者——中国香港（姚树洁和韦开蕾，2007），这些都是广东外商直接投资进一步集聚的原因。

总结以上观点，我们给出广东对外开放为什么先行一步，即广东吸收大量FDI的答案：广东凭借政策优势、地理区位和华侨投资在全国对外开放中取得先发优势；而经济转型为FDI进入广东市场创造了制度条件；经济的集聚效应加剧了FDI在原先地区的进一步积累投资。

六、广东在对外开放中获得什么？

（一）对外开放促进经济增长的理论解读

国际贸易理论划分为三个理论学派：古典贸易理论、新古典贸易理论和新贸易理论。古典贸易理论的代表人物是Ricardo，他在亚当·斯密的绝对优势学说基础上提出了比较优势学说，强调专业化生产和比较利益是国际贸易的基础，从而奠定了国际贸易的基石。新古典贸易理论的领军人物Ohlin在专业化生产的基础上提出了要素禀赋理论，Balassa和Bhagwati在解释东亚奇迹时提出ELG假说，认为出口贸易促进经济增长是当今发展中国家实施赶超战略最有效的政策，新古典增长理论认为贸易开放度促进经济增长的渠道主要来源于贸易带来的规模经济效应（Krugman和Helpman，1985；Meier，1989）；Grossman和Helpman（1991）认为贸易开放

度的提高能够优化国内资源在物质生产部门之间的要素优化配置，从而促进经济增长。不过他们的研究都是在规模报酬不变的框架下进行的。Krugman（1979）提出了著名的产业内贸易学说，认为将规模经济和比较优势相结合是导致国际贸易发生的原因、开创了新贸易理论，成为当前国际贸易领域的经典之作，以 Romer（1986）、Lucas（1988）为代表的新增长经济学家认为贸易开放度主要通过加快本国技术进步，提高要素生产率来促进经济增长，现阶段绝大多数实证分析都是在新贸易理论的框架下展开的。此外还有学者从政治经济学的角度分析，认为贸易开放度使经济活动更加透明，减少寻租活动，将资源用于生产活动以促进经济增长（Grossman 和 Helpman，1991）。

FDI 会提高东道国的资本结构、技术水平、人力资本，在规模报酬递增的生产函数基础上极大地提高生产率以促进经济增长。关于中国 FDI 对经济增长的影响机制大致分为以下几个方面：

1. 生产率增长效应。沈坤荣（1999）认为 FDI 会通过外溢效应和学习效应，使中国经济的技术水平、组织效率不断提高，从而提高国民经济的综合要素生产率，并利用各省的外国直接投资变量与各省的综合要素生产率做横截面的相关性分析，得出 FDI 占国内生产总值的比重每增加 1 个单位可以带来 0.37 个单位的综合要素生产率增长的结论。

2. 技术外溢效应。何洁和许罗丹（1999）借鉴 Feder（1982）的计量方法，利用生产要素建立回归方程，得出结论是：FDI 带来的技术水平每增加 1 个百分点，我国内资工业企业的技术外溢作用（产量的增加）就提高 2.3 个百分点。

3. 资本效应。李东阳（2002）将 FDI 的资本效应分为直接效应和间接效应。直接效应是指 FDI 的流入可以增加用于投资的储蓄，有利于弥补现实存在的储蓄缺口，并且能给直接形成生产能力，促进中国的资本形成和 GDP 增长。间接效应主要表现为产业连锁效应和示范牵动效应，比如外商直接投资能够刺激国内部门的增长，这种产业联系既包括前向联系，为当地企业提供中间投入，也包括后向联系，从当地购买投入品，外商直接投资所产生的这种诱导性要素需求，将对国内部门产生多方面的需求，由此对国内投资、产出和就业产生乘数和加速作用（Jansen，1995；Sun，1996）。

（二）对外开放找到了促进广东经济增长的比较优势战略

1. 提高了优势产业的专业化生产。

港澳和海外资本一方面直接投资于广东进行生产以获取更高的利润率，交通的便利和基础设施的完善让这种可能变为现实；另一方面遵循产业转移规律，将劳动密集型产业放在广东生产，促进了广东经济的“原始积累”，林毅夫等在解释东亚奇迹时认为随着经济发展，资本积累、人均资本型拥有量提高，资源禀赋结构得以提升，主导产业从劳动密集型逐渐转变到资本密集型和技术密集型，乃至信息密集型。1965—1973 年香港国内生产总值年平均增长率为7.9%，经济的迅速增长使香港的产业结构发生了巨大变化，支柱产业由服装、玩具、纺织等劳动密集型产业向银行与金融的资本密集型产业转型，在这样的背景下，香港的劳动密集型产业纷纷转移到广东，广东以优惠政策和廉价的土地和劳动力，积极承接港澳产业转移。并且遵循比较优势发展战略，随着资金积累的增加和技术水平的提高，广东逐渐将主导产业转向技术密集型产业和资本密集型产业。

贸易通过专业于从事生产本国最擅长的商品与服务生产，并与他国交换优质低价的其他商品与服务，各国都可从中得到好处，在这种安排下，各国的生产效率提高，消费者选择增多，商品与服务趋于物美价廉。贸易带来竞争，促使企业创新，寻找新的生产工艺和技术以更好地为客户服务，并推动技术进步，贸易发展对于经济增长和财富积累都至关重要。

黄新飞和舒元（2007）认为在对外开放的同时，广东省抓住了本身的资源禀赋特点，发挥比较优势，贸易主导从劳动密集型

（玩具、服装、纺织等）转向技术密集型（机电产品、计算机通信等产品），拉动了产业结构的升级，促进了经济增长。他们以广东三次产业细分的14个行业的数据，构造了以生产率为权重的产业专业化指数，利用协整分析法分析了产业专业化指数、贸易开放度与广东经济增长之间的长期关系，并用改进的Granger因果检验法进行了研究，实证结果表明改革开放30年来，广东省吸收大量FDI，而FDI主要流向于具有比较优势和资源禀赋的行业，通过贸易开放发挥比较优势，专业化生产广东具有生产率优势的行业，提高了广东省的长期经济增长率。

2. 对外开放带动了广东的制度变迁。

随着FDI的不断深入，中国对外开放的程度也会相应加深，由跨国公司带入的合理完善的制度要素与制度特征，必然为中国企业所模仿和学习，从而使中国的产权制度和收入分配制度等因素发生变化，同时中国为了吸收FDI必然改善环境，使中国市场化开放程度不断提高（江锦凡，2003）。

改革开放30年使广东外贸体制发生了以下根本性的变化：一是行政性直接干预大大弱化，外贸宏观管理逐步走上与国际化接轨的轨道；二是外经贸经营主体多元化格局已经形成，目前广东省出口的四路大军是国有外贸企业、三资企业、加工装配企业、自营进出口生产企业及具有进出口经营权的科研院所；三是外贸经营的领域和渠道进一步拓宽，总体效益和竞争能力显著提高。外贸体制改革为广东外经贸的持续发展提供了坚实的基础。

总结外贸体制改革，从国家宏观层面而言，最初的动机是为了鼓励出口创汇，以支持先进技术设备的引进。整个改革从多方面渐进式推进，包括减少指令性外贸计划的范围、扩大地方外贸自主权、实行企业外汇留成，给予地方从事外贸的机会，将外贸企业推向国际市场。从广东改革实践30年的经验来看，宏观政策对于微观主体具有极强的激励作用，其最终目的是打破国有垄断外贸经营权，扩大外贸经营权，形成平等竞争和自主经营的外贸管理体制，其绩效更多表现为拥有外贸经营权的企业数目的增多和对外贸易的增长。我们以广东外贸企业数目和所占全国的比重表示对外开放带来的制度变迁的效果。①

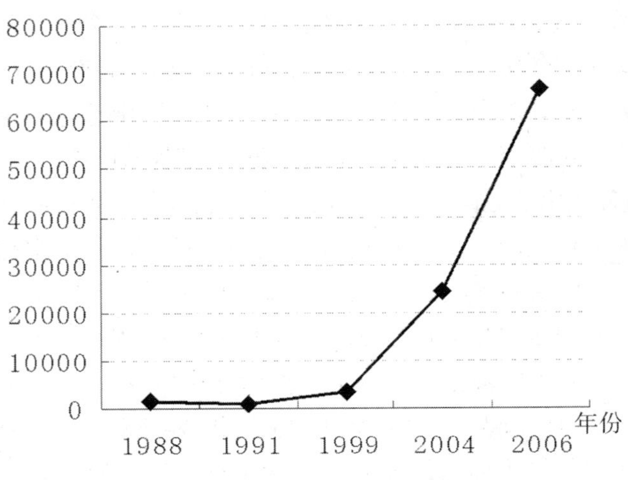

图6－8　广东省拥有外贸经营权企业数

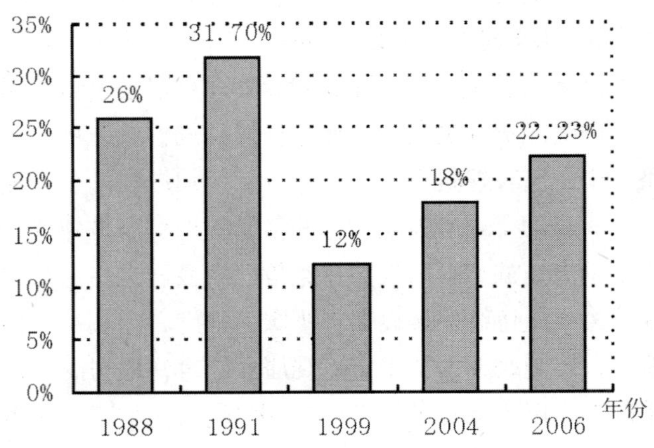

图6－9　广东省外贸经营权企业数占全国的比重

3. 广东FDI的技术外溢效应。

① 数据来源于历年的《广东对外经济统计年鉴》和《中国对外经济统计年鉴》。

FDI 外溢效应是通过四类溢出渠道产生的。第一，示范—模仿效应（demonstration-imitation effect），指外资企业不仅将新设备、新产品或者新的加工方法引入国内市场，还带来了产品选择、销售策略以及管理理念等非物化技术。第二，竞争效应（competition effect）。竞争效应一方面指 MNE（东道国）子公司与东道国企业争夺有限的市场资源，加大了市场竞争，刺激当地厂商更加有效地使用现有的资源，推动当地技术效率的提高；另一方面指在本来具有强大行业壁垒的产业，由于 MNE 的强行进入而在一定程度上消除垄断，社会福利水平得以提高，见 Caves（1971）、Kokko（1992）、Wang 和 Blomstrom（1992）等。第三，联系效应（linkage effect）。联系效应被视为一种产业间溢出（inter-industry），包括 MNE 在与当地企业或客户的交往中，与供应商等上游企业发生后向联系以及与销售商等下游企业发生前向联系。第四，培训效应（training effect）。跨国公司海外投资项目的有效运转，往往和当地人力资源的开发结合在一起。如当地技术及管理人员和跨国公司总部派遣的专家一起工作；对当地人员进行培训；当地技术人员参与对技术、产品和工艺的改进工作甚至研发活动；高级管理人员了解、参与跨国公司全球网络的运作过程。

通过张建华和欧阳轶雯（2003）的一篇文章分析发现：广东省 FDI 技术外溢的主要渠道是示范—模仿效应和联系效应，并形成了一定程度的 FDI 的聚集效应。广东省位于我国东南沿海，毗邻港澳，开放前各市经济结构多以农业为主，没有一个长期、稳固的工业发展背景，当地企业的技术水平和研发能力都较弱。因此，相较于工业基础较强的东部沿海城市，广东省对跨国公司及较大规模 FDI 的吸引力不强，聚集在广东的外商投资大多投向劳动密集型产业，以及一些技术密集型加工制造业。由于此类行业的外资企业多采用成熟技术，易于模仿，且加工制造业的内部分工和产业联系也较为紧密，所以易于产生模仿效应和联系效应。而竞争效应主要表现为跨国公司之间竞争压力促使更高水平的技术的使用，因此这一效应在广东省表现得不那么显著。同理，培训效应也不甚突出，仅就业培训的效应较为突出。

4. 通过对外开放实现了广东资源的有效配置。

通过出口使生产直接接受国际市场价格的支配，绕过了扭曲的国内市场，提高了资源配置效率，加快了丰裕要素参与国际分工的进程，实现了广东在全球的比较优势。FDI 的流入，优质劳动力逐渐从国有企业流向薪酬较高的外资企业，附加值高的现代服务业更是成为中国高端人才的首选，这一劳动力流动现象在广东尤为明显。随着国有企业战略性退出步伐的加快，对国民经济的贡献率逐年下降，政府干预金融资源配置的力度也在递减，此时 FDI 起着“看不见的手”的作用，它选择的企业、行业或者地区往往更容易得到了银行的贷款，降低了金融资源供求双方信息的不对称，在一定程度上改善了金融资源配置的效率。而改革开放以来，广东建立各种开发区以吸引外资，在某种程度上提高了土地的利用效率。单从价格来说，那些外资聚集地区，比如珠江三角洲，其周边的土地价格相对较高，FDI 加快了土地资源的流转，促进了土地资源的合理使用。

重要事件：1978—2008

- 1979 年 7 月 15 日，中共中央、国务院批转广东省委、福建省委关于对外经济活动实行特殊政策和灵活措施的报告，决定在深圳、珠海、汕头和厦门试办特区。1980 年 5 月 16 日，中共中央、国务院批转《广东、福建两省会议纪要》，正式将“特区”定名为“经济特区”。
- 1978 年 8 月 30 日东莞二轻局和香港信孚手袋制品公司签订协议，港方负责进口设备、原材料和产品外销，东莞方面提供厂房和劳动力，9 月 15 日全国第一家对外来料加工工厂——东莞太平手袋厂正式开工，该厂第一年就获得加工费 100 万元，为国家获得外汇收入 60 多万港元。
- 1983 年 2 月 6 日，由霍英东投资 5000 万元及提供管理、技术，

广东省政府提供“砖瓦沙石”、土地和人力的白天鹅宾馆正式全面开业，它不仅是我国第一家自行设计、自行建设、自行管理的现代大型中外合作酒店，也是中国首家中外合作项目。

- 1984年5月15日，六届全国人大二次会议正式宣布，国务院决定开放天津、上海、大连、秦皇岛、烟台、青岛、连云港、南通、宁波、温州、福州、广州、湛江和北海14个沿海港口城市和海南岛，实行经济特区的某些政策，扩大他们的权力。实施特殊政策和灵活措施的广东更是掀起对外开放热潮。
- 1992年1月18日至2月23日，邓小平南下视察武昌、深圳、珠海、上海等地，发表了重要讲话。提出“改革开放胆子要大一些，敢于试验……”比如广东，要上几个台阶，力争用20年的时间赶上亚洲“四小龙”。
- 1994年10月8日，广东省委在七届三次全会上提出建设珠江三角洲经济区。“珠三角”最初由广州、深圳、佛山、珠海、东莞、中山、惠州7个城市及惠州、清远、肇庆三市的一部分组成，也就是通常所说的广东珠三角。
- 2003年6月29日国务院总理温家宝赴港签署“CEPA”协议《内地与香港关于建立更紧密经贸关系的安排》，该协议于2004年1月1日正式生效，在CEPA框架下，两地货物贸易零关税优惠措施正式生效。
- 2006年10月15日，温家宝总理宣布“中国出口商品交易会”（广交会）将在第100届改名为“中国进出口商品交易会”，表明中国正努力从出口导向的外向型经济模式向出口、进口和内需并重的开放型经济模式转变。

第三部分

改革开放的绩效与前瞻

第七章 经济结构变迁

高交会：中国科技第一展

在中国深圳举行的中国国际高新技术成果交易会（简称“高交会”），是目前中国规模最大、最具影响力的科技类展会，有“中国科技第一展”之称。

高交会由“高新技术成果交易、高新技术专业产品展、论坛、super－SUPER 专题活动、高新技术人才与智力交流会、不落幕的交易会”六大板块组成，汇聚了代表中国最高科研水准的科研成果，以及在 IT、电子、光电子领域内的世界知名企业的最新产品，是中国最大的高新技术与产品进出口交易会，为中国产品走向国际市场和外国高新技术产品进入中国提供了便捷的通道。

自 1999 年举办首届以来，经过多年发展，高交会以其“国家级、国际性、高水平、大规模、讲实效、专业化、不落幕”的特点，已经成为中国高新技术领域对外开放的重要窗口，在推动高新技术成果商品化、产业化、国际化以及促进国家、地区间的经济技术交流与合作中发挥着越来越重要的作用。

中国政府将高交会的举办地点放在深圳，并非偶然，而是因为深圳以及其所在的广东省，高新技术产业发展非常突出，在全国处于领先地位，在世界上也拥有一定的影响力。

深圳高新技术产业发展迅猛，目前已形成电子信息、机电一体化、生物技术、新材料等产业群。2002 年全市高新技术产品产值

占全市工业总产值的比重达到47.88%，年均增长48.04%（1991—2002年），列全国第一。北京大学、清华大学等著名高校均在深圳设立了研究院，国外许多跨国公司也在深圳设立了研究开发中心，构成了深圳市多元化的科学研究、技术开发、人员培训的技术创新体系。

迄今已有100多家跨国公司、国际知名大企业在深圳投资，一大批海内外电子元器件、零部件厂商在深圳设厂，形成了一个较为齐全的电子信息配套产业体系，吸引了IBM、Compaq、Epson、Olympus、Sanyo、Lucent、Oracle、Dupont等86家“世界500强企业”在深圳设立生产基地，国内许多企业也纷纷将开发和生产基地迁往深圳。深圳已成为全国最大的信息技术产业化基地，也是医疗器械、生物技术、新材料等重要的产业化基地。①

广东大力推行“科技兴贸”战略，高新技术产业成为推动广东经济快速增长的重要支柱。2006年，全省高技术产业（规模以上，不含高技术服务业）产值为12955.79亿元，同比增长24.5%，占工业总产值的29.3%，占全国高技术产业产值的30.8%，连续12年稳居国内首位。全省高技术产业增加值为2685.33亿元，同比增长26.8%，占全省生产总值的10.3%。2006年，全省高新技术产品出口额为1044.39亿美元，首次突破千亿美元，同比增长25.0%；占同期全省出口总额的34.6%，增速比全省外贸出口增速高1.8个百分点；占全国高新技术产品出口额的37.1%，稳居国内首位。外资企业在广东高新技术产品出口中发挥主导作用。外资企业出口高新技术产品达839.8亿美元，占全省高新技术产品出口的80%，对全省高新技术产品出口增长贡献率高达83%。全省高技术产业中，产值居前两位的仍然是电子及通信设备制造业和电子计算机及办公设备制造业，占高技术产业产值的比重分别为55.0%和39.1%。其中，生物产业发展较为迅猛，生物、生化制品产值同比增长50.9%，海洋生物技术、海洋药物、

① 资料来源：深圳高交会网站，http://www.chtf.com/.

海洋新能源等新兴产业技术水平居全国领先水平。①

高交会在深圳的举办，展示了深圳乃至广东省高新技术产业发展的辉煌成就，而这也更深一层地体现了广东省经济结构变迁的卓越成效。

一、引 言

上世纪80年代，广东以市场经济为取向率先对外开放并迈出改革步伐，建立了经济特区、珠江三角洲经济区、沿海开放城市，成功地先行一步。90年代借着坚持改革开放的春风，开始建立社会主义市场经济框架，经济一路领先。进入新世纪，沿着市场经济与宏观调控有机结合的科学发展新模式，不断推进产业升级与科技进步，经济发展继续迅猛前进，综合实力不断提升。

自改革开放以来，广东经济总量在全国经济中的比重不断上升，从1978年的5.1%（在全国处于第23位）上升到2007年的12.4%，即从1/20到1/8。截至2007年，广东经济总量已经连续19年居全国第一，经济总量继超过亚洲“四小龙”中的香港、新加坡后，又超过台湾。人均GDP亦超过4000美元。2007年广东进出口贸易总额突破6300亿美元，再创历史新高，连续22年居全国第一。这个数字相当于2002年全国一年的进出口总额，接近2006年韩国的水平。2007年实际吸收外商直接投资在连续多年高位增长基础上突破171亿美元。2007年城镇居民人均可支配收入17699.3元，农村居民人均纯收入5624.0元。广东省在发展方式转变、发展质量提高、人民生活改善等方面都取得了辉煌成就。

本章将从经济结构变化的角度记录广东经济发展所取得的辉煌成就和当前面临的挑战。

① 《2006年广东省高技术产业发展形势及2007年主要任务》，广东省工商业联合会网站，2007年4月25日。

二、产业结构变迁

2007年广东经济结构调整取得重大进展，高新技术产品产值由2002年的4700亿元增加到1.9万亿元，轻重工业比例调整为39：61，九大产业主导作用增强，轿车、炼油和乙烯生产能力居全国前列。第三产业增加值达到1.27万亿元。科技进步对经济增长的贡献由2002年的45.8%提高到50%，专利申请和授权量继续居全国第一。① 实施名牌带动战略成效显著，家电品牌领先全国。这一切都说明了广东省经济结构提升取得了骄人成绩。

2007年4月18日，广东省省长黄华华在接受《南方日报》记者专访时说："广东经济社会发展之所以能发生本质性变化，就在于我们比较早地动手经济结构的调整，注意平衡协调发展。"②

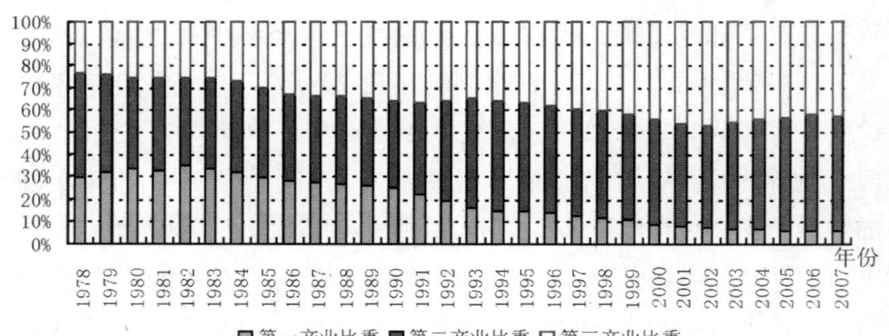

图7－1　广东省三大产业比重

数据来源：《广东统计年鉴》（2007），2007年资料来自《2007年广东国民经济和社会发展统计公报》。

① 数据来源：2007年12月27日广东省省长黄华华在省政协常委会第二十一次会议上对提交广东省十一届人大一次会议审议的《政府工作报告》（征求意见稿）的说明讲话。

② 《广东平衡协调发展：争做又好又快发展排头兵》，《南方日报》2007年5月4日。

（一）三大产业结构改善

在产业结构调整方面，广东省三大产业结构逐步迈向现代发达经济模式。

第一产业的比重在1982年之前呈温和上升趋势，从1978年的30%上升到1982年的35%，随后持续下降，到2007年不足6%。第二产业1978年比重为47%，1978—1994年呈现先降后升态势，最低点出现在1986年的38%，1993年以来基本上稳定在接近50%的水平，2007年达到历史最高水平52%。第三产业在2002年以前呈现上升趋势，从1978年的24%上升到2002年的47%，随后出现了下降，2007年为42%。从贡献率来看，第一产业持续下降，近年来对经济增长基本没有贡献，第二产业和第三产业自上个世纪90年代初期以来基本上保持稳定，两者呈现此消彼长之势。

实证研究显示，在贫困阶段，国民经济的增长主要靠农业推动；在温饱阶段，主要靠农业和工业推动；在总体小康阶段，主要靠第二、三产业推动；在全面小康和现代化基本实现阶段，主要靠第三产业推动。经过将近30年的发展，广东经济已经逐步非农化，第二产业和第三产业撑起了广东经济。服务业正与制造业一道"双轮驱动"，成为广东省经济增长两个重要支撑。

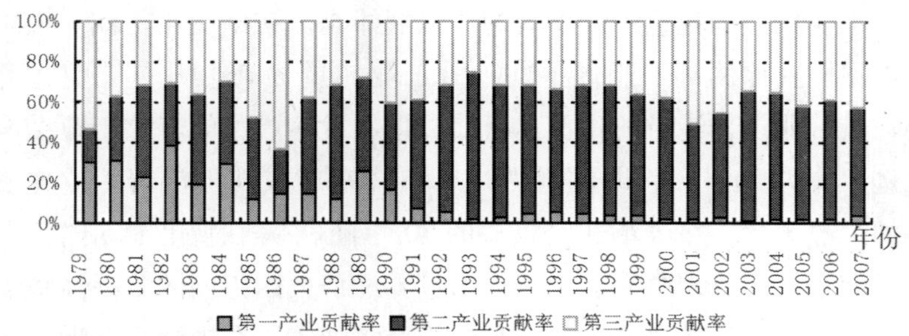

图7-2　广东省三大产业贡献率

数据来源：《广东统计年鉴》(2007)，2007年资料来自《2007年广东国民经济和社会发展统计公报》。

改革开放30年来，广东省第二产业不断发展，工业化水平不断加深，工业化进程不断加快。2007年8月，中国社科院发布首部《中国工业化进程报告》蓝皮书。根据蓝皮书综合评价，中国整体已进入工业化中期的后半阶段，而广东则是全国工业化进程最先进的省份，已经进入工业化后期的后半阶段，在省市排名上仅次于北京、上海、天津三个直辖市。在“九五”和“十五”期间，工业结构的优化升级有力地推动了广东省从工业化后期进入后工业化阶段。

第二产业中的工业，其轻重结构也发生了巨大的变化，近年来广东产业结构适度重型化步伐加快。（以规模以上工业总产值计算）1978—1990年，广东省的轻重工业产值之比呈上升趋势，从1978的1.3上升到1990年的历史最高点1.9，随后持续下降，1999年之后呈现加速下降趋势，广东工业重化程度加速，2002年重工业产值首次超过轻工业产值，2006年轻重比值为0.6。特别是进入新世纪以来，广东省紧紧抓住了从上个世纪末开始的全球重化工业复苏的重大机遇，坚持走新型工业化道路，确立了产业高级化、适度重型化的方针，使得广东工业重型化特征更加明显。根据《广东省国民经济和社会发展第十一个五年规划纲要（草案）》，从2006—2010年，广东省将在石化、钢铁、机械、汽车、造船、航空、电子等产业投入2484亿元巨资用于建立重化工业基地。同时积极培育生物、新材料、新能源等战略产业。

工业化过程轻重工业发展的一般规律是，在工业化初期，轻工业占据主要比例；工业化中期，重工业比重逐渐上升；工业化后期，重工业占据绝对的比重。目前，世界发达国家的轻重工业结构比例大体为30：70，即比例为0.43。广东省成功地沿着工业化发展的一般规律，在改革开放短短的30年间就从工业化中期向工业化后期迈进，成绩骄人。广东作为世界经济大国中国的第一经济大省，实现这样的转变必定为广东成为经济强省、在中国乃至世界市场上持续发挥重要作用奠定坚实基础。从近年来广东省重工业产业拉动经济增长来看，未来广东省重工业的做大做强将进一步提升广东省的竞争力。

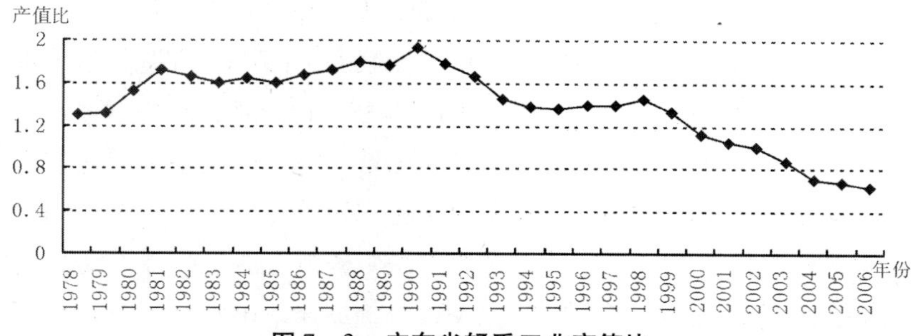

图 7－3　广东省轻重工业产值比

注：数据来自《广东统计年鉴》(2007)。

从 1998 年与日本本田公司合作生产汽车以来，丰田、日产、本田等三大日系汽车巨头先后扎根广东，并带动了一大批汽车零部件配套厂家落户。2006 年，广东的汽车产值超过 1000 亿元，形成了 78 万辆产能，2007 年的产能突破 80 万辆。[①] 汽车业的高速发展，是广东工业产业高级化和适度重型化步伐进一步加快的缩影。

改革开放 30 年来，广东省第三产业规模不断扩大，已经成为了全省经济增长的两大引擎之一。第三产业也已成为改革开放以来就业增长最快的产业。对外开放领域不断扩大，外商投资第三产业的领域已从改革开放初的饮食服务业和旅馆业扩展到商贸、文化、体育、娱乐、旅游、卫生、教育、电信、科研、房地产等行业。广东省第三产业比重 1978 年仅为 24%，2007 年达到 42%。

除了在总量上取得巨大发展，第三产业内部结构呈现良好的升级态势。第三产业分为四个层次：流通部门（运输、餐饮等）、为生产和生活服务部门（金融、房地产等）、为提高科学文化和居民素质服务部门（教科文卫体育等）、为社会公共需要服务部门（党政机关社会团体等）。2006 年第一层次增加值占第三产业增加值的比重为 38.1%，占地区生产总值的比重为 16.3%，第二层占第三

① 《广东平衡协调发展：争做又好又快发展排头兵》，《南方日报》2007 年 5 月 4 日。

产业增加值的比重为46.2%，占地区生产总值的比重为19.7%。[①]这表明广东省第三产业中为生产和生活服务部门已经占据了主导地位，流通部门已经退居第二。第三产业内部流通部门比例下降，其他三个层次特别是生产生活服务部门比重上升，体现了第三产业内部结构升级优化的方向。近几年广东省房地产业投入大幅增长，金融保险业日趋活跃。正是为生产、生活服务的金融保险业、房地产业等新兴服务业近年来良好的发展势头，加速了第三产业结构层次的升级。但是需要认识到，广东省第三产业中的层次水平仍然与发达国家和地区有较大差距，亚洲“四小龙”的第二层次服务业比重基本上高于广东省水平。广东省信息咨询业、科技服务业、教育、文化、卫生业等行业发展步伐有待进一步加快，金融保险业、房地产业等仍须进一步规范管理和加快发展。

实际上，当前广东省第三产业的发展，是机遇与挑战并存。经济结构调整和城市化水平提高将为第三产业发展创造巨大空间，社会经济发展水平提高也要求第三产业加快发展。但同时，第三产业发展又面临着总量不够大、结构仍须优化、市场化程度不高、产业化步伐有待加快、国际化水平不高、国际竞争力较弱等挑战。

广东省第三产业比重2002年达到历史最高水平47%，但此后呈现缓慢下降趋势，2007年为42%。近年来第三产业增加值占地区生产总值比重下降现象的出现，和第二产业持续高速发展而第三产业相对滞后密切相关。

当今世界经济，欧美日资本、技术雄厚，而我国大陆地区（包括广东）劳动力和市场优势仍然明显。从比较优势和产业分工的角度来看，广东仍然是世界上最重要的“制造工厂”之一。此外，近年来广东增建扩建石化、发展汽车等装备制造业等大力发展重工业的举措，强有力地拉动了第二产业的发展。这些都使得近年来第二产业发展比第三产业发展更加迅猛，也从一个侧面反映了广东省工业发展仍然具有一定的上升空间。

---

① 数据来源：《广东统计年鉴》（2007）。

2007 年全省第三产业比重为 42%，不仅低于全世界 2001 年 GDP 服务业 67.7% 的比重，而且比低收入国家的平均比重 50.2% 还要低。从增长速度来看，“十五”期间全省第三产业增加值年均递增 11.7%，比 GDP 的增幅低，比山东、江苏还要低。[①] 在 2008 年初的解放思想大讨论中，广东省有关领导认为“第三产业发展滞后，三产比重偏低”是广东省发展实际的“三短”之一，同时提出了“大力发展现代服务业”的方针。[②]

广东省越来越重视物流、金融、信息、会展等现代服务业的发展。最为突出的就是在改革开放 30 年之际，广东省委、省政府牵头开展了有史以来规模最大的金融发展调研，力求加快广东省金融业发展，加大金融创新力度，深化粤港澳金融合作，为广东经济发展提供强大的金融服务支持。

随着专业化分工的深化和专业服务外置化趋势的发展，制造业竞争力越来越依赖于设计策划、科技研发、会展物流等商务服务业的支撑，大力发展现代服务业，使之与制造业一道成为经济增长两个重要支撑，对于优化广东省经济结构、转变经济增长方式意义深远。

（二）支柱产业结构不断升级

广东经济结构变化，还体现在支柱产业的变迁升级上。工业产业发展的历程，同时也是工业内部各行业兴衰交替的过程，伴随着高增长的新兴产业比重不断提高，低增长的传统产业的比重不断下降，工业结构得到优化，产业层次得到提升。

改革开放之后，纺织服装、食品饮料与建筑材料逐渐成为广东省三大传统支柱产业，在上世纪 80 年代和 90 年代初，其支柱地位十分明显。进入 90 年代中后期以后，传统三大支柱产业地位逐步

---

① 资料来源：《从旧产品观产业观和财富观中解放出来》（中山大学中国第三产业研究中心主任李江帆教授 2008 年 1 月 4 日在广东思想理论界“解放思想，推动科学发展”座谈会上的发言）。

② 《思想大解放推动大发展》，《南方日报》2008 年 3 月 3 日。

被新兴的电子信息、电气机械和石油化工三大新兴产业所赶上并超过。1998年，广东省确定了重点发展的九大产业，即电子信息、电气机械和石油化工为三大新兴支柱产业；纺织服装、食品饮料和建筑材料为三大传统支柱产业；汽车、制药和森工造纸为三大潜力产业。

今天广东的珠三角地区已经成为世界知名的加工制造和出口基地，初步形成了电子信息、家电等企业群和产业群，90%以上的计算机零部件、80%以上的手机部件、100%的彩电部件都可以在区内配套，珠三角地区电脑部件的产量已超过全球产量的10%。[①] 进入新世纪以来，广东省坚持走新型工业化道路，确立产业高级化、适度重型化的方针，以大项目带动完善产业布局和延长产业链为重点，加快发展高新技术、装备制造、重化工业等高增长行业，加快了汽车、石化、钢铁、造船、造纸等产业基地建设。

表7－1　　九大支柱产业增加值构成

指标	2000年		2005年		2006年		2007年	
	绝对量	比重	绝对量	比重	绝对量	比重	绝对量	比重
规模以上工业增加值	3422.60	100.0	9416.39	100.0	11780.89	100.0	13079.22	100.0
九大产业增加值	2402.54	70.2	6833.52	72.6	8350.14	70.88	9853.17	75.33
三大新兴支柱产业	1475.02	43.1	4624.34	49.1	5657.92	48.03	6648.06	50.83
电子信息业	571.68	16.71	2095.27	22.25	2519.98	21.39	2966.02	22.68
电气机械业	415.07	12.13	1322.39	14.04	1680.56	14.27	2020.03	15.44
石油化工业	488.27	14.27	1206.69	12.81	1457.38	12.37	1661.41	12.70
三大传统产业	698.72	20.4	1499.57	15.9	1778.93	15.10	2068.89	15.82
纺织服装	294.36	8.60	572.32	6.08	683.82	5.80	792.55	6.06
食品饮料	239.36	6.99	560.45	5.95	613.06	5.20	690.31	5.28
建筑材料	165.00	4.82	366.80	3.90	482.05	4.09	587.14	4.49
三大潜力产业	228.80	6.7	709.61	7.5	913.29	7.75	1140.70	8.72

① 资料来源：广东省省长黄华华在2004年粤台经济技术贸易交流会上的讲话（2004年7月7日）。

续上表

指标	2000 年		2005 年		2006 年		2007 年	
	绝对量	比重	绝对量	比重	绝对量	比重	绝对量	比重
汽车	76.59	2.24	384.97	4.09	516.60	4.39	687.08	5.25
制药	66.43	1.94	113.82	1.21	133.85	1.14	148.44	1.13
森工	85.78	2.51	210.77	2.24	262.84	2.23	303.58	2.32

注：2000 年数据来自《广东工业统计年鉴》（2001），2005—2006 年数据来自《广东统计年鉴》（2007），2007 年数据根据《2007 年广东国民经济和社会发展统计公报》资料算得。绝对量的单位为亿元。

改革开放前，广东重工业很少，轻纺工业是工业的主体。改革开放以后，大量的“三来一补”和外资企业大多投资于纺织服装、食品饮料和建筑材料这些启动资本少、投资周期短的产业。乡镇企业的崛起，也多从投入较少、见效较快的这三大传统产业起步。因此，在上世纪 80、90 年代，三大传统产业是广东国民经济的重要支柱，2000 年，占全省规模以上工业增加值的 20.4%。随着广东经济发展水平不断提高和工业化程度的不断深化，传统支柱产业地位与影响力也逐步下降。2007 年三大传统支柱产业完成增加值 2068.89 亿元，虽是 2000 年的 3 倍，但增加值占全省工业的比重由 2000 年的 20.4% 下降到 2007 年 15.8%，其中纺织服装的比重由 2000 年的 8.6% 下降到 2007 年 6.1%，食品饮料、建筑材料的比重分别由 2000 年的 7.0% 和 4.8% 下降到 2007 年 5.3% 和 4.5%。尽管传统支柱产业的支柱作用有所下降，但产业盈利水平和效益并没有萎缩。三大传统支柱产业由于现代电子信息技术的广泛应用，传统产品的功能、质量、精度提升，生产效率提高，收益明显改善。

2000 年至 2007 年，三大新兴支柱产业工业增加值占全省的比重从 43% 上升至 51%，7 年间上升了 8 个百分点，绝对数值更是成倍增长，从 1475 亿元增至 6648 亿元，7 年间增长了 3.5 倍。这些数据表明，三大新兴支柱产业已成为广东名副其实的经济支柱，在国民经济中发挥了重大作用。新兴支柱产业中技术含量相对高的电子信息业、电气机械及专用设备业发展迅速，投入及产出增长均处于领先地位。两大产业已成为广东省生产规模最大的支柱产业。2006年，电子信息制造业有24家企业入围广东省工业50强，几乎占了一半。[①] 2007年是广东省电子信息产业又一个丰收年，总产值达到13966.6亿元，占全国的1/3，占全省制造业的1/4，总产值连续17年居全国之首。[②] 电子信息业中的电器制造，是广东改革开放发展史上最具代表性的支柱性产业，家用电器也长期成为广货的代表。自20世纪80年代以来，广东省凭借改革开放的政策优势，毗邻港澳、华侨众多和沿海地区信息灵通等综合优势形成的良好的投资环境，在全国抢得先机，使家电产业在珠江三角洲地区获得空前的发展。加上省内特别是内地大量廉价劳动力创造的巨大的劳动价值，珠江三角洲地区的家电企业迅速发展壮大起来，出现了许多知名品牌，广东也成为中国家电制造第一大省，在全国乃至全球家电业占据着重要地位。电冰箱、洗衣机、空调器、电风扇等4种主要家电产品行销世界各地。美的、格兰仕、格力等品牌享誉国内外。

此外，石化工业在广东经济发展中的支柱作用多年来也一直十分明显。三大新兴产业在技术含量上具有明显的优势。广东省高技术制造业涉及的各行业中，属于三大新兴支柱产业的电子及通信设备制造业、电子计算机及办公用品制造业所占份额最大，其工业总产值占高技术制造业比重在90%以上。九大支柱产业中技术含量相对高和在资源领域占有优势的三大新兴支柱产业，是广东省工业盈利主要行业，三大新兴支柱产业利润总额已经占工业利润总额的一半左右。

汽车、医药和森工造纸，作为广东重点培育的三大潜力产业，在过去的几年里发展很快，已逐步形成支柱产业的雏形。2007年三大潜力产业完成增加值1140.70亿元，比2000年增长4倍，年

① 数据来源：2007年7月5日广东省统计局公布的广东工业50强名单。

② 资料来源：2008年广东省信息产业工作会议。

均增幅25.8%，增加值占全省工业的比重由2000年的6.7%上升到2007年8.7%。三大潜力产业中的汽车制造及摩托车制造发展态势良好，是支撑潜力产业发展的主力，森工造纸和医药生产规模相对有所收缩。汽车工业关联度大，带动系数大，是发达国家普遍公认并大力发展的支柱产业。广东的汽车制造业潜力巨大，很有可能成为全省的第四大支柱产业。近年来，在政府政策的大力扶持下，广东汽车工业迅速崛起，成为华南地区最大的汽车生产基地，依托广州本田、广州丰田和东风日产公司，大力发展轿车生产，形成广州经济开发区、花都和南沙等轿车生产基地，逐步形成了以广州为中心的珠江三角洲轿车产业集群。汽车工业在“十五”期间增速居全省九大支柱产业各行业之首。2007年汽车制造业完成增加值687.1亿元，是2000年的8.97倍，年均增长37%，增加值占全省工业的比重由2000年的2.24%显著上升到2007年的5.25%。

2006年九大支柱产业投资1760.44亿元，同比增长21.7%，增幅分别高于全社会固定资产投资和工业制造业投资5个和4.4个百分点，占工业投资总额的54.8%。其中三大新兴支柱产业投资959.90亿元，增长23.3%，三大传统产业投资515.11亿元，增长19.7%，三大潜力产业投资285.43亿元，增长20.1%。广东九大工业产业的未来增长趋势是：电子信息、汽车、石油化学、森工造纸、医药将继续以高于工业平均增长速度的速度增长；电气机械的增长速度将与工业平均增长速度持平；食品饮料、纺织服装和建筑材料的增长速度将在一定程度上低于工业平均增长速度。①

（三）企业规模扩大，产品竞争力增强

广东省上规模的企业增多、大企业带动作用更明显、规模效应更突出。

以规模以上工业总产值计算，广东省大中型工业企业产值占工

① 文明虎、肖红梅：《广东工业产业发展的现状与对策》，《企业经济》2007年第11期。

业总产值的比重在1978—2006年呈上升态势，从1978年的27%上升到2006的历史最高点69%。企业规模的不断扩大，表明广东经济发展的不断成熟，这和产业的高级化、重型化紧密相连，为广东经济带来了高质量、高附加值的增长。华为、美的、TCL、格兰仕、平安保险和招商银行等大型企业的产品和服务享誉中外。

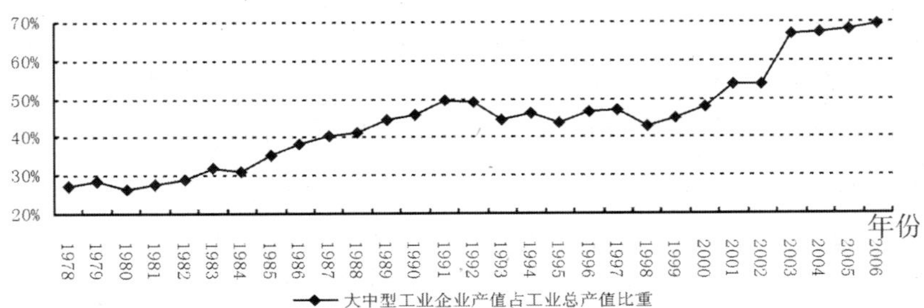

图7-4　广东省大中型工业企业产值占工业总产值比重

注：数据来自《广东统计年鉴》(2007)。

企业规模扩大的同时，产品竞争力也日益增强。

截至2006年止，广东省共有203家企业的221个产品被评为为中国名牌产品，名牌产品总数占全国总数1338个的16.5%，连续六年蝉联全国第一，实现了“六连冠”。华为技术有限公司的程控交换机、中兴通讯的程控交换机、格力电器股份公司的空调器被评为中国世界名牌产品，广东省获得中国世界名牌产品称号的企业总数和产品总数分别占全国的3/6和3/7，位居全国首位。①

多年来，广东高新技术产业迅猛发展，高新技术产品产值保持年均20%～30%的高速增长。2006年，全省科技活动经费542亿元，2007年达到630亿元。高新技术产品产值多年居全国首位，成为第一经济增长点，2005年总产值超过1万亿元，2006年突破

① 资料来源：《广东中国名牌总数六连冠“世界名牌”粤七占其三》，南方网，2006年9月15日。

1.5 万亿元，2007 年达到 1.9 万亿元。[①] 广东已初步建立符合社会主义市场经济体制的创新机制，企业已经成为技术创新的主体。全省达到“四个七成”，即科技活动机构、科技人员、科技经费、高新技术产品的七成都来自于企业。全省科技型企业总数超过 1 万家，年产值超亿元的企业超过 500 家。涌现出华为、中兴、美的、TCL、大族激光等一批自主创新能力较强的大型企业。

2005 年 11 月，广东省委、省政府正式作出《关于提高自主创新能力提升产业竞争力的决定》，提出了广东省提高自主创新能力的中远期奋斗目标：到 2020 年，全省区域自主创新能力和产业竞争力达到中等发达国家水平，基本建成创新型广东。

三、所有制结构变迁

改革开放以来，广东省所有制结构发生了重大变化，逐步由单一的公有制经济转变为多种经济成分共同竞争、相互促进和补充的多元化格局。今天，多种经济成分同台竞技，为广东经济发展注入了无限活力，把广东经济推向一个又一个新高。

首先来回顾公有制经济、非公有制经济发展历程。[②]

在改革开放之前，公有制经济几乎占据了广东省国民经济的所有行业。1978 年，全省国内生产总值 185.85 亿元，公有制经济（国有经济和集体经济的总和）增加值 183.40 亿元，占 98.7%；非公有制经济增加值 2.45 亿元，仅占 1.3%。

1979—1991 年，有计划的商品经济取代了传统的计划经济。这段时期，一方面个体私营经济作为国民经济的补充力量被认可，另一方面由于对外开放政策的实行、招商引资力度逐步加大，伴随而来的是包括个体私营和中外合资合作经济在内的其他类型经济迅

---

① 除 2007 年数据来自《2007 年广东国民经济和社会发展统计公报》外，其他年份数据来自各年的《广东统计年鉴》。

② 资料来源：刘品安，《从“三个代表”的高度去坚持和发展社会主义基本经济制度》，2002 年 11 月（作者为广东省社会科学院经济研究所所长）。

猛发展，引起经济总量中公有制经济和非公有制经济份额的此消彼长。以工业为例，工业总产值中公有制经济比重1980年、1985年、1991年分别为97.3%、93.4%、71.4%，公有制经济占市场份额逐年下降，但仍居于主导地位；而非公有制经济比重则分别为2.7%、6.6%、28.6%，呈节节攀升的势头。在这一阶段，公有制经济和非公有制经济并存发展的所有制格局已成雏形。

1992年我国确立了建立有中国特色市场经济体制的改革目标，非公有制经济被接纳为国民经济的重要组成部分。到1997年，广东省公有制经济占GDP的比重下降至59.0%，仍明显占主导地位，非公有制经济占GDP的比重上升到41.0%。至此，以公有制为主体的多种经济成分并存的所有制格局已经形成。至2000年，公有制经济比重为50.7%，非公有制经济比重上升为49.3%，两者比重相当。可以预见，随着国有经济进一步调整布局，非公有制经济在国民经济总量中所占份额将继续上升。

上面将经济类型分为公有制经济和非公有制经济两种类型进行发展比较分析，下面从更具体的经济成分类型入手进行详细回顾。

（一）国有经济

回首广东国企改革历程，自十一届三中全会以来，广东省国有企业改革和发展大体上经历了改生产型为经营型、承包经营、3年改革脱困、转换机制与授权经营、国有资产管理体制改革与国有企业改革同步推进五个阶段。随着改革步伐的不断推进，广东国有经济确立了做大做强，力争为广东经济保驾护航，力争成为全省乃至全国经济强大后盾的改革目标。国有工业企业进行资源整合和优化，实行有进有退、有所为有所不为的方针，进行产业重新布局，国有资产逐渐向基础性、资源性和专卖垄断性等关键领域和重要行业集中，从一般竞争性行业中退出，国有资产更加优化。国有企业数逐渐减少，工业增加值、资产总额和利润仍然保持增长，企业的竞争力增强，企业抵御风险的能力加大，国有工业企业已成为广东工业发展的坚定基石。行业资产逐步向工业经济的关键领域和重要

行业集中，主要向关系国计民生的基础性行业、特殊行业、高技术制造业等行业集中，而在大多数一般性竞争行业资产额呈现下降趋势。

据《经济普查系列分析报告之六：广东省国有工业企业发展研究报告》[①] 指出，通讯设备计算机及其他电子设备制造业、交通运输设备制造业、电力热力生产供应业三大行业的国有资产之和占国有资产总计的60%左右。纺织业、家具制造业、服装鞋帽制造业、食品制造业等一般竞争性行业的国有资产有所下降。从国企的资产质量看，烟草、石油化工、汽车、黑色及有色金属采矿等行业资产总体质量较好，而家具制造业、木材加工及木竹藤棕草制品业、皮革毛皮羽毛（绒）及其制品业资产质量相对较差。虽然广东国有资产和主营业务收入等指标所占比重都较低，但在资源性、关系到国计民生和专卖的行业国有企业具有较强的控制能力，特别是在烟草制品业、黑色金属矿采选业、有色金属矿采选业、电力、热力的生产和供应业等行业国有资产比重达到80%以上，控制力非常强。

2006年，全省规模以上国有及国有控股企业1779家，累计实现利润507.98亿元，同比增长30.0%，高出全省5.2个百分点。[②] 2007年1—11月，全省1329家国有控股企业，实现利润总额942.93亿元，利润增速超过民营和三资企业利润增速。[③] 国有及国有控股企业的盈利能力明显高于全省水平。

（二）外资经济

自中国十一届三中全会确定对外开放路线后，广东对外开放已经走过了30年，外资经济经历了以下几个发展阶段。

改革开放初到80年代中期：以“三来一补”加工业和转口贸

① 资料来源：广东省统计局根据广东省第一次全国经济普查统计作出的研究成果。

② 资料来源：《2006年工业经济效益分析》，广东省统计信息网。

③ 资料来源：《2007年广东工业经济运行情况分析》，广东省统计信息网。

易为主的起步发展阶段。广东在对外开放初期，广东以优惠政策和廉价的土地和劳动力，积极承接港澳制造业的转移，大力发展“三来一补”企业，粤港澳三地逐步形成了“前店后厂”的经济关系。由于生产成本较低，交货周期短，广东以服装、鞋帽和玩具为主的产品在国际市场的竞争能力大大增强。“三来一补”企业的兴办，符合产业向成本低谷流动的经济规律，促进了港澳和发达国家或地区的劳动密集型产业向广东的转移，为广东形成外向型经济格局奠定了较好的基础。

80 年代中期到 90 年代初：以三资企业和生产外向型行业为主的快速发展阶段。从 20 世纪 80 年代中期起，广东从产业政策上努力推动原有的“三来一补”企业逐步向三资企业转型，并且严格控制新办“三来一补”企业。外经贸主体不断向国际化、集团化、实业化、股份化的方向发展，形成了三资企业、“三来一补”企业、国有外经贸企业、自营进出口生产企业和私营企业“五个轮子”一起转的大经贸格局。利用外资的方式由初期的补偿贸易、加工装配为主转变为合资、合作、外商独资经营为主；并积极利用国家产业政策，鼓励外商投资交通、能源等基础设施，高新技术产业，以及“三高农业”和金融、保险、旅游、社会服务等第三产业。

90 年代初至今：以外向型高科技产业和外经业务为主的优化发展阶段。自 20 世纪 90 年代初以来，广东开始大力发展高新技术产业，使外向型经济的层次、水平和效益明显提高，形成了电子信息、新材料、光机电一体化、新能源、生物技术等一批高新技术产业群。广东高新技术产品出口连续多年名列全国之首，珠江三角洲已成为全国规模最大、发展最快、出口总额最大的高新技术产业带。从近几年广东外向型经济发展势头和国际发展规律来看，外向型经济成分仍是广东经济增长的重要推动力量。

截至 2006 年低，有 100 多个国家和地区的企业到广东投资，世界 500 强企业已有 181 家在广东省设立 649 家企业，2006 年新增 68 家。其中包括：丰田、本田、日产整车项目落户广东广州；美

国沃尔玛全球采购中心落户广东深圳；中海壳牌南海石化项目落户广东惠州；本田、日产、丰田、日立，德国巴斯夫等5家汽配企业落户广东佛山；美国艾默生电气公司落户广东云浮；世界两大电光源制造商之一，隶属西门子集团的欧司朗公司中国总部落户广东佛山等。不少国际著名的跨国公司，如三星、索尼、希捷等，已从最初的试探性投资，发展到现在不仅大幅增资，而且在广东建立自己的研发中心。截至2006年底，外商投资企业在广东省设立研发中心261家，日本三菱、本田、日立，美国杜邦、宝洁，法国汤姆逊，韩国三星等世界知名企业均在广东省设立了研发机构。[①]

2000年，外商及港澳台商投资企业工业增加值占全省GDP和全省工业增加值的比重分别为17.4%和41.8%，2006年分别上升为25.8%和48.7%。[②]

外资经济给广东带来了不同类型的资本，带来了从前无法接触到的先进技术、经验和理念，让广东拥有了广阔的国际视野、世界眼光，增强了广东进行改革开放的动力和能力，激励敢为天下先的广东人民做出了许多宝贵的尝试和创新，使得广东走在了全国改革开放和经济社会发展的前列。但是，由于劳动力工资、土地资源价格、能源与原材料成本上升等方面的原因，广东的对外开放优势相对于江苏等省份有所减弱，继续保持外向型经济的良好发展需要广东作出更多努力。

（三）民营经济

广东历来是一个民间经济发达的省份，改革开放以来民间经济经历了以下几个发展阶段。[③]

1979—1986年是民间经济的出现阶段。当时中央提出了“劳动者可以从事个体工商业”，广东则制定了《关于城镇个体工商业

① 资料来源：《广东投资商机——经济发展》，广东省对外贸易经济合作厅，2007年8月17日。

② 根据《广东统计年鉴》（2001）（2007）资料算得。

③ 资料来源：《广东民企期待第五春》，《南方日报》2003年1月13日。

若干政策暂行规定》。当时民间经济基本上都是个体工商户，规模受到限制，但发展迅速，期间全省个体工商户达78.3万户。

第二阶段是1987—1991年，是个体工商户自行调整、私营企业起步发展的阶段，党的十三大、宪法修正案确立了私营经济的合法地位。国务院相继发布了《城乡个体工商户管理暂行条例》和《私营企业暂行条例》。全省私企达2.6万户，注册资本34.4亿元，平均每户注册资本（金）13.3万元。这一时期，私营企业的发展主要以独资企业、合伙企业为主，企业规模较小。

第三阶段是1992—1996年。邓小平南方讲话和党的十四大确定了社会主义市场经济改革目标，民间投资积极性高涨，私营经济高速发展，全省私企达10.3万户。乘“小平南方讲话”的东风，干部“下海”、知识分子“弄潮”，民营科技企业开始创办，一时热闹非凡。许多个体工商户转办私营企业，促进了私营经济高速发展。这时期，广东出现了第一个私营集团公司——广东乔士集团，乔士衬衫风靡一时。

第四阶段是1997年至今。党的十五大明确了非公有制经济是我国社会主义市场经济的重要组成部分，1999年，广东省人大通过了《广东省个体工商户和私营企业权益保护条例》，中共广东省委、广东省人民政府出台了《关于大力发展个体私营经济的决定》。2003年3月，中共广东省委、广东省人民政府继续颁布了《中共广东省委、广东省人民政府关于加快民营经济发展的决定》，重点扶持发展民营科技企业、外向型民营企业、吸纳下岗人员就业的民营企业和从事农产品加工的民营企业。这一时期，个体私营经济的资本投入和产出越来越大，向现代化企业制度转化成为企业发展的主流，一批私营企业走向规模经营，科技型、外向型企业发展越来越多，企业品牌意识不断增强，个体私营经济在国民经济中的地位与作用日益突出。

2007年广东民营经济保持良好的发展势头，全省民营经济单位347.5万户，同比增长13.6%，其中私营企业62.3万户，同比增长12.9%，个体工商户280.7万户，同比增长14.2%；从业人

数 1926.9 万人，同比增长 7.8%。2007 年全省民营经济单位实现增加值 13216.2 亿元，总量居全国首位，同比增长 14.3%，占全省 GDP 的比重为 43.1%。全省民营经济单位上缴税收 1775.7 亿元，同比增长 25.6%。2007 年广东省民营企业出口 667.1 亿美元，居全国首位，增幅达 36.1%，进口总额 324.8 亿美元，同比增长 27.1%。[①] 同时，民营企业的科技水平明显提升。到 2006 年，全省经各级科技部门认定的民营科技企业达 8000 户，比 2002 年增加了 3000 多家，80% 以上的高新技术企业为民营企业；民营企业共拥有高新技术产品 3000 多个，占全省 80% 以上。2002 年广东发明专利申请量仅为上海的一半，到 2006 年专利申请量已达 2 万余件，居全国第一，其中大部分是民营企业创造的。[②] 2005 年商务部公布的“商务部重点培育和发展的出口名牌”名单中涉及 29 家广东省企业，“美的”、“格兰仕”、“华为”、“志高”等 12 家广东民企上榜。今天，广东共有世界名牌产品 3 个，均是由民营企业获得。

民营经济的长足发展，是广东省重视内源型经济发展的结果。一直以来，广东是一个以外向型经济为主的省份，靠外向型经济支撑广东省经济快速增长，存在较大的不确定性和风险性。应为了对以外源型经济为主所固有的不确定性和风险性，广东省立志尽快补足内源型经济这块“短板”，加快了以民营经济为核心、国有民营经济合力的内源型经济的发展。近年来广东内、外源经济呈现的“内增外降”趋势，表明了广东省实施多年的促使内、外源经济比翼齐飞的战略已初见成效。内源型经济今后在广东经济挑“大梁”的趋势将进一步增强，成为广东经济新一轮增长周期的“第一推动力”。

在今后的发展中，内源型经济不仅要在增量上，更要在内在质量上、竞争能力上，特别是在具有自主知识产权的技术创新方面，

---

① 资料来源：《广东省中小企业和民营经济 2007 年工作情况及 2008 年工作意见》，广东省中小企业局，2008 年 2 月。

② 资料来源：《广东民营经济：从摊贩到标兵》，《羊城晚报》2007 年 3 月 23 日。

取得更大的进步，具有更强的竞争力，经济发展逐步转为以内源型经济为主，促使广东经济步入自主、稳定、高效、可持续的发展轨道。

四、广东金融业的变迁

金融是现代经济运行的核心。随着改革开放的不断深入，金融市场的稳定，已成为国民经济健康运行的重要基础。在国民经济发展中，金融业与其他行业的关系，是互为依存和互为发展的。即金融业兴，百业兴；金融业衰，百业衰。广东省自改革开放以来金融业取得了一定的发展，但也曾经暴露了一些不足，下面具体分行业进行回顾和分析。

（一）银行业

党的十一届三中全会以后，广东迅速恢复了“文化大革命”时期停滞的银行业。1979 年 7 月 9 日，中国银行广州分行正式从人民银行广东省分行中分设出来，并设立国家外汇管理局广东分局，是中国银行内部一个机构，对外挂两块牌子。1979 年 8 月，农业银行广东省分行恢复建制。1980 年 6 月，建设银行广东省分行与省财政厅分设，经广东省人民政府批准，在全国建行系统内率先运用存款发放贷款，开展了真正的银行自主经营的信贷业务。1984 年 4 月，分设工商银行广东省分行，人民银行专门行使中央银行职能，原有人民银行办理的工商信贷和城镇储蓄业务由工行办理。到 1984 年底，四大国有银行基本上完成了业务恢复，给广东的经济起飞注入了源源不断的信贷资金。当时占全国 GDP 6% 的广东，集中了全国 10% 的信贷资金。1986 年 11 月，中国人民银行同意广东全省作为金融体制改革的试点省。1986 年下半年开始出现的城市信用社，至年底增加到 7 家。银行业的迅速恢复，加上先行一步的对外开放政策，促进了广东金融组织的创新。外资银行、股份制银行、城市商业银行相继在广东落户或成立，大大促进了广东

的信贷业务。

专栏7－1　广东的金融组织创新

广东金融组织创新走在全国前列，在金融改革进程中创造了多项全国“第一”：1982年开业的南洋商业银行深圳分行是改革开放以后我国引进的第一家外资银行营业性机构，同年成立的民安保险公司深圳分公司是改革开放后引进的第一家外资保险公司。1985年试办的深圳经济特区证券公司是国内第一家证券公司。1985年成立的珠海南通银行是改革开放以后引进的第一家法人外资银行。1987年成立的招商银行是我国第一家完全由企业法人持股的股份制商业银行。1988年成立的平安保险公司是国内第一家股份制保险公司。1995年成立的深圳市商业银行是国内第一家城市商业银行。2004年兴业银行成功收购佛山市商业银行，开创了股份制商业银行并购城市商业银行的先河。2005年美国新侨投资集团入股深圳发展银行，深圳发展银行由此成为第一家由外资控股的全国性股份制商业银行。2006年，广东发展银行重组成功，创造了国内中资商业银行股权转让比例最高的纪录。

——资料来源：马经，2007：《广东金融发展：历程回顾与横向比较》，《南方金融》第1期

（二）证券业

深圳证券交易所（以下简称“深交所”）于1989年11月15日开始筹建，1990年12月1日正式成立。1991年7月3日正式开始营业。全国人大常委会副委员长陈慕华、广东省代省长朱森林、国家体改委副主任刘鸿儒等中央、省和各有关部委负责人，深圳市委书记李灏、市长郑良玉等市委、市府负责人，以及来自海内外各界贵宾共600余人参加了隆重的开业典礼。自此，广东省拥有中国大陆两大证券交易所之一。

在“深交所”成立初期，得到了国家主要领导人的特别关注。1992年1月19—23日，邓小平同志视察深圳，在了解了深圳股市的情况之后，邓小平同志指出：“有人说股票是资本主义的，我们在上海、深圳先试验了一下，结果证明是成功的，看来资本主义有些东西，社会主义制度也可以拿过来用，即使错了也不要紧嘛！错了关闭就是，以后再开，哪有百分之百正确的事情？”1993年1月

5日，李鹏总理视察“深交所”。次日，为“深交所”题词：“努力办好深圳证券交易所，为社会主义市场经济服务”。1994年4月5日，国务委员李铁映视察深圳证券交易所。1994年11月30日，国务委员李贵鲜视察深圳证券交易所，并题词：“大力发展证券市场，努力建设金融中心”。

专栏7-2　深圳证券交易所简介

深圳证券交易所（以下简称“深交所”）成立于1990年12月1日，是为证券集中交易提供了场所和设施，组织和监督证券交易，实行自律管理的法人，由中国证监会直接监督管理。深交所致力于多层次证券市场的建设，努力创造公开、公平、公正的市场环境。主要职能包括：提供证券交易的场所和设施；制定本所业务规则；接受上市申请、安排证券上市；组织、监督证券交易；对会员和上市公司进行监管；管理和公布市场信息；中国证监会许可的其他职能。

作为中国大陆两大证券交易所之一，深交所与中国证券市场共同成长。16年来，深交所借助现代技术条件，成功地在一个新兴城市建成了辐射全国的证券市场。15年间，深交所累计为国民经济筹资4000多亿元，对建立现代企业制度、推动经济结构调整、优化资源配置、传播市场经济知识，起到了十分重要的促进作用。

经国务院同意，中国证监会批准，2004年5月起深交所在主板市场内设立中小企业板块。设立中小企业板块，是分步推进创业板市场建设迈出的一个重要步骤，是党中央、国务院从促进经济的可持续发展和促进经济结构调整的大局出发做出的重要决策，也是贯彻落实十六届三中全会以及《国务院关于推进资本市场改革开放和稳定发展的若干意见》精神的一项具体部署。

——资料来源：深圳证券交易所网站

深圳证券交易所技术系统自交易所开创以来，已经实现了四次飞跃。第一次飞跃以1992年5月26日深圳同城电脑网络系统开通为标志，它带来了深圳证券市场从实物证券交易到无纸化证券交易的转变。技术系统进入了微机网络交易阶段，日处理能力提高到8万笔。第二次飞跃从1993年到1995年，由结算系统的升级改版、交易自动撮合系统的扩容、建立卫星通信系统和将证券登记公司并人交易所等举措构成，这次飞跃形成了深圳证券市场覆盖全国的地面通信网和卫星通信网。技术系统进入了大机硬盘交易阶段，带来

了深圳证券市场从有形化市场向无形化市场的转变，日处理能力提高到200万笔。第三次飞跃从1996年到1999年，以实现证券账户全国统一、建立全国性的登记清算网络和实现资金结算与资金划拨电子化、自动化为标志，它完成了深圳证券市场从一个区域化市场向全国性市场的转变。技术系统进入了大机内存撮合交易阶段，日处理能力提高到1000万笔。第四次飞跃目前还在持续中，技术系统进入了多层次资本市场证券交易阶段，日处理能力提高到了2000万笔①。

（三）保险业

由于受到“文化大革命”“左”的思想的冲击，否定了国内保险的作用，国内保险业务被迫于1967年7月停办，同时由各口岸人民银行经营的涉外保险也受到了较大的冲击。1980年，恢复办理国内保险业务，贯彻“积极开展业务，积聚保险基金，组织经济补偿，防止灾害损失，增进社会福利，为我国社会主义现代化建设服务”的方针。1982年遵照中共中央、国务院批转《广东、福建两省和经济特区工作会议纪要》的精神，中国人民保险公司广东省分公司与广东省财政厅签订代办地方企业财政保险协议，规定广东省地方国营企业（包括集体企业）的保险业务，由省财政厅代表省人民政府委托人保公司广东省分公司按照公司的保险条款和费率代办，由地方自负盈亏。涉外保险也采取了灵活的措施，对保险条款、承保办法和险种，在不违背国家政策的原则下，参照国外市场的习惯，都予以接受。在改革开放初期，广东的保险业务发展一直走在了全国的前列。

1980年8月恢复建立中国人民保险公司广东省分公司，作为中国人民银行广东省分行的下属机构。1980年10月，广州远洋运

① 参见《深圳证券交易所技术系统的四次飞跃》，《广东经济》2000年第12期金融证券专辑。《完善基础设施，发展资本市场服务国民经济可持续发展》——张育军总经理在第十一届亚太中央证券存管机构组织年会上的演讲（北京2007. 09. 03）。

输公司“嘉陵江”轮在“两伊”战争中被击毁，人保广东省分公司支付船舶战争险赔款466万美元。1981年11月，广州远洋运输公司“阳春”、“牡丹江”、“开平”等轮，在“两伊”战争中受损，人保广东省分公司支付船舶战争险赔款964万美元。1982年5月，韶关、肇庆地区15县市遭受百年一遇的特大洪水灾害，两地区各县人民保险公司对受灾企业保护280多户支付赔款1280多万元，使企业生产迅速恢复。刘田夫省长称赞：“保险是伟大的事业。”1983年10月，美国科特公司“爪哇海”号钻井平台在北部湾作业时，因受台风侵袭沉入海底，在平台上作业的中外人员80多人遇难。人保公司广东省分公司对该案支付财产险297多万美元，责任险赔款700多万美元。①

保险在广东人民的心中树立了良好的形象，同时也增进了广大人民群众对保险的了解和支持，为广东后来的保险发展铺平了道路。改革开放初期，1985年广东省的保费收入只有1.7亿元，到2007年保费收入增加到809.31亿元，在全国的比重提高到11.5%，总量连续四年居全国首位。

广东保险产业的发展有力地推动了广东省的经济建设。第一，保险业发挥经济“助推器”作用。保险通过提供风险管理和损失补偿，降低风险管理成本，控制风险冲击程度，起到保护、恢复、提高生产力的作用，有力支持经济增长和可持续发展。第二，保险业发挥了社会“稳定器”的作用。保险参与危机管理和多层次社会保障体系建设，通过市场手段、商业行为解决政府不好管、管不好、管不了的事务，促进社会和谐稳定。第三，保险提高了人民生活质量。养老保险、健康保险、意外伤害保险等等，解决了人们生活的后顾之忧和“病有所医，老有所养”等问题，大大提升人民的生活质量，促进人与社会协调发展。

① 资料来源：《广东金融志》1997年。

（四）“大而不强”的广东金融业

改革开放以来，广东金融业的发展大体来说经历了两个阶段。1978—1989年广东金融业比重在起伏中上升，总趋势向上。到1989年上升到最高点，比重为5.3%。从1990年比重开始逐年下降，总趋势向下。和全国比较，1990年之前，广东的金融比重平均高于全国水平；而1990年以后，要明显低于全国水平。金融是现代经济的核心，广东金融对本省经济的支持也日益增强，但广东金融业现状与现阶段经济发展水平仍不相称。

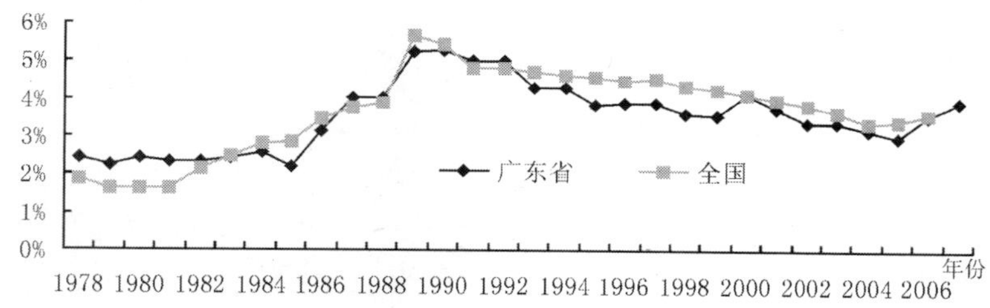

图7－5　金融业占GDP比重

金融业增加值增速前高后低特征明显。从1978年到1990年的12年中，有8个年份金融业增速高于经济总量增速，平均高11.9个百分点，其中1985年、1986年、1987年和1989年金融业增速高达30.0%、30.2%、40.3%和33.0%，分别比同期经济总量增速高12.0、17.5、20.7和25.8个百分点。1991年这种状况开始出现逆转，在此后的16年中，除2000年、2006年和2007年，其余年份金融业增速均低于经济总量增速。

近几年，广东在资本市场直接融资的比例有所下降，落后于长江三角洲甚至山东等地区，与过去一些政府机构重视和引导相对不够有一定关系。广东市场经济发展程度较高，使人们容易产生政府应完全退出市场的看法。但从实际上看，在目前的发展阶段，在市场的转型期，政府的调控和引导作用必不可少。广东金融业发展滞后，也有国家政策原因。国家金融政策资源逐步向长江三角洲倾

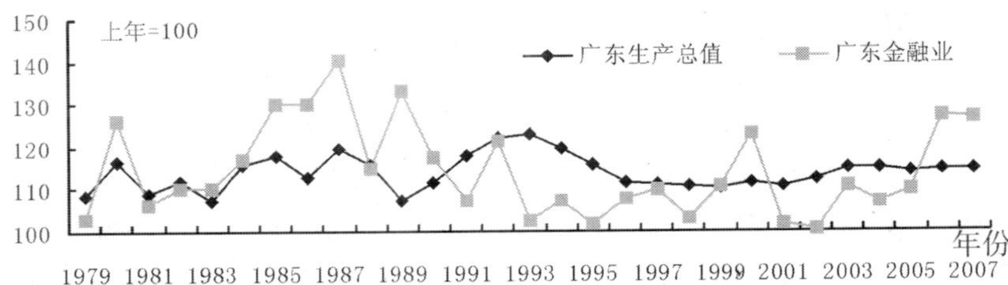

图7-6 广东省金融业增长指数

斜。近几年来，全国的资金交易中心、外汇交易中心、黄金交易中心等纷纷落户上海，再加上上海证券交易所和中国工商银行、建设银行的资金清算中心，上海国内国际金融中心的地位已经奠定，使以上海为中心的长江三角洲地区的资金盆地效应日益明显。

(五) 先行者的风险

自20世纪90年代以来的相当一段时期，广东受泡沫经济、金融机构粗放经营、金融监管不力、社会信用环境不佳等众多因素的影响，金融风险问题较为严重，支付风险一度蔓延，成为全国的高风险地区，严重地影响了金融业的稳定。分析人士指出，由于受广东国际信托投资公司破产案、粤海重组等事件的影响，在付出沉重代价化解地方金融风险后①，广东不少地方政府没有历史地、辩证地认识金融风险处置问题，形成了“谈金融色变”和“不碰金融”的观念，从而缺乏正确的金融产业观，对金融业的产业定位、产业

① 亚洲金融危机爆发不久，1997年12月，中共中央调中国建设银行行长王岐山到广东省委任省委常委。一个月以后，王岐山当选为广东省常务副省长。接着，广东省委成立“化解金融危机五人领导小组”，任务是处理日益严重的支付危机，两家旗舰公司首当其冲——广东省国际信托投资公司和粤海企业集团。经过激烈的辩论，广东省政府决定破产广东国投和重组粤海。这在国际媒体引发轩然大波。其间，王岐山的出色工作得到了有关方面的充分肯定。如今，围绕广东国投破产和粤海重组的争论，早已不再是媒体和公众关注的焦点，然而现在回头来看，整个事件所呈现出来的教训与经验，对中国未来的改革开放依然具有重要的参考价值。

功能、产业规划等方面则关注甚少，制约了金融产业的健康发展。①

专栏7－3　广东国际信托投资公司破产案

广东国际信托投资公司（以下简称“广东国投”）的前身是1980年7月经广东省人民政府批准成立的“广东信托投资公司”。1983年10月，经中国人民银行批准，成为一家国有非银行的地方金融机构，同时拿到了国家外汇管理局颁发的经营外汇业务许可证，享有外汇经营权。同年12月，更名为“广东国际信托投资公司”，成为国家指定的允许对外借贷和发债的地方级“窗口公司”。随即与日、美、英、法等国的12家银行签订了贷款协议，获得1.36亿美元的信贷额度；到1985年，上述协议的签约银行增至38家，信贷额度也增至3亿美元。

1997年下半年，亚洲爆发金融危机。而此时的广东国投仍然在世界范围融资，在国内引资揽存，并漫无节制地向广东省内外、境内外500多家债务人融资。截至1997年底，广东国投先后从海外融资总计50多亿美元，其自身也发展成为总资产高达327亿元人民币的特大型综合性金融投资实业集团，在中国信托业排名第二。在泡沫经济和资金饥渴症的刺激下，广东国投不考虑成本效益而盲目投资，关系贷款比比皆是。

从1997年下半年到1998年中期，广东国投仍在海外金融市场奔走，筹划新一轮发债或是银团贷款，但是主要动机已经成为借新还旧，主要方式是借短还长，借高还低。与对外借债还债同步紧急的任务是公司内部专门派人到资产流失严重、坏账成堆的下级公司直接催收债务。进入1998年8月，频繁的资金调度会议成为公司最重大、最紧急的高层会议。两个月之后，广东国投终因无法支付巨额内外债务被实施行政性关闭。1999年1月15日，法院决定立案受理，同日成立的广东国投破产清算组。2003年2月，广东省高级人民法院宣布，号称“中国第一破产案”的广东国际信托投资公司破产案终结破产程序。

广东国投破产案涉及10个中国第一：财产标的第一；涉外债权第一；单笔破产财产拍卖价的最高纪录；首设债权人主席委员会；第一个聘请境外中介机构；第一例全国法院予以配合支持审理的破产案件；第一例中国法院关于破产的裁定在境外得到承认的破产案等等。

① 张建军，《经济大省怎能成金融弱省：广东力破“资本之痛”》，《经济日报》2004年7月6日。

> 广东国投作为重要的对外融资窗口，其破产带来的震荡和冲击，远远超过了一家金融机构本身。广东国投破产事件的教训是深刻的，它是中国金融业改革一份不可多得的反面教材，对中央银行如何加强金融机构的外部监管，帮助金融企业建立有效的内部控制机制，防患风险于未然，提出了一系列要求，同时也把改革时外融资体制和发展独立企业债务的重大任务推到了前台，中国金融业开始真正走向市场。
>
> ——资料来源：邱全江、张迪，《中国第一破产案：广东国投破产案》，《国际融资》2003年第7期

广东改革开放先行一步，而在金融风险上也先暴露一步。广东是中国改革开放的先行者，是中国经济的风向标，广东的成功反映了中国经济的成功，广东的问题也集中暴露了中国经济深层次的问题。柯象中、朱安明（2000）指出，如果说改革开放前20年广东冒着“雷区”为全国各地闯出一条发展之路的话，那么20世纪90年代广东出现的金融危机正是广东在中国经济面临转折的关头触的一次“雷”，它告诉其他地区哪些路可行哪些路不可行，它还向人们昭示了转变中国改革和发展之路的迫切性。

（六）新的征程

广东人民一向善于创新，也能够从挫折中吸取教训，不断改进，做得更好。上世纪90年代后期广东暴露出来的金融风险是“摸着石头过河”的改革探索过程中金融业集中承担了体制转轨和结构转型成本的结果，是金融事业前进中碰到的暂时困难和问题，必须以发展的眼光、积极的态度、创新的思维来看待和解决。从2007年开始，广东金融产业发展转入科学发展新阶段。2007年广东省委、省政府召开了全省金融工作会议，出台了两个重要文件，一个是《中共广东省委广东省人民政府关于加快发展金融产业建设金融强省的若干意见》，另一个是《广东建设金融强省“十一五”规划》，由此，广东掀开了全面加快发展金融产业，系统建设金融强省的大幕。根据省统计局统计，2007年，全省实现的金融产业增加值达到了1221亿元，增长了26.9%，金融产业增加值占GDP的比例达到了4%，比

2006年提高了1个百分点。尽管表面上看仅有一个百分点，但是相对于原来的水平来看是一个很大的进步。有理由相信，广东金融能够走上快速发展的轨道，成为一道新的风景线。

五、广东经济结构变迁的理论启示

回顾广东省30年的产业结构变迁过程，可以更加深刻地理解其中发展战略、产业政策变迁。我们的基本结论是，广东省的产业结构变迁和调整，遵循了符合比较优势的发展战略，政府在其中发挥了重要作用，诱致性产业结构变迁与强制性产业结构变迁相结合，从而能够成功实现多次的产业结构升级和经济结构转型。

Chenery et al. （1986）根据一国是否积极参与国际贸易将发展战略区分为内向型战略、外向型战略和平衡战略。这种发展战略分类的确能够使得人们更好地理解发展战略，但它更多的是限于现象层次的分类，而难以达到发展战略的本质，即点明了具体的战略类型但没有指出背后的性质和动因。Lin（2003）根据是否遵循比较优势，将可供选择的发展战略区分为遵循比较优势的发展战略和违背比较优势的发展战略。林毅夫所说的比较优势重点体现在一个经济体所拥有的要素禀赋结构上。Lin（2003）指出，产业结构变迁要受到要素禀赋结构的限制，随着要素禀赋结构的提升，产业结构也将随之升级。遵循这一逻辑，一国的产业结构应该符合比较优势，而比较优势则由其自身的要素禀赋结构决定。同样，对于指导产业发展和产业结构调整的产业政策也应该符合比较优势，根据自身要素禀赋结构来制定，但产业政策作为引导性的指示，理所当然应该具有更丰富的含义，这是因为单纯通过产业自身发展进行调整，往往会因为信息缺失、外部性存在和市场不完善而导致产业结构无法实现动态上的优化升级，甚至出现产业结构发生扭曲，这也就决定了政府能够在经济和产业结构调整中发挥积极作用，譬如林毅夫（2007）认为发展中国家很容易出现产业投资上的“潮涌现象”，政府的产业政策对于避免这种现象尤为重要。

从20世纪70年代末起至80年代，广东充分发挥毗邻港澳的地缘优势和实行“特殊政策、灵活措施”的政策优势，由“三来一补”起家，大力推进轻型化的经济发展战略，及时填补了国内轻工业产品匮乏的空隙。这种粤港结合的“前店后厂”模式带动了经济的高速增长。当时广东省相对于港澳等经济体的要素禀赋优势是廉价的初级劳动力和土地资源，缺乏的要素是资本以及生产技术能力，这赶上了香港等地劳动密集型产业向外转移的时机，加上国家给了广东一个得天独厚的先行机会，广东顺应这种比较优势，产业结构也以初级轻工加工工业为主。尽管当时轻工业发展较快，但农业比重并未显著下降，这是因为家庭联产承包责任制等制度性的突破带来了生产效率的提高，使得农业发展状况也相当喜人。

到“七五”时期（1986—1990年），广东开始由一般消费品生产向新型耐用消费品生产转型，全省轻工业产值年均递增24.5%，比同期重工业速度高4.4个百分点。这一结构调整过程，是广东省第一次较为明显的产业结构调整，使广东经济基本完成了农业经济向工业化初级阶段的演变。在这一时期，内地仍然以发展重化工业为主，广东的轻工业在全国取得了领先一步的优势。当时广东省要素禀赋优势仍然是廉价的劳动力和土地资源，缺乏的要素仍然是资本以及先进的生产技术能力，但是基于“六五”时期轻工业发展的基础，广东熟练劳动力数量增加，企业管理经验和生产技术得到提升，从而支撑了这次轻工业升级，而依靠大量资本投资的重工业发展相对较慢。这一阶段轻工业发展较快，同时农业因为体制创新带来的生产效率提高也逐步释放，因此三大产业比重相对稳定。“六五”和“七五”时期的产业结构变迁，基本沿袭了符合比较优势的逻辑，过程相当顺利。

从20世纪80年代后期至90年代初期，广东省基础产业与基础设施建设滞后于加工工业发展的矛盾开始显现，这引起了广东省的积极应对。进入90年代，由于投入大幅度增加，全省能源、原材料、交通运输、邮电通信业建设突飞猛进，一批大中型重点基础项目建成投产，新增生产能力成倍增长，基本改变了基础设施和基

础产业长期落后于经济发展的状况。经过第二次结构调整，广东经济由工业化初期阶段向工业化中期阶段迈出了关键的一步。尽管广东省当时仍然具有劳动力成本、土地成本和地缘等方面的优势，但基础设施和资源支撑不足制约了整个经济发展，从而触发了重工业发展的需要，加上经过多年积累，资本短缺得到极大缓解，重工业投资变得可能。但是，由于重工业投资门槛高、周期长并且具有较大的正经济外部性，私人投资不足，从而政府在这方面上采取了主动角色。结果是这一阶段重工业发展加速，农业发展相对进入缓慢阶段，三大产业结构是第一产业比重明显下降，第三产业比重基本稳定，第二产业比重上升。张冰和金戈（2007）认为主导产业结构变迁的主体可以是私人部门，也可以是政府，如果政府作为主导产业结构变迁的主体，则可以看作是强制性产业结构变迁，如果是私人部门作为主导主体，则是诱致性产业结构变迁。如果前面走过的阶段主要是以私人部门主导的诱致性产业变迁过程，那么这一阶段更多的是一种政府主导的产业结构变迁，这是因为政府拥有比较优势中的动态变化的信息优势，并且有能力引导这一变化。因此，产业结构也如经济发展阶段一样，可能存在多重均衡，不同的高低均衡之间存在着临界点，很多时候如何突破临界点成功转向高水平均衡都需要政府的积极推动。

20 世纪 90 年代以来，广东仍借助过去的成功发展模式，继续大力引进外资，发展劳动密集型产业，在原有技术水平上进行规模扩张，产业结构仍然以轻工业为主体。尽管广东省对外开放水平处于全国领先水平，并且在电器、电子、服装、纺织等行业占有明显优势，但产业结构转型问题开始显现。随着全国沿边沿江对外开放和统一大市场的新格局逐步形成，广东省拥有的特殊政策优势逐渐消失，全省高新技术产品部门较为薄弱，整个工业还属于“劳动密集型”传统产业结构，产业的关联度和集中度都较低，产品更新换代和支柱产业建设步伐偏慢，专业化生产水平不高，产品在国内外所面对的竞争压力增大。这表明了产业结构并不一定能够自动转向更高层次，而是可能固化在原有的优势基础上，原有的优势可能会逐渐消失，但新的优势并不一定能够自然而然地生成。姚洋和郑东雅（2007）证明了随着经济发展，需要更加迂回的生产方式，经济结构需要从以轻工业为主转向以重工业为主。广东经济发展已经到达了一个产业发展需要更加迂回的生产结构支撑的阶段，而实际上却没有达到应有的迂回生产程度。经过90年代初的重工业短暂快速发展后，在90年代的大部分时间里，广东省轻重产业之比几乎没有变化。广东省亟须在产业上向重型化、专业化、高技术化方向转变。

在这一形势下，广东省根据经济发展阶段需要和国内环境变化相适应而大力调整工业结构。1998年，广东省确定了重点发展的九大产业，即电子信息、电气机械和石油化工为三大新兴支柱产业；纺织服装、食品饮料和建筑材料为三大传统支柱产业；汽车、制药和森工造纸为三大潜力产业。2001年8月广东省政府办公厅印发了《广东省工业产业结构调整实施方案》，继续推进产业结构调整。进入新世纪，伴随着高增长的新兴产业比重不断提高，低增长的传统产业的比重不断下降，工业结构得到进一步优化，产业层次得到提升，产业技术优势得到体现，全省经济增长后劲也得以加强。这一阶段政府所制定的产业战略和实施的产业政策，背后所体现的产业发展原理与20世纪90年代初政府推进基础设施和基础产业的原理相近，政府再次成为主导产业结构变迁的主体之一，不过这里私人部门同样是产业结构变迁的主体，因为私人部门同样有推动产业结构升级的动力和压力，广东经过20多年快速发展，在劳动力素质、人力资本水平、企业管理能力、企业技术水平等方面都有了极大地提高，成为新的比较优势，这些都推动了有实力的国有企业、外资企业和民营企业加大科技研发力度、生产高新技术产品、投资大型工程项目，争取获得更坚实的竞争优势。其中值得一提的是，许多民营企业开始在高新技术产品制造领域显示出强大的竞争力，广东开始转向内源和外源经济并驾齐驱的阶段。所以，这是一个诱致性变迁和强制性变迁相结合的产业结构变迁过程，如果政府和私人部门所努力的方向是一致的，那么这种产业结构变迁就更加容易成功，能够培育出新的比较优势，从而成为未来的竞争优

势。由于政府产业政策的强有力引导以及私人部门特别是企业的积极转型，工业制造业以重工业和高新技术制造业快速发展为突出特征，增长速度快于服务业。这一阶段，第二产业比重上升而第三产业比重出现下降，工业重化趋势明显，大中型工业企业产值占工业总产值比重也同时上升。这种产业结构变迁模式，表明了广东的工业化程度和水平仍然需要提高，同时也提示广东省要加快第三产业的发展，为下一次更高层次的产业转型打下基础。在继续大力发展外向型经济的同时，加大内源型经济发展力度，显示了广东省经济高增长的内在稳定性需求，一种基于内在竞争优势的比较优势，能够给经济发展提供更好的稳定性支持。

总之，广东产业发展战略取向是建立现代化产业体系，提高产业国际竞争力。因此，广东必须认清当今国际产业与科技发展大势，瞄准国际上现代产业的最高水平进行结构调整，真正抢占现代产业发展的先机。①

六、小　结

广东改革开放 30 年经历的发展历程，既有乘风破浪的突飞猛进，也有披荆斩棘的奋力前行，而其中的经济结构变迁突出反映了广东经济变迁的历程，也为将来的经济发展规划提供了丰厚的素材。经济结构的不断调整改善，使得经济增长方式向高效、集约、可持续的方向转变。广东的发展在全国先行一步，已经形成有特色的模式，广东未来的稳健发展有赖于不断解放思想，持续创新，具有国际视野地调整产业结构。我们希望，广东省仍然能够积极地培育更高层次的比较优势，在世界经济产业结构链条中占有更加重要的地位和占据更加有利的位置，成为全国乃至世界上有重要影响的经济体。

① 资料来源：《广东必须争当解放思想的排头兵》，《南方日报》2007 年 12 月 26 日。

第八章 区域协调发展

广东人大代表团热议区域协调发展[①]

2008年3月，全国十一届人民代表大会第一次会议上，协调区域经济发展成为广东代表团讨论最热烈的话题。

清远市市委书记陈家记代表指出：衡量区域协调发展，不应只用GDP总量或人均GDP指标，还应该包括人的受教育程度、社会保障程度等指标。一要明确山区城镇化发展的基本思路；二要加快山区城市总体规划修编工作，明确山区城市的职能分工，加强空间布局、基础设施建设、资源开发和生态环境保护等方面的协调；三要加大对山区城市基础设施建设的扶持，提高山区城市的综合承载能力，为山区城镇化健康发展提供良好基础。

梅州市市长李嘉代表认为，解决区域发展不平衡问题，“需要制定有利于欠发达地区和山区又好又快发展的财税政策、金融服务政策。尽快出台山区节能减排配套改革措施，建立生态补偿机制”。

中山市市长李启红代表在谈到中山市的发展时表示：在生产服务业方面，要沿着以研发和流通为两端的“微笑曲线”，发展“总部经济”。在生活服务业方面，全面推进综合旅游业发展。民生方面，中山要变重点地区率先发展为城乡全面协调发展，全面加强民生产业发展，以投资拉动推进民生工程。确保财政收入57%用于

① 参见《广东：促进区域协调发展》，《中国经济周刊》2008年3月17日。

公共服务和公共产品，其中新增财力20%用于增加社会保障事业投入，确保今年内实现基本住院医疗保险应保尽保，明年实现基本养老保险应保尽保。通过设立青年创业基金、政府贴息贷款等形式，推动每个农民都有一个工作机会向每个农民都有一个良好创业机会转变。

广东省优秀民营企业家、韶关市煤炭行业协会会长朱思宜代表建议：一是尽快制定促进区域协调发展的法律法规，使区域协调发展在制度层面上得到保障；二是尽快制定科学的区域协调发展规划，明确区域协调发展目标，有序推进区域经济一体化；三是国家宏观调控政策与区域协调发展要有机结合，坚持区别对待，引导和鼓励金融机构加大对欠发达地区的贷款支持；四是为欠发达地区创造良好的发展环境，在土地政策、融资政策、发展模式等方面出台制订引导政策；五是加大国家对欠发达地区的资金和项目扶持力度；六是对欠发达地区房地产开发项目给予用地、报批、税收等方面的扶持，加快欠发达地区城镇化建设。

在全国上下实践科学发展观的今天，广东科学发展最大的挑战就是区域发展不平衡。

这一问题已经引起了广东从党政机构到民间大众的共同关注，广东也不断地解放思想，力争在区域协调发展和创建和谐社会方面率先取得突破。

一、引　言

广东自改革开放以来，经济发展走在全国前列，但区域之间发展差距问题也日益突出，其程度也是全国少有。邓小平同志说过：一部分地区、一部分人可以先富起来，带动和帮助其他地区、其他的人，逐步达到共同富裕。广东省区域发展差距是允许一部分人和一部分地区先富裕起来的政策成功实施的结果，是经济起飞的真实体现。在一定时期里，一定范围内和一定程度的发展差距能够促进经济社会的繁荣发展。但是，发展差距往往具有自我强化功能，如果不适时加以调整，发展差距的扩大和强化将损害经济长期发展的内在动力，更加与共同富裕、和谐发展的目标背道而驰。可喜的是，广东近年来大力实施的区域协调发展战略成效明显。

2007年12月25日，中共广东省委十届二次全会上，中共中央政治局委员、省委书记汪洋在讲话中提到：检验广东省能否实现科学发展最主要的标准，考验党委政府能力、水平最重要的依据，不只是要看如何能让珠三角健康发展，而且要看能否实现协调发展、共同富裕。要尽快走出一条有广东特色的统筹区域发展的新路。①

本章主要阐述广东省改革开放以来的经济发展不平衡现象，主要从发展差距的具体表现、发展差距拉大的内在原因、相关主体的应对措施以及效果、未来的调整方向和战略等方面入手，力求对此做一个全面的介绍。

二、广东省内经济发展差距

（一）地区经济发展差距状况

经过改革开放30多年的强劲发展，广东这个陆地面积只占全国1.85%的省份，贡献了占全国近12%的经济总量。但是，从省内区域差异来看，广东发达区域仅集中在珠三角地区（包括深圳、珠海经济特区），在占全省面积80%左右的东西两翼、粤北山区（非珠三角地区），整体经济实力较为薄弱，GDP总值在全省所占份额不足20%。

广东传统上按地理位置和经济特点划分为珠三角与东翼、西翼和北部山区四个经济区，而东翼、西翼和北部山区又可统一划入非珠三角地区；其中珠三角九市属经济发达地区，东翼四市、西翼三市和山区五市属经济较不发达地区。

---

① 资料来源：《广东必须争当解放思想的排头兵》，《南方日报》2007年12月26日。

珠三角经济区包括广州市、深圳市、珠海市、东莞市、中山市、佛山市、江门市、惠州市和肇庆市九市。珠三角经济区总面积有4.16万平方公里，占全省面积的23.4%。由于率先实行改革开放，引进以香港资本为主体的各类外资，珠三角经济区的各市县在20世纪80年代至90年代初期都不同程度地开始了经济起飞。经济的快速发展促进了珠三角的城市化建设，原来属于穷乡僻壤的乡村小镇相继发展成为颇具规模的“一夜城”，往日的“桑基鱼塘”变成今日的高楼厂房，道路四通八达。

近30年来，广东的北部山区和东西地区虽然也在发展，但由于区位条件和其他客观因素的制约，其总体水平与珠三角的差距进一步扩大了。广东经济的发展，与其高度的外向联系有关，而多年来广东的外向经济联系基本上发生在珠三角地区，非珠三角地区外向经济联系非常有限，加上珠三角地区的经济辐射能力并不强劲，导致了非珠三角地区发展相对缓慢。今日，珠三角已呈现典型的工业化成熟期的产业结构特征，非珠三角地区第一产业比重仍较高，西翼和山区还处于工业化起步阶段。

首先从地区生产总值来看，2006年珠三角九市占全省的82.5%，北部山区和东西地区所占比重不及20%。2007年，广东省GDP超过1000亿元的城市（地级市）有六个，是广州、深圳、佛山、东莞、中山和惠州六个珠三角城市（地级市），非珠三角城市无一入选。据国家统计局和中国经济景气监测中心发布的全国城市综合实力研究报告划分，GDP达1000亿元以上的国内城市列为一类重点城市。

此外从各类市场主体的总量看，截至2006年，广东省有70%以上的企业及个体工商户分布在珠三角的九个地市。其中，深圳、广州、东莞、佛山市分布较多，分别是：深圳61.59万户，居广东省第一位，占广东省市场主体总数的18.98%；广州47.86万户，占14.75%；东莞37.23万户，占11.47%；佛山24.95万户，占

7.69%。[①] 2006年广东最大50家工业企业中46家落户珠三角，又主要分布在深圳（18家）和广州（16家）。[②]

固定资产投资历来被认为是拉动当前经济增长和长远经济发展的关键要素，尽管广东省四大地区投资仍然存在差距，但差距相对小于产出上的差距。2006年，珠三角九市固定资产投资占全省的76%，其他地区特别是山区五市有不错的表现，其中山区五市所占比重达到了11%，这也是近年来山区五市发展势头不错的重要推力。

从对外开放程度来看，珠江三角洲与东西两翼、粤北山区的差距更加明显。由于过去近30年的外商投资活动和进出口贸易活动主要集中在第二产业特别是工业上，而珠三角地区的工业化程度明显高于其他地区，因此全省的外商投资活动和进出口贸易活动高度集中在珠三角地区，并且不平衡的程度远高于经济产出总量和工业化的不平衡程度。2006年，珠三角九市的地区生产总值占全省80%，但其开放程度远甚于此。2006年，珠三角九市的出口额占全省的比重高达95.6%，而实际外商直接投资也高达90.2%，非珠三角地区仅占少量比重。这种外向程度上的差距，一方面强化了珠三角地区的对外联系程度，另一方面也弱化了珠三角和非珠三角地区之间的经济联动。

最后，从能够比较直接地反映人民生活水平的人均财政收入和人均产出来看，珠三角地区和其他地区也存在巨大差距。2006年，珠三角九市的地方财政一般预算人均收入为3121.42元，而东西翼和山区五市分别只有珠三角九市的14%～17%不等。同年，珠三角九市的人均产出为47094元，而东西翼和山区五市也分别只有珠三角九市的23%～29%不等。即使将物价因素考虑在内，广东省不同地区居民的生活质素仍然存在巨大差距。

---

① 资料来源：《广东经济珠三角继续领先　粤西粤北在追赶差距变小》，南方网2006年10月20日。

② 资料来源：《打造企业航母　促进广东经济发展——2006年广东最大50家企业和最大50家工业企业简析》，广东省经济贸易委员会综合处，2007年8月8日。

珠江三角洲与东西两翼、粤北山区的经济差距，不仅严重弱化了山区自身的积累和发展能力，而且还将制约珠三角等发达地区的产业辐射和市场拓展，并将进一步影响全省的整体竞争力和发展后劲，最终必然制约全省率先实现社会主义现代化的进程，也不利于和谐社会的构建。

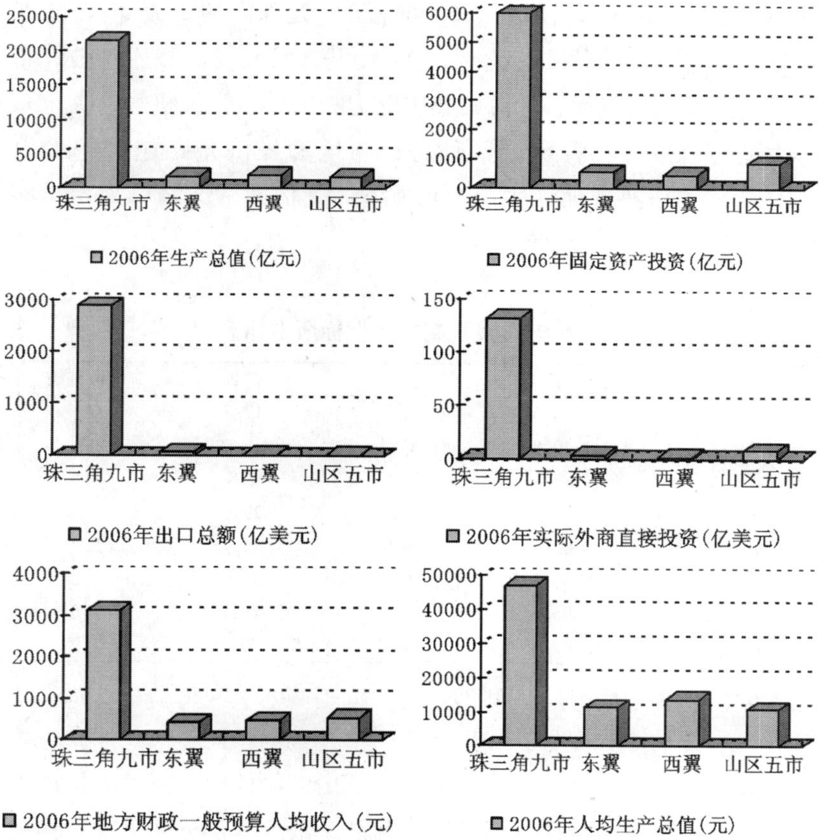

■ 2006年生产总值(亿元)

■ 2006年固定资产投资(亿元)

■ 2006年出口总额(亿美元)

■ 2006年实际外商直接投资(亿美元)

■ 2006年地方财政一般预算人均收入(元)

■ 2006年人均生产总值(元)

图8－1　广东省四大区域经济社会发展差距

注：数据来自《广东统计年鉴》(2007)。

不仅是珠三角和非珠三角地区存在巨大经济差距，珠三角各城市间也存在着一定的发展差距。尽管珠三角东西两岸几乎同时建立经济特区，大力发展经济，但珠江东岸地区经济领先于西岸地区的发展格局却逐渐形成且不断强化。东岸城市的广州、东莞、深圳和惠州的经济总量远远大于佛山、中山、江门和珠海的经济总量。以深圳和珠海两个特区为例，两者是隔珠江口相望的两个经济特区城市。建立特区之前的 1979 年，深圳 GDP 只有 1.96 亿元，珠海 GDP 有 2.09 亿元，略多于深圳。到 1989 年，珠海 GDP 增加到 30.81 亿元，深圳却增加到 115.66 亿元，是珠海的 3.75 倍。自 20 世纪 90 年代起，深圳进行产业升级转型、发展高新技术产业，带动经济持续快速发展；珠海则集中财力物力，建设大机场、大港口等大型交通设施，背负巨额债务，两地的经济差距越来越大。[①] 2007 年深圳市实现地区生产总值 6765.41 亿元，珠海市为 886.84 亿元，深圳市是珠海市的 7.6 倍。

表 8－1　　2006 年四大区域主要指标所占比重

	珠三角九市	东翼	西翼	山区五市
土地面积	30.5	8.7	17.7	42.9
常住人口	49.8	17.1	16.1	17
地区生产总值	82.5	6.9	7.8	6.5
第一产业	37.7	13	29.6	21.9
第二产业	82.7	6.9	6.3	5.7
第三产业	88.5	6.0	6.4	5.2
出口总额	95.6	2.5	0.8	1.0
地方财政收入	67.0	3.1	3.1	3.9

数据来自《广东统计年鉴》(2007)。

此外，近几年来，东翼地带和北部山区的梅州、韶关等地的发展速度，明显滞后于西翼地带以及河源、清远等部分邻近珠三角的山区。

近年来，广东珠三角边缘的几个山区市工业发展和招商引资呈现出迅猛发展之势。清远这块全国闻名的“寒极”一跃成为外商

① 两个特区经济比较的资料来源：《珠三角战略的扩展与城市圈的整合》，（新浪网）深圳社科院，2004 年 6 月 2 日。

投资的“热土”。在2006年6月30日清远市举行的“重点项目庆典暨投资推介会”上，共有221个总投资额逾500亿元人民币的重点项目剪彩、奠基和签约。这些项目全部建成投产后，相当于再造5个清远工业。

而河源市也在不断地忙着搞征地、搞拆迁，原因是2007年以来新进入的投资项目较多，河源原来搞好的工业用地已不敷使用。据悉，截至2007年第一季度，河源五大工业园已落实的工业项目投资额在120亿元左右，大办工业之势在河源形成。项目剧增使河源主要经济指标显著上扬。①

简而言之，非珠三角地区各片之间也存在着发展差异，这实际上是在珠三角发挥辐射作用和产业开始向外转移之时，具有地理临近优势的片区增添了发展优势，而其他片区则陷入不利地位。

上面详细考察了广东省不同区域之间和区域内部的发展差距，这里直接从各市的发展差距来进行考察。从反映各地级市之间经济发展差距的变异系数来看（见图8－2），1978—1984年呈现快速上升趋势，从1978年的0.46迅速上升到1984年的0.76，1984—1999年变异系数在0.7~0.8之间浮动，没有出现显著上升或者下降趋势，2000年以来变异系数突破0.8，并在2003年2004两年接近0.9，2006年回落到0.79。改革开放以来各地级市之间的经济发展差距呈扩大趋势，最近几年扩大趋势得到了遏制。

最后，我们还可以从图8－2中发现更加丰富的信息，那就是在过去将近30年时间里，广东省产出增长率和变异系数的变动轨迹存在较高的一致性，两者相关系数为0.43。具体而言就是在经济增长形势较好的时期里，反映地区差距的变异系数也呈上升趋势，反之在经济增长相对转缓的时期里，变异系数也一般呈下降趋势。这反映了经济发展过程中追求速度与和谐的矛盾，能否在将来的发展中形成一种更加和谐的增长模式，打破现有的发展矛盾，是广东经济发展的一大挑战。

---

① 资料来源：《广东山区与珠三角的“幸福联姻”》，南方网，2007年4月10日。

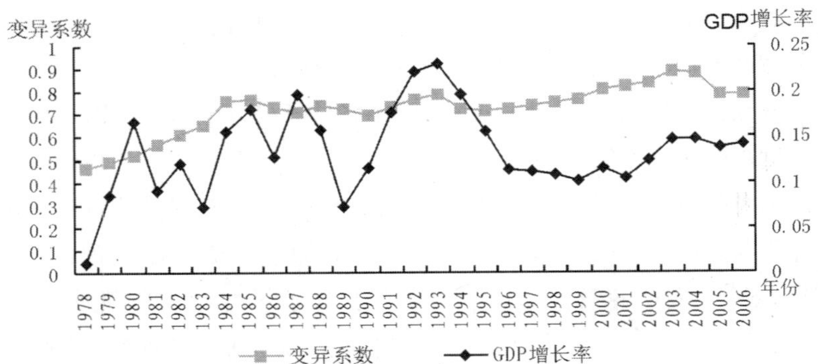

图 8－2　广东省各市人均产出变异系数与全省生产总值实际增长率

注：广东各市人均生产总值 1990 年前数据来自《广东市情——各市经济社会统计资料 1949—1989》，此后数据来自历年《广东统计年鉴》。

尽管变异系数可以直观的看出各市之间的总体发展差距，但并不能提供进一步的信息，下面我们通过泰尔系数来对广东省地区发展差距进行更深入的考察。[①] 泰尔指数具有在子样本之间分解的特性，利用这一特性，可以将区域整体差异分解成不同区域内部的差异和区域之间的差异。这样就可以方便考察不同地区之间和地区内部的发展差异。

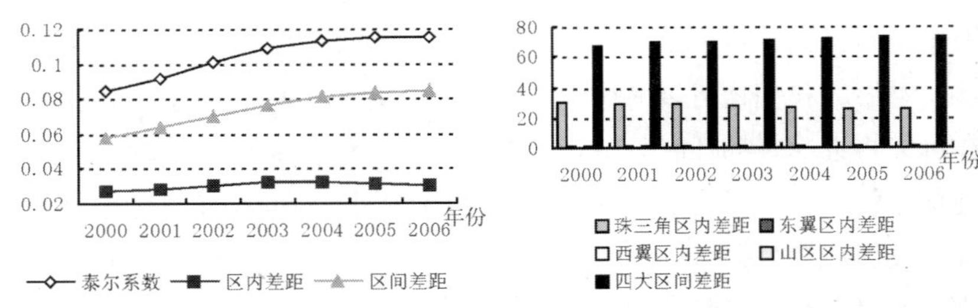

左图：泰尔系数值；右图：各差距对总体泰尔系数的贡献百分比

图 8－3　广东省地区发展差距的泰尔系数描述

① 本章关于泰尔系数的数据引自：彭惜君，《广东区域经济发展差距的评估与建议》，《珠江经济》2008 年第 1 期。

从图 8－3 看出 2000 年以来，广东区域差距持续扩大，总体泰尔指数从 2000 年的 0.0846 扩大到 2006 年的 0.1144，增长 35.2%。可以将路径分成两个阶段：2005 年前呈上升趋势，2006 年轻微下降，这与变异系数趋势基本一致。通过将泰尔系数分解，下面分别考察区内差距泰尔系数和区间泰尔系数，区间差距在 2000 年以来一直呈上升趋势，只是近年来上升速度得到遏制，而区内差距则变动不大，且自 2003 年以来呈下降趋势。这说明了珠江三角洲、东西两翼以及山区五市四个地区之间的地区差距呈扩大趋势，而各地区内部经济发展差距较为稳定，经济资源有向少数地区进一步集中的可能，区域间协调发展显得较为紧迫。

通过考察各种差距对总体泰尔系数的贡献百分比，能更清楚全省发展差距的结构状况，从而把握区域发展不平衡的主要矛盾在何处。首先是四大区间差距贡献百分比一直呈上升趋势，从 2000 年的 68% 升到 73%，也就是说其主导了全省地区发展差距的变迁，这也是问题的主要矛盾所在。如果考察 4 个地区内部的发展差距，除珠三角外，其他 3 个地区内部发展差距非常小，而尽管珠三角地区内部发展差距贡献百分比较高，远高于其他 3 个地区，但一直呈下降趋势，从 30% 持续落到 25%。这反映了随着珠三角地区各城市的发展，城市群经济日益成熟，各市经济联动和协调性增强，逐步走向协调发展的方向。

综上所述，泰尔系数清晰而简明地告诉我们，全省地区发展差距的重点在于各大地区之间的发展差距，特别是珠三角地区和其他地区间的差距，实现地区协调发展的着力点也应围绕其展开。

（二）城乡经济发展差距状况

广东改革开放过程中的经济差距除了表现在地区之间存在差距外，也明显地表现在城乡之间。实际上，地区差距和城乡差距是紧密相连的，广东省地区之间的发展不平衡也体现在城乡二元结构中。珠三角地区和非珠三角地区之间的经济差距，也表现在两大区域之间城市化程度差异上。改革开放以来，广东的外源型经济导致目前珠三角一枝独秀的局面，同时，农村居民的生活改善程度远远落后于城镇居民。如何实现城乡区域协调平衡地发展，成为亟待解决的问题。在珠三角最发达的深圳市，已经初步迈入现代化城市行列，而广东北部的韶关、清远的一些农村地区，前几年仍然存在贫困现象。

根据联合国粮农组织提出的标准，2006 年广东城镇居民恩格尔系数为 36.2%，已经处于“富裕”范围，而农村居民仅为 48.6%，只是“小康”水平。从图 8－4 中看出，广东省的城乡居民收入相对差距，除了改革开放初期有明显下降外，随后基本上呈现上升态势，并且在经济高速增长时期差距扩大较为明显，这说明了广东省经济的快速增长，也和我国许多地区的经济发展一样，有着明显的城市发展倾向，而农村发展则相对落后。2006 年，广东省城乡居民收入之比达到历史最高水平，为 3.15。广东城镇居民可支配收入与农村居民收入差距的倍数扩大比浙江、江苏和山东都要大。比如 2006 年，江苏城乡居民收入之比为 2.42：1，山东是 2.79：1，浙江是 2.49：1，广东是 3.15：1。广东省社科院科研处处长、研究员丁力指出，尽管珠三角已经进入了相对发达的时期，但广东全省仍有近 2000 万人没有摆脱贫穷，有近 2000 万失地农民生活缺乏保障，有近 2000 万外来农民工收入依然处于低层。城乡之间、地区之间的发展仍然很不平衡，农村经济与社会发展仍然滞后，周边地区发展基础仍然薄弱，县域经济发展水平仍然不高，群众生产生活还有许多困难有待解决。①

表 8－2　2006 年粤苏浙鲁四省城乡居民收入差距比较

	江苏	山东	浙江	广东
城镇居民人均可支配收入（元）	14084	12192	18285	16016
农村居民人均纯收入（元）	5813	4368	7335	5080
城乡收入之比	2.42：1	2.79：1	2.49：1	3.15：1

数据来源：《2006 年粤苏浙鲁四省经济发展比较初析》，广东省省情调查研究中心。

① 资料来源：《城市已“富裕”乡村刚“小康”广东城乡收入差距大过长三角》，《信息时报》2008 年 1 月 30 日。

在发达的珠三角城市内部同样也存在着城、乡兼顾发展的问题。以广州市为例，1990 年，广州市年人均可支配收入城市居民为 2749 元，农村居民为 1539 元，两者的收入比为 1.79：1。2006 年城市居民家庭人均收入达到了 16016 元，农村居民人均纯收入达到了 5080 元，城乡收入之比达到了 3.15：1。2007 年城市居民家庭人均收入达到了 22469 元，农村居民人均纯收入达到了 8613 元，城乡收入之比达到了 2.6：1。[①] 如果再将城市居民享受的医疗、教育、交通以及公共服务计算在内，城乡居民真实的收入差距会更大。

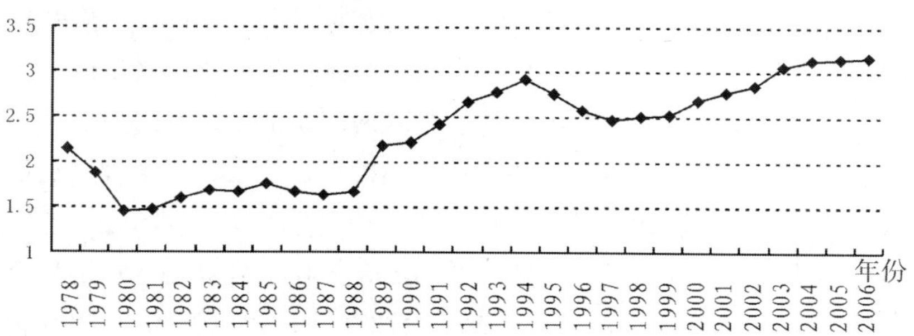

图 8－4　广东省城乡居民收入比

注：数据来源《广东统计年鉴》（2007）。

（三）地区发展差距从侧面反映全省经济成就

尽管区域经济发展出现了不平衡格局，但广东经济发展也形成了一些颇有影响力的城市群和城市，支撑了巨大的经济发展成就。许多国家和地区的经济起飞经验表明，在经济起飞过程中，由于经济快速发展需要稀缺的要素和资源形成空间集聚，发挥规模效应，所以往往存在着地区经济差距的扩大，而这种经济差距一定程度上也是合理的。因此，广东省过去的地区经济发展差距可以说是从侧面反映了全省经济建设的成就。

经过 30 年的改革开放，珠三角城市群已经形成了高起点发展

① 1990 年资料来自《市社科院调查显示：广州城乡差距拉大至 2.55：1》，金羊网，2005 年 12 月 10 日。2006 年数据来自《广州统计年鉴》（2007），2007 年数据来自《广州市 2007 年国民经济和社会发展统计公报》。

资金和技术密集型的工业、高标准和大规模发展第三产业竞争力较强的主体产业群，在交通、通讯、金融、信息、科技、旅游、文化和对外交流等方面，形成了集体优势和综合优势，与京津唐环渤海湾城市群、长三角城市群形成三足鼎立之势。

近年来，珠三角城市之间以及珠三角城市群和港澳之间出现了令人欣喜的整合趋势。最为突出的是2002年12月，佛山将顺德、南海、高明、三水（县级）撤市建区并入佛山，倾力打造广东第三大城市。广东决定把佛山建设成为广东的第三大城市，希望佛山成为珠三角向广东西翼及西江流域辐射和拓展的重要区域。广州要南拓、东进、北优、西联，作为特大中心城市的广州，必定向过千万人口中心城市发展，其城市功能必须向周边地区转移扩散。佛山主动承接广州的中心城市功能的转移和扩散，担起珠三角大经济区西岸的新增长极重任，扮演了珠三角都市圈副中心的角色。① 事实证明，这些区域经济整合措施颇为成功。2004年佛山GDP还只有1653亿元，经过短短3年的时间，2007年这一数字达到近3500亿元，基本实现了3年翻一番。其背后是每年都超过19%的经济增长速度。2005年到2007年前三季度，佛山交出的经济增长答卷分别是19.2%、19.3%和19.2%。广州作为省会稍为逊色，但2005—2007年仍分别达到了12.9%、14.8%和14.5%，2007年全市地区生产总值超过7000亿元，进一步巩固了作为华南地区的中心城市和全国的经济中心城市之一的地位。对于佛山的突出成就，佛山市社会经济发展研究所主任赵起超教授在接受《第一财经日报》采访时表示，这一成就的取得首先得益于“大佛山”整合所产生的红利。② 广佛经济圈仍在建设完善之中，广州和佛山也将从中受惠更多，广州作为珠三角中心城市的地位将更加稳固，珠三角西部走廊将提速发展并且辐射广东西部地区。

深圳，作为经济特区，在经济体制甚至政治体制创新方面具有

---

① 《珠三角城市群走上整合路》，《南方都市报》2004年1月29日。

② 《全国已有13个非直辖市GDP超过3000亿》，《第一财经日报》2008年1月1日。

得天独厚的优势，同时在地缘上具有毗邻香港的优势，随着其逐步发展成为广东省第二大城市和现代化程度最高的城市，将进一步强化其在电子信息产业、物流产业和金融产业上的优势，努力和香港对接融合，实现深港经济一体化，辐射珠三角，建设现代化国际性城市。

可以预见，在广州、深圳等龙头城市的带动下，珠三角将发展出三大都市圈：以广州为中心包括大佛山的中部都市区，以深圳、香港为中心包括东莞、惠州两大副中心的东岸都市区，包括珠海市、中山市、江门市的部分地区的西岸都市区。2007 年，随着佛山和东莞两市的 GDP 突破 3000 亿元，广东共有广州、深圳、佛山和东莞四市成为全国 13 个城市 GDP“3000 亿俱乐部”的成员，他们的漂亮答卷表明，珠江三角洲仍然是中国经济最有活力的地区之一。这种城市圈的形成和发展，有利于提高广东的城市化水平，有利于促进城乡一体化发展，对于城乡发展差距和城镇内部发展差距的缩小都具有积极的作用。

实际上，由于经济发展规律和地区禀赋差异的客观存在，地区经济平衡发展是相对的，而地区经济发展差距的存在则是绝对的，我们今天看到了地区间和城乡间存在一定的差距，并不能否定过去所取得的经济发展成就。

三、今天的差距缘何而来?

区域经济发展差异并非一朝一夕形成，而是在多种因素作用下造成的格局。尽管如此，我们仍然能够将广东省区域经济发展差异的原因归纳为两大因素：地理因素和政策因素。

地理因素自古以来就是影响区域经济发展的基本因素。由于广东的改革开放以少数地区率先开放为契机，地理因素在一开始就发挥了决定性的因素。区位因素对于国际贸易成本的节省至关重要，当全球经济更多地呈现海洋经济形态的时候，珠三角地区由于其天然的临海地理条件得以首先实行对外开放，吸引外资并从事对外贸

易。实际上，广东拥有绵长的海岸线，并非仅有珠三角地区临海，但当我们将视界放得更加长远，就会得到更好的答案。珠三角地区位于我国三大水系之一珠江的出海口，其能够交通的地区比其他临海地区增大好多倍，具有商贸发展的传统。珠江流域包括西江、东江以及北江流域，在中国境内面积达到了44.21万平方公里，而流域内山地和丘陵面积占94.5%，平原面积小而分散，仅占全流域的5.5%，最大的平原为珠江三角洲平原。这种地理因素导致的经济发展因素在更加长远的历史中影响着区域经济发展的格局，经贸活动往往趋向下游平原地区集中，这些地区也具有更多的对外联系的历史渊源。改革开放是一种试验式的“摸着石头过河”的由点及面的进程，时间上的演化结合了空间上的延展，珠三角地区首先成为改革开放推进的第一个空间面上的区域。这种演进过程形成了一种类似自然生态的有机系统。此外，对外开放是一个过程，当对外开放未曾发展为全局性时，就仅局限于某些地区。由于对外开放更加注重对外联系，珠三角沿海地区就成为少有的受惠地区之一，反而减弱了其与内地非珠三角地区的经济联系，非珠三角地区因此迟迟未能融入开放格局中来。在经典的案例中，现在多数分析认为，尽管当时深圳名不见经传，但由于深圳毗邻香港，因此拔得了改革开放实验田的头筹。上节已经述及，尽管深圳和珠海同时成为经济特区，开始差距几乎为零，但由于深圳与世界主要城市之一——香港相邻，接收了香港大量的经济文化辐射，已经初步成为具有国际影响的区域性城市，而与珠海相邻的澳门经济规模很小，难以辐射珠海，珠海至今也未真正实现经济腾飞。

广东区域经济发展差异的第二大影响因素应为政策因素。经济政策能够直接或者间接地影响区域经济发展格局。在改革开放过程中，由于采取的是“摸着石头过河”的创新模式，经济政策在有意或者无意之中带有了一定的地区倾向性。也就是说，改革开放的许多创新性和尝试性的政策，首先在珠三角地区得以实施。例如，上个世纪70年代末80年代初，深圳、珠海和汕头率先被批准试办经济特区。尽管许多经济政策初始时不能确保其效应必定成功，但

试验性质保证了去劣存优，因此最后是这些先行地区得以施行许多富有激励性和创新性的经济政策，大大促进了这些地区的经济发展。一旦初始的某些经济政策得以实施，往后许多新政策的实施便需要前面政策或者经济实力作为基础，从而这些地区获得了优惠经济政策连贯性的好处。这种发展模式经过多年演变，已经被认为带有地区倾向性，即某些地区享受了政策而其他地区则被排除在外。在改革开放的近30年里面，珠三角地区首先获得了政策上的优惠，1980年深圳、珠海加上东部的汕头成为经济特区，1985年珠三角地区被确定为全国三大经济开放区之一，1994年广东省委决定制定建设珠三角经济区现代化的总体发展战略，加快该地区的发展。仅是到了上个世纪90年代末甚至本世纪初，广东省才逐渐调整区域发展思路，更加注重协调发展，2002年更是把区域协调发展确定为广东省经济发展的四大战略之一，全省区域协调发展进入一个新阶段。地区发展战略的变迁，实际上说明了政策的施行也具有连贯性，只有到了某一个临界点才会发生质的变化。

最后，将地理因素和政策因素结合起来，就能够很好地解释广东省各区域之间的经济发展差距。只是在这两大因素的前提下，区域经济发展中的集聚扩散等规律，进一步促成了今天的格局。珠三角地区相对非珠三角地区天然地具有地理优势，而珠三角地区内部的深圳则因为毗邻香港而相对于珠海等城市具有了得天独厚的地理优势，非珠三角地区的一些城市也因为更加临近珠三角地区而具有地理优势，上述的各种地区发展差距都不同程度的与地理因素有关。政策的安放和施行有意无意地考虑了地理因素，从而加大了地区经济发展差距。城乡发展差距，很大程度上是源于各个地区之间的发展差距。可以看出，其中既有地理等长久的稳定因素，也有政府政策等暂时的人为影响。历史发展的逻辑并没有偏离规律，只是政府政策的人为因素一定程度地改变了格局发展的方向或者速度罢了。正因如此，地理为恒久而不为人力而变，但政策是人之所为，破解区域发展不平衡，着力点仍在政府政策，为落后地区寻找经济发展动力做好支持和引导。

实际上，经济学者在总结导致地区经济发展差距的因素时，往往能列出一串长长的清单，譬如物质资本、人力资本、技术差距、地理条件、对外开放、优惠政策、发展战略、体制差异等。但是，考察的因素过多往往无法透过现象看本质，从而难以找到破解发展差距的良方。许多经济学者（如 North，1981）认为物资资本、技术效率等只是经济发展本身的表现，而不是经济发展的原因，从而也不能算作经济发展差距的原因。追随着这一观点，越来越多经济学者寻找更深层次的因素。

许多学者同意地理条件是导致地区经济发展差距的关键性因素，陆铭、陈钊（2006）认为地理因素是在中国区域经济发展中起根本性作用的因素之一。Sachs（2001）等国外学者也认为地理条件是引起国家间经济水平差距的根本性因素。尽管经济学界对于地理条件是否是引起国家间经济发展差距的根本因素存在较大争论，但是对于一国内部的地区经济发展差距，学者们大多同意地理条件起了重要作用，譬如对于中国沿海和非沿海地区的经济发展差距，研究文献都有相当统一的结论，广东省内部的地区差距可以看成是全国地区差距的一个缩影。对于地理条件是否是引致国家间经济发展差距的根本因素的争论，强调制度的经济学者通过各种方法证实制度特别是经济制度才是引致国家间经济发展差距的根本性因素（Acemoglu et al. 2001），从而否定地理因素决定论。但是非常明显的是，在一国特别是中国大陆内部，经济制度和政治制度都不存在着根本性的差别，制度因素难以解释最近几十年来的地区发展差距，尽管制度变迁论能够相当成功地解释我国最近几十年来的经济发展，即它能够较好地解释时间上的纵向差别，但它难以解释空间上的横向差别。当前广东省发展较快的珠江三角洲地区很大程度上是通过实施对外开放达到今天的经济成就的。地理条件是有利于对外开放的关键因素。但是，地理条件对地区发展差距的影响并不仅限于此。譬如，许多学者认为社会文化、商业氛围等社会资本因素也很重要，我们并不否定这一点，甚至认为这个观点同样适合于解释广东省地区经济发展差距。但是如果看得更深更远一点就会发

现，它们很大程度上由地理条件因素决定了。正如前面所言，珠三角地区的肥沃土地和良好交通条件，利于发展经济和进行贸易，从而使得它在历史上具有较好的商业文化，人们的文化水平也相对高，加上近代对外交流加强，华侨华人联系也大多集中在广东沿海地区而不是山区地区。

除了强调地理条件的重要作用外，我们强调的另外一个因素就是政策。对外开放实际上是1978年以来对广东省影响最大的一项政策。发展战略也是一种政策，它属于宏观层面的政策，指导更加微观层次的政策制定和实行。广东近30年实行了外向型发展和城市优先型发展的发展战略，无疑是有利于沿海城市和珠三角地区城市的先行发展，这与我国的经验观察并无二致。如果进行更进一步的观察，就不难发现发达地区和落后地区在体制方面也存在差别，譬如发达地区的市场化水平较高，政府运作和管理水平较高，这些因素都会导致和拉大地区之间的经济差距。然而，这些差别往往是在改革过程中出现和拉大的，也就是说这些差距是内生的。政府给予各个地区的不同的优惠政策，会使得这些地区的体制逐渐出现质量上的差别，这是因为中国改革开放很多的体制细节是源着“摸着石头过河”的尝试理念建立起来，而政策允许就是这些尝试得以进行的基础，没有政策允许就难以衍生出能够促进经济发展的良好体制，这种体制差别会导致各个地区自生发展能力发生分异，也就是说落后地区不是没有愿望去加快经济发展，而是它们没有积累起发展经济的良好能力。

四、科学发展观催生协调发展

近年来，广东省委、省政府采取了多种措施、落实了多项政策，大力促进地区之间的协调共同发展。先行一步的广东，在解决区域发展不平衡、拉动欠发达地区经济增长方面也做到了先行一步。在贯彻落实科学发展观与构建和谐广东实践中，广东省委、省政府紧紧抓住了统筹区域、城乡发展这一关键环节，广东区域、城

乡经济发展差距扩大的趋势开始有所缓解。2006年，广东省山区地带和东翼地带规模以上工业增加值的增幅，已高于全省平均水平；山区地带、粤东、粤西投资增幅和财政一般预算收入增幅均高于珠三角，区域间经济社会发展差距扩大的趋势得到遏制，统筹区域协调发展取得显著进展。区域发展的协调性明显增强。“十五”期间以来特别是近两年来，各区域经济发展普遍提速，东西两翼和山区增长势头增强，与全省的发展速度差距进一步缩小。

从上个世纪末90年代后期开始，广东省委、省政府越来越关注全省区域发展不平衡的问题，并开始在发展战略上进行调整。2002年，广东省第九次党代会把区域协调发展确定为广东省经济发展的四大战略之一，并将加快东西两翼和粤北山区发展作为实施区域协调发展战略的工作重点。

广东省委、省政府近年来先后制定了《关于加快山区发展的决定》、《关于加快县域经济发展的决定》、《关于统筹城乡发展加快农村“三化”建设的决定》、《关于我省山区及东西两翼与珠江三角洲联手推进产业转移的意见（试行）》、《关于促进粤东地区加快经济社会发展的若干意见》、《广东省东西北振兴计划（2006—2010）》等文件，推行了一系列扶持山区和东西两翼经济社会发展的优惠措施，加强了珠三角与山区及东西两翼的经济合作，努力实现优势互补、共同发展，使东西两翼和粤北山区发展摆脱了“低迷”发展时期，进入快速增长的“轨道”。例如，2007年8月广东省政府正式公布《广东省东西北振兴计划（2006—2010）》。根据这一计划，广东省将在项目立项和布局、资金方面实行倾斜政策，支持广东省内东西北欠发达地区重大基础设施和重点项目建设，规划建设九大工程415个重点项目，估算总投资8356亿元，其中“十一五”期间投资约5750亿元。纳入《广东省东西北振兴计划（2006—2010）》的范围包括广东省东西两翼和北部山区。其中，东翼地区包括汕头、揭阳、潮州、汕尾4市；西翼地区包括湛江、茂名、阳江3市；北部山区包括韶关、河源、梅州、清远、云浮5市以及惠州市的龙门、肇庆市的广宁、德庆、封开、怀集5个山区

县。共有土地面积13.8万平方公里，占广东全省的76.8%。

在加快东西两翼和粤北山区发展、协调区域经济的措施中，“产业转移园区”尤为引人注目。2004年六七月间，省长黄华华在东莞、韶关和清远等地调研时，创造性地提出了用“产业转移园区”的办法解决招商引资问题的设想，提出了“产业转移开发”的思路。2005年3月，省政府制定出台了《关于我省山区及东西两翼与珠江三角洲联手推进产业转移的意见（试行）》，正式拉开了广东省产业转移工业园建设的序幕。2005年8月，省经贸委下发《广东省产业转移工业园认定办法》，随后下发《关于贯彻实施广东省产业转移工业园认定办法有关问题的通知》，环保和国土部门相继出台了环境保护和用地等政策意见，依法依规，有效推进产业转移工业园的工作。到目前为止，经省政府批准，广东已有11个山区及东西两翼地级市与广州、深圳、佛山、东莞、中山等5个珠三角城市建立了24个省级产业转移工业园区。据官方测算，这些省级产业转移工业园区如果按规划全部建成投产后，年产值可达2600亿元，这相当于2005年广东山区和东西两翼14个市（包括肇庆、惠州市）规模以上工业的42.7%。[①] 产业转移工业园有望成为山区及东西两翼经济腾飞的新载体。

珠三角各市抓住产业优化升级的时机，大力发展高新技术产业和现代服务业，加快传统产业转移步伐，既增强了自身发展后劲，又为非珠三角地区提供了承接转移产业的机遇。珠三角发展步伐稳中趋快，各市生产总值在高位保持了快速增长的势头。如广州市2006年GDP达到6068.41亿元，按可比价格计算，比上年增长14.7%；深圳市2006年本地生产总值5684.39亿元，比上年增长15.0%，两个中心城市的GDP增长仍高于全省的平均水平。佛山和东莞两市GDP增长也十分迅速，分别比上年增长19.3%和19.0%。珠三角各市产业结构逐步调整优化，第二、三产业增长较快，都保持了两位数的增长速度，产业高级化和适度重型化趋势十

① 《广东酝酿超大规模产业转移园区》，《第一财经日报》2008年6月11日。

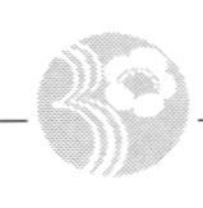

分明显。

在区域发展协调战略中，发展县域经济是广东省采取的一项重要措施。黄华华指出，广东省与江苏、浙江、山东相比的最大差距就是县域经济。[①] 近几年来，广东省委、省政府将加快县域经济发展作为实现区域协调发展的突破口，采取了一系列重大措施推动县域经济发展，增强了县域经济发展活力，县域经济的“短板”得到拉长。2006年，全省67个县（市）GDP达4664.47亿元，比上年增长15%，高于全省的平均增长速度；规模以上工业增加值1001亿元，比上年增长27.5%，比全省平均水平高9.2个百分点。[②]

随着各项政策的不断落实和东西两翼以及山区各市自身内生发展能力的强化，这些曾经落后的地区将逐步进入跨越发展的快车道，从而使全省的协调发展成为不可逆转的潮流，实现全省的和谐繁荣。

五、我们做了什么，我们还需要做什么？

面对广东省地区之间的经济发展差距，广东省已经把区域协调发展作为全省四大发展战略之一，采取了一系列的举措。从目前来看，这些举措大多与经济建设直接相关，譬如项目投资、产业转移、县域经济发展等政策，都从促进经济发展的角度入手。毫无疑问，这些举措能够增加落后地区的物质资本和基础设施水平，增强发展动力。

我们可以遵循经济发展差距的原因探析部分的分析，对此进行进一步解读。在原因部分我们将地理条件放在了第一位，所以区域协调发展应该重视改善落后地区的地理条件。尽管地理条件是客观的，但是经济学家公认交通基础设施建设能够有力地促进地区经济

① 《思想大解放推动大发展》，《南方日报》2008年3月3日。

② 白国强：《区域协调发展喜现“拐点”》，《南方日报》2007年5月18日。

发展 Aschauer（1989a，1989b，1989c，1993），交通基础设施的完善可以改善一个地区的相对地理位置优势。在针对中国的研究中，Démurger（2000）试图发现基础设施对中国日益扩大的地区差距的显著解释力。正如作者所指出的，中国地域宽广，由于区位和资源禀赋上的差别，即便是同样的政府发展政策也会带来极为不同的回报，因而，地区之间出现一定程度的差距是很自然的。为了弥补这些客观差异，基础设施对于帮助内陆地区接受沿海地区的辐射就显得极为重要。这一逻辑放在广东省同样成立，一个内地城市通过建设高速铁路和公路，可以缩短与沿海地区和发达城市之间的距离，扩大开放水平。在支持广东东西北欠发达地区重大基础设施和重点项目建设中，包括了多个铁路和高速公路的建设项目，可以说政府这方面的政策做对了。交通基础设施很大程度上是一种公共品，政府应该在提供公共品上采取作为。政府在使用财政资金时热衷于投资交通基础设施的一个重要原因就是政府在此方面具有信息优势和动员优势，并且这种投资简单易行。张军等（2007）分析了中国改革开放后为何能够在基础设施建设方面取得巨大成就，他们认为中央以经济绩效为中心的地方官员考核机制激励了地方政府在基础设施方面积极作为。此类分析是建立在政府分权框架基础上的，众多学者讨论了中国的地方分权的收益和成本（王永钦等，2007；周黎安，2007）。我们现在分析的情况与全国层面分析的情况既有相似之处也有不同之处。在过去很长一段时期内，广东省经济快速发展可以通过大力发展珠三角地区的经济来实现，此时广东省投资建设非珠三角地区的交通基础设施建设的动力就会不足，因为这些投资不能带来明显的经济增长，相反投资于珠三角地区的交通基础设施能更明显地促进经济增长。非珠三角地区各市即使有投资建设良好的交通基础设施的美好愿望，也不一定能够实现，因为这涉及多个城市的协调，需要省级政府的大力支持。随着经济发展结构转型，区域发展不平衡开始制约全省发展，省级政府投资落后地区的交通基础设施的动力就会增强，因为这可以加大全省发展的腹地，赢得产业转型的空间。由于有了省级政府的牵头，各市级政府的积

极性也会被调动起来，从而形成一个良好的互动，基础设施改善能够在短期内取得成效。交通基础设施改善，能够促进人力、物力等要素资源的流动，为落后地区加快发展创造地理条件。简单而言，这是一种运用政策来改善地区地理条件的做法。

广东省当前采取的诸如产业园转移、促进县域经济发展等政策措施，都是经济领域的政策。以经济政策促进经济发展，能够最快地发挥作用。同时，我们应该更加关注这些政策后面的丰富内涵。首先，这种产业转移和对接，体现了不同发展水平地区之间对自身比较优势的最优利用。经过20多年的发展，珠三角地区的比较优势开始发生转变，原有的劳动力低廉、土地资源充裕等成本优势明显减弱甚至消失，代之而起的是资本充足、信息发达和管理经验丰富等更高层次的比较优势。比较优势的升级，客观上要求产业结构随之进行升级。而产业升级很大程度上要将原有的产业转移出去，为符合新比较优势的产业发展赢得空间和资源。而非珠三角地区当前拥有的比较优势正是体现在劳动力低廉、土地资源充裕等方面，这种比较优势的对接，符合两大区域的产业发展要求，也符合经济发展的客观规律。此外，产业园转移，不仅仅是山区和东西两翼地级市承接了珠三角地级市所转移的产业，同时也是山区和东西两翼地级市和珠三角地级市开展经济合作的积极表现。通过两个城市之间的互动，山区和东西两翼地级市能够学习和借鉴到珠三角地级市所拥有的先进管理经验和发展理念，这些观念层次上的财富对落后地区的长远发展更有价值。这种理念的进步能够刺激落后地区进行创新、完善现行体制，从而增强自身发展的内生能力。

在帮助落后地区培养良好的自生发展能力上，省级政府帮助落后地区改善政府治理水平。杨其静和聂辉华（2008）认为中国的官僚体系具有精细的网络而且扩展到社会的各个层级，并且展示出很高的纪律性。我们同意杨其静的观点，但是中国官僚体系的精密性与各个地区的政府管理水平存有差异并不矛盾，实际上不同地区政府推动经济增长的能力是不同的。政府管理水平高低具有内生性，它也是引起经济差距的原因之一。也就是说，一个地区经济的

发展必然要求地方政府更新治理理念、治理手段，提高治理能力。从广东地方政府的实际情况来看，经济发展得较好的地方，其地方政府治理能力一般经历了相对良性的提高。广东“四小虎”的东莞、南海、顺德和中山就是鲜明的例子。Oi（1995）认为对中国而言，问题并非在于官僚体系是否有能力推动经济增长，而在于是否有恰当的激励机制来实现它。他的观点固然没错，但是如果使得官僚体系中推动经济增长的能力提高的话，适当激励所引致的效果会更加令人满意。地方政府如果能够顺应经济发展的要求，适时调整治理方式，提高管理水平，将有利于促进地方经济的发展。徐现祥等（2007）和张军等（2007）在省级层面上发现了省委书记省长跨地交流能够促进流入地的经济增长，尽管还没有直接证据表明沿海到内地的官员交流促进流入地经济增长，但从近年来中央有意实施的此类交流可以看出，这种做法会给内地带来发展理念等方面的提升。这一逻辑对于处于沿海地区的广东省也不例外，珠三角地区城市的官员交流到其他城市，或者非珠三角地区城市官员到珠三角地区锻炼任职，都会提升非珠三角地区城市的政府管理水平。在经济发展仍然需要政府通过发展战略和相关政策引导的情况下，政府管理水平提升必然能够促进当地经济发展。政府能力提升，则能够更好地为企业家、资本所有者、劳动者、技术提供者等市场主体提供一个良好的市场环境。当前经济学界（Li 和 Zhou，2005；周黎安，2007）流行的观点是中国实行的“政绩观”考核，有力地激发了地方官员发展经济。顺着这一思路，如果上级政府在考核地方官员的时候，适当地向落后地区的官员倾斜，则能起到协调地方经济发展的作用。

政府另外一个协调地方经济发展的有力工具是财政工具。由于经济发展水平存在差异，发达地区和落后地区的人均财政收入不可避免地存在差距，但是它们都承担着许多与本地居民相关的财政支出，譬如教育、医疗等等。Amartya Sen（1992）认为拥有通过某种经济手段来取得自身生存的能力对于个人至关重要，要达到这一点则需要个人拥有良好的人力资本，这包括身心健康以及适当的受教

育水平等等。这些个人能力差异，在地区层面上的表现不能忽视，譬如珠三角地区和城镇地区，往往拥有更高的升学率，这在大学升学率方面表现尤为明显。总体来说就是与珠三角经济区相比，东西两翼和山区经济发展“腿短”，社会发展更是“腿短”。人均受教育年限，每万人中大学生、科技人员、卫生人员的比例，每万人的医院床位数，以及文化设施，尤其是教育、医疗等基本公共服务，欠发达地区落后程度明显。这些差距，显示出落后地区在长远经济发展内生能力上的相对欠缺，制约了落后地区对先进地区的追赶和趋同。许多学者（张晏、龚六堂，2004；沈坤荣、付文林，2005）考察了中国地区层面的财政差异状况，认为要努力完善均等化转移支付制度，使各级政府都能够根据财政转移支付的政策目标，加强对落后地区财政转移支付的力度，使一些落后地区政府可控财政资源能够切实得到提高，从而提高其进行社会管理和公共服务的能力。一个有大局观和有远见性的上级政府，应该能够正视不同地区之间在教育、医疗、金融等方面的差距，通过适当的财政手段，支持落后地区的教育、医疗、社会保障等众多方面，培育落后地区的自生发展能力。广东省从村卫生站建设和提高合作医疗水平入手，破解农村卫生难题。2004—2007 年的 4 年里，省级财政投入农村卫生专项资金 6.3 亿元，使卫生基础设施得到很大的改善；从 2006 年起省级财政每年新增投入 1.6 亿元，对欠发达地区的村卫生站每年补贴 1 万元。全省各级通过财政补助支持农民参加新型合作医疗，参加农民已达 3000 多万人，覆盖到所有的县、镇和 96% 的行政村。为推行义务教育，广东省已经全面免除农村中小学学生的学杂费，而这得以于财政资金支持；2007 年 9 月新学年开始后，全省农村得以免除课本费，惠及 1000 多万农村学生。① 由于地区之间的财政实力存在较大差异，我们必须进一步完善财税体制尤其是转移支付制度，使其发挥更大作用。具体来说要按照依法理财、科学

① 《广东平衡协调发展：争做又好又快发展排头兵》，《南方日报》2007 年 5 月 4 日。

理财、为民理财、民主理财的要求，坚持激励与帮扶并举，全面推进公共财政体制建设，优化财政支出结构，不断加大对欠发达地区、市县基层、“三农”、民生和社会事业的薄弱环节的支持和投入，为区域协调发展提供财力保障。[①] 政府对落后地区给予更多的支持，能够显示出政府促进落后地区发展的承诺，而这种承诺能够促进经济资源流向落后地区，增强落后地区的经济活力。

以上分析可能仍不全面，但是可以肯定的是，政府在协调地区经济发展的过程中能够发挥更大更积极的作用。

六、小　结

在实现区域协调发展上，广东要自觉实践科学发展观，在加快发展中走出一条科学发展的新路子，实现又好又快的发展。尽管区域协调发展初显成效，但是广东仍有很长的路要走，下面给出一些指导性建议。

要有全局观念，统筹谋划、科学推进全省区域协调发展。要以党委和政府牵头做好基础性的区域发展规划工作，优化区域发展的布局。具体要做到考虑不同区域的资源环境承受能力、现有开发密度和发展潜力，打破行政界限谋划区域发展。

既要以党和政府为主导，做好区域协调发展的引导性工作，加大公共财政对落后地区发展的帮助力度，发挥财政转移支付的作用，又要积极动员各种经济活动主体参与其中。即政府谋求区域协调发展必须顺应市场经济运行规律，通过灵活合理的手段和措施激励市场经济主体主动地做有利于区域平衡发展的事情，从而实现社会福利的最大化。

在发展经济的同时，要注重保护生态环境，经济发展与环保要双赢，落后地区加快发展绝不能以牺牲生态环境为代价。在统筹全

① 资料来源：《统筹区域发展，实现共同富裕——近年来我省区域协调发展情况》，广东省发改委区域经济处，2008 年 1 月 19 日。

省区域发展时，必须兼顾整体利益和长远利益，加强区域生态环境联合治理，共同保护生态环境和自然资源。在进行产业的地区转移时，不能把污染严重的企业转移到落后地区。生态往往是许多落后地区的一种优势资源，落后地区应该好好运用，使其发挥实际的经济效益。这既能加快本地经济发展，也能避免重蹈少数发达地区那样发展了经济但生态环境受到了损害的覆辙。

区域协调发展既要重视优势互补，又要根据不同地区情况侧重不同方面的发展。一方面，欠发达地区拥有土地、环境、劳动力等优势，而珠三角地区则拥有产业、项目、资金和经验等优势，双方可以通过合作，利用各自比较优势，实现优势互补，取得双赢。另一方面，珠三角地区应将重点放在加快产业和城市升级上，提升珠三角的创新能力和城市化程度。积极推进珠三角地区基础设施共建共享，加大文化、教育、卫生等资源整合。着力提高自主创新能力，大力发展先进制造业和现代服务业，鼓励发展具有国际竞争力的大企业集团。强化广州、深圳中心城市的辐射带动能力，推动经济特区发展再上新台阶。其他地区应重点发展和壮大县域经济，加快县城、中心镇和专业镇建设，大力发展县域特色经济和优势产业。

在运用财政手段对落后地区进行发展扶持时，既要重视投资建设必要的生产生活基础硬件设施，又要大力发展当地的科教文卫事业，增强当地长远发展的内生能力，切实改善民生。必须进一步调整优化财政支出结构，逐步减少一般性和竞争性领域的直接投入，加大对教育、医疗、社保、就业等公共产品和服务的投入。特别是要优先发展教育，加强公共资源配置向东西两翼和山区倾斜的力度，逐步促进义务教育均衡发展。

最后，统筹区域发展，要做到软硬并举。既要积极改善欠发达地区的基础设施条件，发展当地经济，又要有意识地提升当地民众的发展理念，提高当地政府的公共管理能力。加强干部培训和交流，切实增强欠发达地区和基层政府行政管理和公共服务能力。形成发达地区带动欠发达地区的良性互动发展局面，培养欠发达地区

民众主动发展经济的意识，使得协调发展深入民心，成为一种自发性的市场活动。

2008 年 3 月 7 日，温家宝总理在参加十一届全国人大一次会议广东代表团的审议时指出：广东是我国改革开放的先行地区和前沿阵地。30 年来，广东改革开放和经济社会发展取得了巨大成就，创造了宝贵经验。在新的形势下，广东要以思想的解放激发创造力的释放、以观念的更新促进工作的创新，更加自觉地把继续解放思想落实到深化改革开放、推动科学发展和促进社会和谐上来，在改革开放和现代化建设中继续走在全国前列。毋庸置疑，区域协调发展是科学发展与社会和谐的重要体现，广东必将在区域协调发展上做好文章，惠民富民，在全国范围内做好模范先兵带头作用。

重要事件：1978—2008

- 1980 年 8 月 26 日，第五届全国人大常委会第十五次会议批准了国务院提出的《中华人民共和国广东省经济特区条例》，正式宣布在深圳、珠海、汕头划出一定区域设置经济特区。从此，经济特区通过国家立法程序正式诞生。深圳、珠海和汕头成为广东省对外开放的开拓者。
- 1984 年 5 月，中共中央和国务院决定，进一步开放天津、上海、大连、秦皇岛、烟台、青岛、连云港、南通、宁波、温州、福州、广州、湛江和北海 14 个沿海港口城市。广东省的广州与湛江榜上有名。
- 1985 年，珠江三角洲、长江三角洲和闽南三角地区又被确定为经济开放区，广东省的珠江三角洲榜上有名，在全省经济发展中取得先行政策优势。
- 1994 年 7 月，当时的广东省委书记谢非在省委工作会议上提出，珠江三角洲地区要成为广东首先实现现代化的一个大经济区。同年 10 月，中共广东省委七届三次全会决定制定建设珠江三角洲经济区现代化的整体发展战略。次年，省政府有关部门分别

出台《珠江三角洲经济区现代化建设规划纲要》（初稿）和《珠江三角洲经济区城市群规划》。

- 2002年，广东省第九次党代会把区域协调发展确定为广东省经济发展的四大战略之一，并将加快东西两翼和粤北山区发展作为实施区域协调发展战略的工作重点。
- 2007年8月广东省政府正式公布《广东省东西北振兴计划(2006—2010)》。

第九章
资源、环境与可持续发展

畅游珠江

2006年7月12日下午，中山大学北门码头，开阔的珠江广州段江面顿时人头涌动，五颜六色的泳衣、泳帽把江面装扮得色彩斑斓，加油声、喝彩声此起彼伏。这里正在举行横渡珠江活动。共有3500广州市民参加横渡珠江活动，其中既有逾花甲之年的长者，也有年仅7岁的幼童，场面十分壮观。省长黄华华、广州市委书记林树森、市长张广宁率先下水引带队伍。

珠江广东段见证了广州的发展历史。新中国成立后，广州几乎每年都会举行横渡珠江活动。1958年4月30日，毛泽东视察广州东圃棠下大队，下午3时多，在黄埔冶炼厂码头，下水畅游了一番。1958年8月19日，广州市体委发动万人横渡珠江，游程从划船俱乐部至二沙头体育俱乐部，参与者有解放军、工人、农民、机关干部、教授、学生和家庭妇女等，共计10000多人。1964年8月23、24日两天，广州举行有史以来规模最大的横渡珠江活动，两天参加渡江的共有20048人，其中，最小的“过江龙”，是当时年7岁的朱辉。1976年7月16日，为纪念毛主席畅游长江10周年，广州地区1.5万军民畅游珠江。

改革开放以后，珠江广州段污染日益见长，广州没有再组织过全市性的畅游活动。只有“全国游泳之乡”之称的荔湾区，在1983—1990年，每年在夏天组织畅游珠江活动，但景象已大不

如前。

2006年横渡珠江活动，显示了南粤人民对母亲河的感情，更展示了广东决策者治理污染的决心和取得阶段性的成效，展示了他们对经济发展带来的资源环境瓶颈问题高度重视。

一、引　言

改革开放的初期，“三来一补”和三资企业在特区乃至广东蓬勃发展起来，成为广东工业经济起飞和的改革开放的助推器。广东充分利用较为宽松的宏观环境，抓住港澳台和西方发达国家产业结构转移的机遇，顺应以各种现代家电为特征的吃穿用消费性需求热潮，主要采用“前店后厂”的发展方式大力发展轻工业产品，加强与港澳台的合作，外引内联，开拓了海内外市场。珠江河口地区经济进入了快速增长轨道，经济实力大大增强。产业结构以小五金、轻工、纺织、食品、饮料、电子、电器、机械和建筑材料为主。

1992年春天，邓小平视察深圳、珠海等地，并发表重要谈话，使广东经济发展进入了又一个新的阶段。这一阶段有两大特点，一是世界著名的跨国公司纷纷进入广东进行投资和开发。它们的进入，促进技术更新，推动产品上档次和产业升级，为珠江河口地区发展注入了新鲜血液。二是民营企业的发展。工业因此实现了从以劳动密集型、轻纺加工型为特征进入了以资金技术密集型产业为主的工业化中后期阶段。

从1980年至2004年，广东省GDP翻了4.5番，人均GDP翻了3.9番。全省生产总值达到16039.46亿元，占全国总量的1/9。财税总收入占全国的1/7，外贸进出口总额占全国的1/3。广东经济在全国稳居全国首位。

从产业结构变动趋势分析看，全省形成了电子信息、电气机械、石油化工、食品饮料、纺织服装、建筑材料、森工造纸、医

药、汽车等九大支柱工业，总体呈现产业结构提升的特点。产业结构得到优化：三大产业结构呈现第一产业比重下降，第三产业比重上升的发展趋势，第二产业比重保持在50%左右，电子、电气机械、石化三大新兴产业所占比重为47.58%，食品饮料、纺织服装、建材三大传统产业的比重为20.5%，森工造纸、医药、汽车三大潜力产业的比重为7.20%，其中汽车制造业发展势头强劲，比重为2.98%。

30年来广东的发展，实质是以大规模使用机器为基础的现代化经济增长为特征。在这种经济下，生产能力的发展使广东的富裕程度达到了过去从来就不敢想象的程度。这也使改革开放的30年成了一个追求经济发展的30年，以传统工业化国家为榜样来改造和发展自己的经济。但是高速的经济增长以巨大的资源消耗和环境污染为代价。这些迫使人们关注现代化的经济增长在消耗资源和污染环境上的有害后果，研究如何解决人类所面临的资源和环境问题，使目前的经济增长变为可持续发展。

二、发展遭遇资源环境瓶颈

在30年经济发展取得举世瞩目成就的同时，广东省不能回避的现实是，多年的持续高速增长在很大程度上是靠大量投资和消耗物质资源来实现的，即经济增长方式十分粗放，突出表现为“三高一低”，即“高投入、高消耗、高污染、低效益”。

2005年6月14日，广东省用电最高负荷突破4000万kW，达到4080万kW，比2004年历史最高用电负荷增长110万kW，再创历史新高。从1980年至2004年，全省能源消费总量由1566万吨标煤增至15090万吨标煤，约翻3番多，比全国同期高出4倍以上。

能源消耗只是其中的一个缩影。根据统计，从1980年至2004年全省GDP翻4.5番，人均GDP翻了3.9番，是以投资翻7.5番，能源消费翻3番多，环境污染与经济同步翻番的代价取得的。在这

一期间，广东每增加一亿元GDP所需要的投入不断上升，1980—1990年为1.6亿元，1991—2000年为2.6亿元，2001—2003年为3.3亿元。资本形成占GDP的比重远远高于美国、德国、法国甚至印度等国。按上世纪末的测算，GDP每增加100亿元耗用约4074公顷耕地。

资源环境与发展的冲突集中体现在以下几方面：

土地资源的人地矛盾突出。广东全省陆地面积17.8万平方公里，其中山地、丘陵、台地分别占21%、41%、13%，适宜生产、生活的土地资源并不丰富。由于建设用地的不断增加，目前人均可耕地面积不足全国平均水平的1/3。按改革开放前20年的发展方式，要实现2020年比2000年翻两番的目标，还需要再用一个珠江三角洲那么大的土地。

在经济发达的珠江河口地区，土地面积546.73万hm^2，目前大部分土地均得到了不同程度的利用。1996—2002年，建设用地面积增加最多的为东莞和佛山，6年间分别增加2.93万hm^2和2.68万hm^2：从耕地看，2002年耕地面积为85.2万hm^2，比1996年减少15.65万hm^2；2002年人均耕地面积仅0.0033hm^2，仅约为广东省人均耕地面积0.03067hm^2的1/10。

根据预测，到2010年、2020年，广东人口占全国比重将由目前的6.8%增加到7.4%和7.9%，人均耕地面积将由2002年的0.036ha/人减少到2010年的0.028ha/人和2020年的0.020ha/人，远远低于0.045ha/人的国际警戒线水平。

环境污染不断加剧。高消耗带来的后果是高排放，高排放导致环境污染严重。2003年，全省二氧化硫的排放达到107.5万吨，超过国家下达的排放指标；万元GDP废水排放量为40.2吨，超过江苏20%、浙江40%。根据广东省环境状况公报显示（2002），全省酸雨频率达54.5%，酸雨污染较重的城市中，位于珠江河口地区的广州、深圳、佛山、江门、佛山名列其中，逐步形成以广州、佛山为中心的酸雨高发地带；水质很差、属劣Ⅴ类的有南山河、龙岗河、坪山河、佛山水道、东莞运河、深圳河等，占17.5%，氮、

石油类、耗氧有机物普遍显著超标。珠江河口因溶解氧、氨氮超标，属Ⅳ类水质。珠江口富营养化严重，赤潮发生次数增加，海洋事故时有发生，经济和生态损失严重。近岸海域功能区水质监测显示，超标的有广州、中山、东莞和深圳共4个市段，均属超四类水质。

由于环境污染，广东饮用水源安全受到严重威胁。水污染造成水质性缺水成为广东水资源供需平衡的主要矛盾。

资源对外依存度极高。资料显示，广东铝、铜原材料主要靠外调和进口；煤炭、木材约95%靠调入；钢材72%、原油62.5%靠外调和进口。能源供需矛盾突出，能源自给率不足10%。能源效率只有34%，低于发达国家10个百分点。发展和经济安全受到资源过度依赖国际市场的威胁和挑战。

粗放型的增长方式，造成了一方面是高速增长的经济对资源的“渴求”，另一方面是资源不足和资源利用率较低的现状，使得宏观经济运行中资源约束的矛盾更加突出。在相当长一个时期，广东能源利用率低下。能源电力利用效率远低于世界先进水平。2003年，广东省万元产值能耗是日本的6.2倍，美国的2.3倍，英国的3.2倍，德国的4.4倍，法国的3.9倍，经合组织（OECD）国家平均水平的3倍，世界平均水平的2.2倍。单位产值的能耗高是全省经济发展过程中存在的主要问题之一。

粗放型的经济增长方式使广东资源环境的承受能力变得越来越脆弱，资源约束矛盾日益突出，环境压力很大，资源与环境成为制约广东总体竞争力提升和区域可持续发展的“瓶颈”。

三、社会觉醒

直到上世纪90年代，由高增长带来的高能耗、高污染，被认为是经济发展应该付出的代价和成本。

当一片片桑基鱼塘被厂房覆盖时，蓦然回首，人们发现珠江三角洲这块最先承载富裕梦想的热土，原本可以掬水而啜的一条条小溪流变黑变臭了。

环境污染越来越成为民众的公敌。位于东莞市长安镇的福安纺织印染公司，在地下偷埋暗管，日偷排印染废水达2万多吨。当地群众不但举报了该公司的偷排事件，而且在举报信中还画图指明了暗管的具体位置，执法人员从而一举查获了该公司设置了两年的两条暗管，并依法发出总额1155万元的排污费追缴单。

在一些环境案件中，群众还挺身而出，成为政府部门现场查处的领路人。深圳红光阳真空公司利用精心设计的活动变换管道，深夜偷排污水，举报人陪同执法人员一起埋伏、一起翻过围墙，在偷排企业来不及变换管道的情况下赶到了现场。

广东省环保局设立环境保护监督员制度，珠江三角洲各市均设有污染事件有奖举报制度，而且处理率在96%以上。还与电台联办“民声热线”，大大小小的环境问题正在成为社会关注、投诉的热点，群众提供线索、协助破案的热情高涨。

为解决偷放偷排、敷衍检查等弊端，广东对全省重点污染源开展在线实时检测，公布了95家省控重点污染源排污情况。2004年，重点污染源排放达标率由去年同期的68%上升到72.7%。越来越多的火电机组安装烟气脱硫设施，大力发展核电、风电、液化天然气，使煤、石油在能源供给中的比重逐步下降。

2006年因违规排放镉废水酿成特大污染事件的韶关市冶炼厂，政府责令其对全厂的污染处理系统进行升级改造。

如果说，环境污染是市民可以切身感受的，一个假定的统计，更让广东人惊醒：如果按照以前的增长方式在2000年的基础上实现人均GDP再翻两番，仅消耗土地量就至少相当于深圳、珠海、东莞三市面积的总和，这显然是难以为继的。

四、整治环境污染

广东的环境保护事业大致以1995年为界，经历了两个阶段：1995年以前的觉醒、起步阶段，主要执行国家的有关法律法规，

环境队伍十分薄弱，经常处于被动状态；1995 以后的快速发展阶段。

进入“九五”以后，广东启动一批重大环境治理工程，并逐步形成了具有广东特色的地方性环保法规体系框架。1998 年 11 月 27 日，省人大常委会通过颁布《广东省珠江三角洲水质保护条例》和《广东省机动车排气污染防治条例》。“十五”之后，省人大先后颁布和修订了《广东省韩江流域水质保护条例》、《广东省城市垃圾管理条例》、《广东省东江水质保护条例》、《广东省环境保护条例》、《广东省固体废物污染防治条例》、《广东省跨行政区域河流交接断面水质保护管理条例》等地方性法规，使广东省环境立法工作在全国处于领先地位。

珠海先后获得“全国园林城市”、“全国环境综合治理优秀城市”、“全国环境保护模范城市”等称号，1998 年获得了联合国人居中心颁发的“国际改善居住环境最佳范例奖”。中山市近年来获得“全国园林城市”、“全国造林绿化十佳城市”等称号，1997 年获得了联合国颁发的“人居奖”。在 2000 年国际“花园城市”评比中，深圳市成为我国第一座获得国际“花园城市”称号的城市。

（一）珠江三角洲环境保护规划

2003 年 3 月，一场广东历史上规格最高、规模最大、历时最长的编制《珠江三角洲环境保护规划纲要》环境调研活动拉开了帷幕。由广东省省长黄华华和国家环保总局局长解振华亲自任组长，经过中国环境规划院等单位众多著名环保专家一年多的实地调研、反复论证，形成了规划总报告及其纲要文本，并于 2004 年 9 月 24 日经广东省第十届人大常委会第十三次会议审议批准。它是我国第一个区域性环保规划立法。它的实施标志着广东省环境保护进入依法治理的新阶段。目标在于加强省内区域流域间的联防联治，建立跨行政区污染事故应急协调处理机制，协调解决了一大批跨地区重大环境问题。

《珠江三角洲环境保护规划纲要》提出“红线调控，绿线提升，蓝线建设”三大战略任务：“红线”调控，优化区域空间布局，将生态环境的敏感区域设置为红线范围，退“经济”进“环保”；“绿线”提升，引导经济持续发展，通过循环经济和生态产业，促进珠三角地区产业结构的绿色化，改变经济增长方式，减少经济发展对环境的影响；“蓝线”建设，保障环境安全，通过各种措施实现对水、大气和固体废物环境污染的防治。

专栏9-1　碧水蓝天工程

1997年6月，广东省政府在全省范围内启动实施《广东省碧水工程计划》。主要任务是完成急需治理的江河、湖泊、水库水环境的整治工程，推动影响重大的区域性水环境综合整治，逐步改善和提高水污染突出区域（河段、水系）的水环境质量；加快地级以上市城区生活污水处理厂建设，推动部分县（市）、城镇生活污水处理工程的建设；治理重点工业污染源，提高工业废水处理率和达标率；依靠科技进步，认真实施科教兴国战略，有效遏制环境污染和生态恶化。

2000年2月，继《广东省碧水工程计划》之后，广东省政府颁布实施的《广东省蓝天工程计划》，要求全省范围内严禁新建单机容量小于12.5万千瓦的燃煤、燃油机组，在珠江三角洲地区和酸雨控制区城区、近郊区不再规划布置新的燃煤、燃油电厂；对新、扩、改建燃煤含硫量大于1%或燃油超过规定的二氧化硫排放量的电厂，必须建设脱硫设施；现有使用燃料含硫量大于1%或超过二氧化硫排放总量的燃煤燃油电厂，要逐步配套脱硫设施或采用清洁燃烧技术。

“《规划》的核心就是分区控制，提前规划，而不是一味地等环境问题出现了再去搞‘末端治理’；与此同时，绝不允许村村点火，处处冒烟！”环保专家清晰地加以概括：在“红线战略”中，规划对珠三角的生态安全格局和水环境安全格局以及大气敏感区进行了科学的规划，这意味着无序的土地及其他资源开发的终结。在这里，无论是对土地、对森林、对流域河口海岸等不可再生的资源都被加以控制，任何的开发与利用，都在一个可控的有序系统当中执行。这种重新排序，将对未来的经济发展格局产生深远影响。在“绿色战略”中，归纳了未来政府将大力扶持的与资源利用相关的产业要求和指标，以关注生态为中心，对未来的农业、工业、旅游等的发展格局描绘出详尽的蓝图。至于“蓝线战略”则对水污染、

大气污染以及固体废气物的控制，提出了一系列解决方案和修根治本的详细攻略。

作为国内第一个通过立法实施的区域性环保规划，这本一寸厚的绿皮书，包含了高屋建瓴的远见和科学决策的睿智。如果说，在经济发展当中有“环保拐点”的话，人们在这部规划中，首先看到的是高层决策者们决策思维的拐点，这是在可持续发展这一盘棋中的急所之处，落下了关键一子。在一个长期粗放发展的经济环境中，许多人一直有一个重经济增长轻环境保护的思维定势，这种“一好遮百丑”的施政观念要改变，并把可持续发展的理念贯彻到各级政府当中，就需要科学的指引和衡量的指标。而这部规划，在某种意义上，就提供了系统的量化指标。更具有前瞻性的是，当围绕这些指标作出必然的决策之后，全省向可持续发展目标靠拢的发展格局，就一定形成。可以预见，当“红绿蓝”三大战略在各地方政府的区域发展过程启动之后，经济社会与环境协调的新的发展模式，就会在南粤大地上横空出世。

2006年5月，时任省委书记张德江亲自为《珠江三角洲环境保护规划》作序。他在序言中说：规划是前提，实施是关键。各级党委、政府要切实提高对环保规划重要性的认识，把贯彻实施环保规划作为落实科学发展观的实际行动，努力实现从重经济增长轻环境保护，转变为保护环境与经济增长并重；从环境保护滞后于经济发展，转变为环境保护和经济发展同步；从主要用行政办法保护环境，转变为综合运用法律、经济、技术和必要的行政办法解决环境问题。要把落实环保规划、实现环保目标纳入经济社会发展评价范围和干部政绩考核之中。

（二）综合治理珠江

进入21世纪后，人们对生产生活环境的祈求提高到一个新高度。但此时的珠江流域水质量仍然异常严峻。2001年珠江流域40个省控江段水质监测结果，劣于V类的有南山河、龙岗河、坪山河、佛山水道、东莞运河、珠江广州河段和深圳河7个江段，占

17.5%。近岸海域"赤潮"时有发生。仅60%饮用水源完全达标。珠江流经城市河段以及内河涌遭受严重有机污染，不少水体发黑发臭，严重影响与威胁饮用水源水质，水质性缺水问题尖锐。根据2001年广东省城市饮用水源水质监测统计结果，珠江沿岸14个城市中，佛山、江门、肇庆、惠州、河源、清远、东莞、中山、云浮等9个市饮用水源水质完全达标，占64.3%；广州、深圳、珠海、韶关、顺德等5个城市未完全达标，占35.7%，主要超标项目为总磷、氨氮、粪大肠菌群和耗氧有机物。

2002年，中共广东省委常委会议提出启动珠江综合整治工程。同年10月，省政府批复广东省环保局编制《广东省珠江水环境综合整治方案》，并召开全省珠江整治会议进行部署。该《方案》提出到2010年共投资445.87亿元进行珠江水环境整治工程的建设，其中包含161项污水处理项目和31项重点整治项目。《方案》并对全省175家水污染严重工业企业提出限期达标要求。

珠江综合整治工程要求，珠江要一年一小变。西江、北江、东江干流和主要支流水体质量满足相应的环境功能目标要求，部分污染严重河段水质有所改善。岐江河达到适用于一般工业用水、非直接接触的娱乐用水（Ⅳ类）；珠江广州河段、南山河、佛山水道、江门河、龙岗河、坪山河、深圳河达到适用于农业用水、一般景观用水要求（Ⅴ类）；惠州西湖、肇庆星湖达到适用于非直接接触的娱乐用水要求（Ⅳ类）；万人以上城镇开始规划建设一座以上城市生活污水处理厂；珠江三角洲网河区各城镇规划整治一条以上污染较重的河。

珠江要三年一中变。到2005年底，珠江城市河段消除黑臭。重要江河湖库、饮用水源和近岸海域水质得到有效保护，饮用水源水质满足功能要求；国控、省控江段以及跨市河流交界断面水质达标率达75%，部分流经城镇严重污染的河段水环境质量有明显改善，基本消除流经城市河段黑臭；工业废水排放达标率85%以上；城市生活污水处理率达40%以上，珠江三角洲城市达50%以上；环保投入占GDP的比例达2.5%以上。

珠江要八年一大变。到广州亚运会召开的2010年，珠三角污水处理逾70%。主要地表水和近岸海域水体环境质量达到功能目标要求，西江、北江、东江及珠江三角洲水系主干、支流水质维持良好水平；流经城市河段成为市民和游客观赏景观、景点的场所；集中饮用水源满足功能要求；国控、省控江段以及跨市河流交界断面水质达标率达80%；工业废水排放达标率达90%以上；城市生活污水处理率达60%以上，珠江三角洲和经济特区城市达70%以上；环保投入占GDP的比例达3%以上；将珠江流域水源涵养林和水土保持林建设成具有稳定生态功能的森林生态系统。

珠江综合整治工程严禁在饮用水源保护区内进行各项开发活动和排污行为，严格控制饮用水源水库搞旅游开发活动。广东珠江流域内实施污染物排放总量控制和排污许可证制度。规划要求的污染物总量控制指标，将其分解到各县、各河段和主要企业，最终落实到排污单位。各企业和各地区必须做到“增产不增污”，乃至“增产减污”。工业污染防治要依靠科技进步，治理重点工业污染源。抓好建材、化工、造纸、冶炼、制糖、食品发酵、电镀、纺织印染、制革等污染严重行业的治理，要求各地市对全省175家水污染严重企业进行限期达标，并进行重点控制。加快建设城市生活污水处理厂和配套的污水管网建设，在珠江沿岸主要城市近期和远期建设污水处理厂项目161项，总投资约为255.1041亿元，设计处理能力共1250万吨/日。

（三）环保提升广东产业竞争力

“2006年上半年，省环保局审批环节否定了26个新上高耗能、高耗水、高污染项目，占审理建设项目总数的近10%。2002—2005年，全省各级环保部门共否定了不符合环保要求和产业政策的项目7135个，占审批项目总数的2.74%”，广东省环保局信息中心钟奇振介绍，“这是按照《珠江三角洲环境保护规划纲要》要求，广东通过加强对建设项目的环境影响评价审批，鼓励发展科技含量高、能耗低、排污少的高新产业，严格限制新上高耗能、高耗

水、高污染项目”。

“十五”期间，广东全省环保投入近2000亿元，大大提高了治污能力，有效地削减了污染物排放总量。在污水处理方面，截至2005年，全省共建成污水处理厂88座，日处理能力达669万吨，居全国第一。

在火电厂脱硫方面，广东已完成烟气脱硫的火电机组装机容量达652万千瓦，居全国第一，每年可削减二氧化硫20万吨。其中，2007年上半年有6台机组共133.5万千瓦通过环保验收投入运行，每年可新增削减能力3万吨以上；另有399.5万千瓦的机组脱硫设施已建成，正在试运行。此外，还有超过1100万千瓦的火电机组正在建设烟气脱硫设施。全省先后淘汰和关闭污染重的小水泥厂和小火电厂等20类小型工业企业1600多家。2007年底，全省关闭了所有5万千瓦以下燃煤燃油小火电机组。

专栏9-2　广东省环境保护规划（2006—2020年）

在《珠江三角洲环境保护规划》调研成果的基础上，根据全省的实际和发展要求，《广东省环境保护规划纲要（2006—2020年）》于2005年9月，由广东省政府常务会议审定通过，2006年4月在广东省人大常委会审议后，由省政府印发组织实施。

该《规划纲要》的总体目标是：坚持全面、协调、可持续发展的科学发展观，构筑山区生态屏障，把粤东、粤西地区建设成广东未来快速协调发展的新跳板，把珠江三角洲地区建设成为全国具有示范意义的可持续发展城市群，促进区域协调发展，构建经济持续增长、社会和谐进步、生态环境优美、适宜居住的绿色广东。近期（2003—2010年）为布局建设期，工作是总体布局，重点建设，50%的城市达到国家环保模范城市要求，若干城市率先达到生态市建设要求。远期（2011—2020年）为维护提高期，工作重点是全面建设，维护提高，80%的城市达到国家环保模范城市要求，50%以上城市达到生态市建设要求。

该《规划纲要》战略任务是：“三区”控制（严格控制区、有限开发区和集约利用区），优化产业布局；“一线”引导，以循环经济为战略主线，引导社会经济与环境协调发展，包括推进工业生态化转型，加强农业生态化建设，大力发展生态旅游；“五域”推进，改善生态环境质量，包括系统保护和建设生态环境、综合整治水环境、强化大气污染防治、加强固体废物处理、确保核与辐射环境安全。

通过严格环保准入制度，优化了全省产业结构。广东省环保局局长李清在回答记者提问时指出，经过20多年的发展，目前珠三角产业进入优化升级阶段，无论是从增加市场竞争力还是解决环境资源瓶颈角度看，这种转移都是必然的也是必要的。过去一些污染企业的进入，造成了土地资源紧张，也带来了空气、水的污染压力。“所以，通过产业结构调整来推动环境保护，对于促进可持续发展有着重要意义”。而且，“产业转移是在国家产业政策指导下，遵循市场配置资源的规律，由当地政府根据本地环境容量和污染控制指标，进行有序、有计划地转移，不是简单地污染转移”。

进入“十一五”时期，广东省环保工作坚持经济与环境协调发展，加强分类指导，严格分区控制，强化环境法治，创新环境管理。特别是在发挥政府宏观调控职能方面，制定财政、信贷、税收等方面的优惠政策，支撑和鼓励环保产业的发展，促进环保产业的社会化、市场化和专业化。

五、新型工业化道路与可持续发展

严峻的资源环境形势使广东决策者认识到，只有从根本上改变经济增长方式，变革生活方式，更新思想观念，才能切实解决好发展过程中的资源环境“瓶颈”问题，使经济增长与资源环境的承载力相适应。作为资源禀赋较差、能源储量不足的省份，广东下决心斩向“三高”链条利器就是实施可持续发展战略，走新型工业化道路，建设资源节约型社会，发展循环经济。

1992年于广东是具有里程碑意义的一年。这年春天，邓小平视察广东特区，把广东经济发展推上一个新高潮。三资企业和民营企业的发展，共同促进了广东工业从以劳动密集型、轻纺加工型为特征进入了以资金技术密集型产业为主的阶段。

同年6月，可持续发展战略作为全球发展战略的地位得到正式确定。在巴西里约热内卢世界环境与发展大会上通过发表了《环境与发展公约宣言》、《二十一世纪议程》。与会的各国首脑一致赞

同环境与发展密切相关，确立可持续发展战略是未来人类长期发展的战略。至此，自从1987年《我们共同的未来》这份堪称人类可持续发展宣言书的著作发表以来，可持续发展理念逐渐为人们所认同，实现人口、资源、环境与经济、社会的协调与可持续发展正逐渐成为全人类共同追求的目标。

1993年，中国政府制定了《中国21世纪议程》。这是全国地区推进可持续发展战略的指南和行动纲领。1996年3月，八届全国人大四次会议审议通过的《中华人民共和国国民经济和社会发展"九五"计划和2010年远景目标纲要》明确指出，我国在未来的发展中要实现可持续发展战略。

作为改革开放的道路上先行一步的省份，广东省及时对国际可持续发展和中国可持续发展作出响应。1995年，广东省成立21世纪议程领导小组及办公室，并编制了《中国21世纪议程广东省实施方案研究报告》（广东经济出版社1997年版）。自1996年以来，全省部分地市相继成立了相应的21世纪议程领导小组及办公室，并着手编制本地市的21世纪议程，如《广州21世纪议程》（广东科技出版社1998年版）。1998年广东省委、省政府组织"增创广东发展新优势"大调研活动。其中，可持续发展是专题内容之一。调研报告《可持续发展：跨世纪广东的重大战略抉择》指出，改革开放以来，广东在可持续发展领域取得了一定的成绩，主要表现在控制人口增长，加强土地资源管理，逐步重视水资源开发利用和保护方面，在工业污染防治和城市环境建设等方面有明显进展，城镇规划管理水平和城市基础建设水平有所提高。1998年，中共广东省委把"可持续发展"列为广东省迈向21世纪的三大发展战略之一。全省从注重经济高速增长开始注意到，并逐步转向人口、资源、环境、社会和经济协调发展的轨道，国际关注的热点已经由单纯重视环境保护问题转移到了环境与发展的大课题，这是一次发展思维大转变。

进入21世纪，特别是以2003年中央提出科学发展观为标志，广东可持续发展更是进入一个新阶段。可持续发展和科学发展观成为摒

弃粗放式的发展模式，推进广东各项事业的改革和发展的核心理念。

面对新一轮国际产业结构大调整和大转移的好机会，全省把产业升级转型，特别是传统制造业基地向高附加值制造业（包括高新技术制造业）基地转变作为未来经济发展的重要动力所在，努力走出一条生产发展、生活富裕、生态良好的新型工业化道路。

专栏9-3　建设现代化新城区：广州天河区

天河区是广州的新城区。1985年成立的时候，是典型的城乡过渡带。20世纪末，广州市将天河区规划定位为“新城市中心区”。由一个城乡过渡带向现代化新城市中心区转换，天河区面对城市化进程中许多需要探索和研究的新问题。为此，天河提出建设可持续发展实验区的构想，实验的主要目标是：探索在城乡过渡带地区向城市中心区演变的过程中，如何建设可持续发展的现代化城市社区，推进城区可持续发展。1999年底，天河区省级可持续发展实验区成立。2003年4月，天河区可持续发展实验区升格为国家可持续发展实验区。

成为可持续发展实验区后，天河区迅速设立了相应的领导小组，组长由区委、区政府一把手出任，并设有专门的管理办公室，牢牢确立可持续发展在全区经济发展、社会进步、生态平衡中的战略性地位，把可持续发展纳入区委、区政府的综合决策管理，把培养和提高可持续发展综合决策能力摆到可持续发展能力建设首位，明确提出“一路三区”的具体行动方案，即“坚持走可持续发展道路”，并以“教育强区、科技兴区、环境建区”为重点领域，全面推进可持续发展战略。

天河区把可持续发展文化、生态文明形象概括为“绿色文化”。把绿色文化培养、建设作为推进可持续发展战略的基础工程来抓，重点从四个领域来构建天河的绿色文化：第一，培育绿色意识。在党政干部培训中，可持续发展理论是必修课程；在中小学教育中，实施可持续发展教育，把绿色学校建设从“形态”变化向“文化”内涵方面转变。第二，建立绿色产业。天河区建立的绿色产业，并不是具体指某一个产业，某一个项目，而是在总体上通过实施“科技兴区”战略，以技术创新带动产业转型升级，促进生产方式转变，构建天河的绿色产业体系。第三，倡导绿色行为。倡导文明行政、文明执法，倡导绿色的消费方式和生活方式。第四，建设绿色环境。实施可持续发展战略与老百姓关系最密切的一条就是人居环境。抓住人居环境建设，就可以组织公众参与“环境建区”战略，不断培育可持续发展文化。

通过可持续发展实验区建设，天河区在领导决策层已树立了可持续发展观，政府的职能得到转变，在经济总量迅速增加的同时，区域环境质量恶化趋势得到有效遏制，教育、科技实力大幅度上升。

新型工业化道路是集约型工业增长方式，也是可持续发展的工业增长模式。它包含了“能源消耗低、环境污染少、科技含量高、人力资源优势得到充分发挥、经济效益好”五个要素。资源消耗低，就是要大力提高能源、原材料的利用效率，减少资源占用与消耗；环境污染少，就是要广泛推行清洁生产、文明生产方式，发展绿色产业和环保产业，加强环境和生态保护，使经济建设与生态环境建设协调起来；科技含量高，就是要充分发挥科技进步的作用，加快先进科技成果的推广应用，提高科学技术在经济增长中的贡献率，特别要大力推进信息化，通过广泛应用信息技术带动工业化在高起点上迅速发展；人力资源优势得到充分发挥，就是要提高劳动者素质，妥善处理好工业化过程中提高生产率与扩大就业的关系，不断增加就业；经济效益好，就是要注重产品的质量，提高资金投入产出率，优化资源配置，降低生产成本。

在这五个要素中，能源消耗低、环境污染少是从根本转变经济增长方式的基本立足点；依靠发展观念的转变和科技进步，是实现经济增长方式转变的重要条件。

（一）可持续发展实验区

广东省从1991年开始推进可持续发展实验区（1997年12月以前称为社会发展综合实验区）工作。业务主管部门设在省科技厅（原科委）。当时国家科委社会发展技术司根据邓楠同志的意见，要在广东选择一个镇进行社会发展综合实验。后来广东省推荐了当时中国第一经济大镇——顺德桂洲镇。1992年6月确定桂洲镇为广东第一个国家级社会发展综合实验镇。由于当时可持续发展观念的不成熟，桂洲镇的领导并没有真正在思想上转向可持续发展轨道上，桂洲镇的社会发展综合实验并没有真正展开。这说明在当时推进可持续发展理念，还是有很多障碍的。

清溪镇是广东第一个具有比较成熟的可持续发展思想的可持续发展实验区。它在1993年开始起步，先是作为省级清溪镇的社会发展综合实验镇试点。1995年底，国务院、国家社会发展综合实

验管理办公室批准清溪镇为国家社会发展综合实验镇。

专栏9－4　后进变先进：清溪镇

清溪镇位于东莞市东南角，南接深圳布吉，面积143平方公里，其中山地占了近40平方公里。90年代初户籍人口两万九千多人。在80年代，东莞许多镇因为优越的经济地缘环境，通过改革开放迅速发动了农村工业化，并初步富裕起来了，如长安、虎门、石龙、中堂等等。但此时的东莞东南角却还是“春风不度玉门关”，清溪还是一个工业化进程未启动的落后山区小镇。

90年代初，清溪镇进入工业化起飞前夜。如何发挥后发优势，把握新的发展机遇，创新发展道路和发展模式，实现后来者居上？如何描绘清溪工业化、城市化、现代化的科学、美好的蓝图呢？这不仅需要热情和渴望，还需要理性和理论指导。当时镇委书记去了一趟新加坡，看到新加坡经济发达富足，社会和谐有序，环境优美怡人，回来就提出要把清溪镇建设成为新加坡特色的发达文明的花园式城市。他的想法代表着掌握了自己命运的当地农民的渴望、理想和追求。

这是清溪镇选为省级试点的重要原因之一。在1995年正式被国务院社会发展综合实验区管理办公室确定为国家级实验镇的同一时期，清溪镇被列为国家小城镇建设试点镇，费孝通社会发展实验研究定点镇，精神文明建设示范镇等。

清溪镇的实验在90年代得到了全面的展开。根据规划，清溪将用十至十五年时间实现三大步飞跃。第一步，把握国际、国内产业转移的新机遇，按照可持续发展要求实施新型工业化，实现国民经济工业化全面起飞，为社会全面现代化的推进奠定强大的经济基础。第二步，在推动经济起飞后，迅速把经济发展的成果转变为社会全面进步的成果，推动各项社会事业全面发展，其中要突出全面提高人口的综合素质，形成自主创新发展能力，为土地资源在可持续发展前提下开发完毕后，推动社会经济发展转向土地资源零开发基础上依靠人的高素质和自主创新的持续发展奠定新的社会文化基础。第三步，推动清溪的发展由依赖土地、资金、劳力资源和外资转向依靠持续创新能力，最终跨越工业化，走向后工业经济时代。经过后来的实践，广东省的可持续发展规划是有充分前瞻性的。

建立可持续发展试验区以后，清溪在城市建设方面，首先抓好城市规划，再招商投资建设，突破了许多同类地区先建设，后规划，先建房，后修路的问题。在产业发展方面，良好的生态环境，实施超前的城市建设，使清溪迎接了90年代国际、区际IT产业的转移，在90年代短短的几年时间中成为我国最大的电脑产品和其他IT产品生产基地。清溪走出了一条环境与经济协调发展，工业化与信息化相衔接的新型工业化、城市化道路。

可持续发展实验区把工作重心定位在协调经济与社会发展关系的二元式发展，即通过可持续发展能力建设逐步实现区域经济、资源、环境的可持续发展，主要工作领域包括资源利用、环境保护、生态建设、人口素质和生活质量提高、城镇化建设等方面。通过实验区的建设，建立起一批符合可持续发展要求，经济发达、社会稳定、环境优美、科教先进、社会文明、法制健全、人民安居乐业、经济社会发展进入良性循环的社会主义新型社区，为同类社区提供示范，为我国城镇的可持续发展探索经验。

（二）清洁生产联合行动

推行以“节能、降耗、减污、增效”为主要目的的清洁生产机制，是广东走新型工业化道路，实现经济发展和环境保护双赢的目标的重要切入点。

2001年10月22日，广东省经贸委、科技厅、环保局联合制定推行清洁生产的实施意见，并印发《广东省清洁生产联合行动实施意见》。该《意见》明确广东推行清洁生产的指导思想是：遵循发展经济与保护环境并举、经济效益与社会效益并举的原则，坚持推行清洁生产与产业结构调整相结合、与企业技术进步相结合、与资源节约综合利用相结合、与加强企业管理相结合、与企业污染物达标排放和总量控制相结合，通过政策扶持，引导企业积极采用先进的清洁生产工艺、设备和技术，提高资源利用效率，减少污染物排放，加强污染预防，实现经济效益、环境效益和社会效益相统一。具体目标包括：在“十五”期间，建立一支由企业经营者、专家和技术人员等组成的推行清洁生产的专业队伍；培植100家高标准、规范化的清洁生产示范企业；推出100个原污染严重、经治理效果明显的清洁生产典型案例；研发、推广100项以上成熟有效的清洁生产技术、产品；制定、配套清洁生产的地方性政策与法规，形成促进企业自觉实施清洁生产的有效机制。

在“十五”期间，省科技厅设立“传统产业清洁生产技术与示范工程”专项，支持造纸、食品与发酵、电镀、化工、建材、印染等广东省传统行业实施清洁生产技术攻关及示范建设。省经贸委在《国家重点行业清洁生产技术指南》和《国家重点行业清洁生

产技术导向目录》公布的清洁生产技术基础上，筛选、公布全省鼓励推广清洁生产技术工艺和示范案例，在全省进一步扩大和推行清洁生产技术和成果。引导各市、各部门在推荐、审批新项目、技改项目时，积极采用这些技术，贯彻在项目建设之中，引导企业采用先进的清洁生产技术工艺，防治工业污染，从根本上减少污染物的排放，提高资源和能源利用效率。

随着经济社会的持续快速发展，广东省资源供需矛盾和环境保护压力仍然在增大，仍然是制约广东省经济社会发展的重要因素。于是，2007 年 9 月 17 日，广东省人民政府办公厅再次印发了《关于加快推进清洁生产工作的意见》。文件发布后，由省经贸委、科技厅、环保局组成的清洁生产联席会议工作制度得到进一步完善。省经贸委负责组织、协调全省清洁生产工作，草拟清洁生产相关法规规章，研究制订清洁生产审核验收体系、行业清洁生产评价指标体系等，牵头组织开展自愿清洁生产审核工作，组织召开清洁生产联席会议。省科技厅负责指导、支持清洁生产技术、产品的研究开发和示范推广工作。省环保局根据污染源环保监督管理的需要，负责牵头组织开展强制性清洁生产审核工作，并按有关规定对实施强制性清洁生产的企业进行公布。各地级以上市要参照省环保局的相关制度，建立相应的清洁生产工作协调机制。

清洁生产激励政策也得到进一步完善。根据《中华人民共和国清洁生产促进法》确定的鼓励措施，结合广东省实际，调整优化现有技术改造、科技创新、中小企业发展等财政专项资金的扶持方向和结构，对企业开展清洁生产工作予以支持。在省级挖潜改造资金中优先支持能源资源节约、循环经济、资源综合利用项目，对清洁生产企业予以补助。在省级财政支持的技术改造及粤港关键领域重点突破项目招标项目中属于清洁生产企业的，给予相应加分。省科技厅设立“清洁生产和循环经济关键技术”重大专项，每年安排经费给予重点支持。同时，支持并认定 100 家企业成为“清洁生产科技创新示范企业”。鼓励开展清洁生产国际技术交流与合作，引进国外先进的清洁生产技术和设备。对符合条件的清洁生产项目优先推荐为国家节能、环保重点项目，争取国债支持。对获得“广东省清洁生产先进企业”称号的企业所生产的产品，可使用清洁生产企业产品标志，并在同等条件下，政府采购和招标优先考虑清洁生产企业标志产品。

（三）工业产业结构调整

2001年8月31日，广东省政府办公厅印发了《广东省工业产业结构调整实施方案》，明确要求全省要着眼于国际国内市场需求结构和竞争格局变化的趋势，培育发展增量，优化改造存量，以调整促发展。突出抓好发展高新技术产业、改造传统产业和继续淘汰落后生产能力这三个环节，使结构调整最终落实到提高产业的整体素质和经济增长的质量和效益上。结构调整以技术进步和创新为支撑，大力发展广东省具有比较优势和市场潜力的高新技术产业，大力开发和推广支持结构调整和产业升级的共性技术和关键技术，努力提高产业整体水平和市场竞争力，抢占制高点，赢得主动权。坚持企业是结构调整的主体，充分发挥市场的基础性作用。企业要尽快形成能对市场需求作出灵敏反应、自主优化配置资源的机制，实行优胜劣汰、有进有退的调整，做到进而有为、退而有序。各级政府要为促进企业有效地开展竞争、实现结构创新提供政策动力和体制保证。

2004年，广东邀请国家顶级专家为工业产业竞争力开展针对性研究，并最后形成《广东省工业九大产业发展规划（2005—2010)》。该《规划》以科学的发展观为指导，围绕把广东省建设成为世界重要制造业基地的目标，以提高产业国际竞争力为核心，编制了电子信息、电器机械（机械、家电）、石油化工、纺织服装、食品饮料、建材、造纸、医药、汽车等九大产业共10个行业2005—2010年发展规划，工作着眼点放在明确发展思路、规划产业基地和推进重大项目上。规划指出，2005—2010年期间，全省将按照走新型工业化道路的要求，加快转变增长方式，通过重点规划建设一批支柱产业基地，建设一大批重要产业项目，促进工业产

业结构优化升级，促进产业竞争力提高，促进全省不同区域工业化协调发展。2010年全省建立起具有较强国际竞争力的工业体系，成为引领泛珠江三角洲地区产业发展的龙头，在参与国际产业竞争和合作中发挥更重要作用，为广东率先实现现代化打下坚实的产业基础。预期2005—2010年广东省工业九大产业总产值年均增长18%，到2010年九大产业总产值合计51600亿元（按2003年价），占全省工业总产值的77.6%。产业内部比例关系进一步调整，电子信息、石油化工、机械装备等主导产业的地位将更加突出。

根据工业产业竞争力研究成果，2005年，广东省政府办公厅在有关文件的基础上再次印发《广东省工业产业结构调整实施方案（修订版）》，文件要求全省要在科学发展观的统领下，加快走新型工业化道路，推动经济增长方式的根本性转变，要以提高工业产业的竞争力为指导思想，以保持工业产业持续、稳定、快速、协调发展，大力推进珠三角产业向山区及东西两翼转移，大力发展县域工业，实现产品结构、技术结构和产业组织结构的优化升级，对电子信息、机械、石油和化工、纺织服装、轻工（含家电、造纸等）、建材、医药、汽车、钢铁、有色金属等10个行业的产品结构调整、技术结构调整、产业组织结构调整、产业区域结构调整进行了修订。

《广东省工业九大产业发展规划（2005—2010）》和《广东省工业产业结构调整实施方案（修订版）》是指导落实工业产业竞争力研究成果转化应用的重要文件。它们使工业产业竞争力研究成果转化为既有宏观指导作用的规范性文件，又具可操作性的实施方案，从而使工业产业竞争力研究成果得到落实和应用。《广东省工业产业结构调整实施方案（修订版）》把工业产业竞争力研究成果转化为微观的、具体的产品和技术目录，对社会投资行为产生强大的指引作用，能引导社会投资投向鼓励发展和改善提高的产品目录和技术目录，不断推进结构的优化。

（四）绿色广东

面向即将进入的广东第十一个五年规划时期，中共广东省委及时发布了《关于制定全省国民经济和社会发展第十一个五年规划的建议》，并组织全省力量编制广东经济社会发展第十一个五年规划纲要。作为战略性、纲领性、综合性规划，纲要是政府履行经济调节、市场监管、社会管理和公共服务职责的重要依据，需要明确政府的工作重点，引导市场主体行为。

在编制纲要的关键时刻，2005 年 10 月，中央政治局委员、广东省委书记张德江在全省学习胡锦涛总书记视察广东重要讲话精神大会上，首次提出建设“绿色广东”，直接指向广东经济如何打破资源短缺“瓶颈”，实现增长方式由粗放向集约转变，实现可持续发展，建设和谐广东，率先基本实现社会主义现代化。因而“绿色广东”很快成为编制《广东省国民经济和社会发展第十一个五年规划纲要》的重要指导思想。

除加强环境综合治理外，“绿色广东”还被赋予更为充实、丰富的内涵。首先是加强资源节约型社会建设，即以提高资源使用效率为核心，以节能、节水、节地、节材、资源综合利用为重点，创新环境经济政策，建立政府主导、市场调节、公众参与的节约型社会建设机制。通过实施一批节能工程，不断提高单位资源消耗产出水平。到 2010 年，建成一批符合循环经济发展要求的清洁生产企业、生态工业园区、生态农业县、镇，创建一批资源节约型城市。

“绿色广东”战略要求广东在新一轮发展中切实加强环境保护和生态建设，走生产发展、生活富裕、生态良好的文明发展道路。实施“绿色广东”战略的总体目标是：到 2010 年，初步建立循环经济体系框架，初步形成现代化环境管理体系，基本控制环境污染和生态破坏加剧趋势，珠三角地区环境质量明显改善，山区和东西两翼地区生态保持良好，全社会环保意识普遍增强，全省生态与环境质量总体水平居全国前列，为基本建成绿色广东奠定坚实基础。

主要指标：

1. 万元生产总值能耗比“十五”期末下降16%，二氧化硫和化学需氧量排放总量比2005年分别削减15%，建成一批循环经济示范园区。

2. 城市集中式饮用水源水质达标率达到95%以上，农村生活用水质量达标；城市空气环境质量达二级标准的天数占全年的90%以上。

3. 城镇生活污水处理率达到60%以上（其中山区达到50%以上，50万人口以上城市不低于70%），城镇生活垃圾无害化处理率达到80%以上（其中山区达到60%以上），工业固体废物综合利用率达到85%以上。

4. 50%的地级以上市达到国家环保模范城市要求，建成一批生态市（县），森林覆盖率达到58%以上。

到2020年，全省环境质量和生态状况实现根本好转，绿色经济、绿色环境、绿色生态和绿色文明建设取得显著成效，全面建成“绿色广东”。

培育广东新的经济增长点是实施“绿色广东”战略的重要内容。广东是个经济大省，大力发展环保产业和绿色食品，将作为培育广东新的经济增长点，提高产业竞争力的重要工作来抓。一是发挥政府宏观调控职能，建立健全环保产业发展机制。开辟多层次、多元化的社会融资渠道，制定财政、信贷、税收等方面的优惠政策，支撑和鼓励环保产业的发展，促进环保产业的社会化、市场化和专业化。二是积极推进ISO14001环境管理体系，培育环保企业。通过ISO14001环境管理体系的认证，引导企业按照绿色要求改进产品种类，进行生态设计和生产，推动企业管理走向标准化和国际化。要通过联合、兼并和资产重组，组建环保企业集团，实现资源优化配置和规模效益，以增强环保企业的市场竞争力。三是开发生态环保产品，优化出口商品的结构。我们要在产品开发、工艺技术、产品质量和包装等方面，切实贯穿环境竞争力的理念，按照国际环保的新标准，大力开发绿色产品，为广东省的外贸出口开拓广

阔的绿色市场。

2006年2月27日，省十届人大四次会议正式审议批准《广东省国民经济和社会发展第十一个五年规划纲要》。这是对以往发展经验、教训的总结，更是广东未来发展的纲领性文件。与以往任何五年规划（计划）不同的是，这个“十一五”规划更加重视综合竞争力和可持续发展能力建设。它提出须加快转变经济增长方式。这是广东省所处发展阶段的迫切要求。要以提高质量和效益为目标，优化经济结构，提升技术水平，建设节约型社会，走新型工业化道路，切实转变粗放型经济增长方式，推动经济发展从量的扩张向质的提高转变，在提高质的基础上实现量的新扩张；必须加快建设绿色广东。这是关系广东省未来长远发展的重大举措。要以促进经济发展与人口、资源、环境相协调为目标，发展循环再生的绿色经济，构筑系统安全的绿色生态，创造优美的绿色环境，培育人与自然和谐的绿色文明，走出一条生态环境系统与经济社会发展系统良性循环的可持续发展路子。必须加快推进和谐社会建设。这是全面建设小康社会的重要内容。要在加快经济发展的同时，更加重视社会发展和进步，加快社会事业发展，加强社会建设、社会管理和社会利益协调，关心和改善人民群众生活，促进社会公平与正义，构建和谐广东，为全面建设小康社会打下坚实的社会发展基础。

该《规划》还提出约束性指标：到2010年，单位生产总值能源消耗比2005年降低13%以上。万元生产总值能耗约为0.763吨标准煤，“十一五”期间年均下降2.8%。主要污染物排放量减少10%。化学需氧量和二氧化硫排放量在2005年的基础上均削减15%，即到2010年底分别控制在89.9万吨和110万吨以内。万元工业增加值用水量降低20%。耕地保有量保持在325.7万公顷以上。

（五）建设节约型社会发展循环经济

2005年9月12日，按照省委九届六次全会的部署，从广东的实际出发，广东省人民政府发布《关于建设节约型社会发展循环

经济的若干意见》，文件提出，要加快转变经济增长方式，以建设节约型社会为目标，以提高资源利用效率为核心，以节能、节水、节材、节地、资源综合利用和发展循环经济为重点，加快结构调整，加强法制建设，完善政策措施，强化节约意识，建立起政府大力推进、市场有效调节、企业自觉行动、公众积极参与的促进节约型社会建设的运行机制，逐步形成节约型的增长方式和消费模式，以资源的高效利用和循环利用，促进全省经济社会全面协调可持续发展。建设节约型广东的具体目标：力争到2010年，全省资源生产率有所提高，污染物排放量得到有效控制和削减，每万元GDP耗能的年均节能率为2.2%；每万元GDP的取水量下降到200吨，工业用水重复率达到68%，全省设市城市污水集中处理率不低于60%；耕地面积保持在325.77万公顷以上，基本农田保护区面积达到284.68万公顷；万元GDP的SO_2排放量控制在4.86千克以内，万元GDP的COD排放量控制在3.65千克以内，50%的大中城市达到国家环保模范城市要求。农村沼气普及率达到适宜推广农村沼气农户的20%。

建设节约型广东的主要措施包括：

实施重点工程，节约能源。主要通过以下三种途径节约能源：通过优化产业结构特别是降低高耗能产业比重，实现结构节能；通过开发推广节能技术，实现技术节能；通过加强能源生产、运输、消费各环节的制度建设和监管，实现管理节能。要抓好以下四项工作：一是抓好钢铁、有色、煤炭、电力、化工、建材等行业和耗能大户的节能工作；二是加大汽车燃油经济性标准实施力度，加快淘汰老旧运输设备；三是制定替代液体燃料标准，积极发展石油替代产品；四是鼓励生产使用高效节能产品。当前节能工作的重点是推广和实施十大工程：低效燃煤工业锅炉（窑炉）改造工程，采用循环流化床、粉煤燃烧等技术改造或替代现有中小燃煤锅炉（窑炉）；区域热电联产工程，发展采用热电联产和热电冷联产，将分散式供热小锅炉改造为集中供热；余热、余压利用工程，在钢铁、建材等行业开展余热余压利用；节约和替代石油工程，在电力、交通运输等行业实施节油措施，发展煤炭液化、醇醚类燃料等石油替代产品；电机系统节能工程，在煤炭等行业进行电动机拖动风机、水泵系统优化改造；能量系统优化工程，在石化、钢铁等行业实施系统能量优化，使企业综合能耗达到或接近世界先进水平；建筑节能工程，严格执行建筑节能设计标准，推动既有建筑节能改造，推广新型墙体材料和节能产品等；绿色照明工程，在公用设施、宾馆、商厦、写字楼以及住宅中推广高效节电照明系统等；政府机构节能工程，政府机构建筑按照建筑节能标准进行改造，在政府机构推广使用节能产品等；节能监测和技术服务体系建设工程，更新监测设备，加强人员培训等。

节约和集约利用土地，缓解土地供需矛盾。实行更加严格的土地保护制度。制订广东省工业项目建设用地控制指标，实行工业项目用地公开交易，推行经营性基础设施、经营性公共事业用地实行有偿使用的制度。制订国有土地协议出让最低价标准，建立和完善土地收购储备制度。加大补充耕地的力度。加强农村宅基地管理，严格控制占用耕地，确保现有基本农田“总量不减少、用途不改变、质量不下降”。对废弃的土地及“空心村”、“城中村”要加大力度整理成耕地或农用地。启动实施广东省“沃土工程”。加强耕地质量建设，提高耕地集约利用水平。制定节约和集约用地的政策措施。重点研究制定土地收益调节机制，利用经济手段促使提高土地使用效率。促进珠江三角洲产业向山区和东西两翼转移，推进产业转移工业园建设。提出城市建设节约利用和集约利用土地的政策措施，以及交通基础设施建设集约利用土地的意见。村镇集体建设用地要按集约利用土地原则做好规划和建设，促进农村建设用地的节约和集约利用。

构建“三个层面”的循环经济框架。在企业层面，依法推行清洁生产。加快企业清洁生产审核，积极实施清洁生产审核方案。完成《广东省清洁生产联合行动实施意见》中提出的实现“三个100”目标，即培植100家清洁生产示范企业、推出100个污染治理效果明显的典型和研发、推广100项清洁生产技术、产品。“十

一五”期间，培植300家清洁生产企业，开展清洁生产强制审核工作。在工业园层面，抓好建设循环经济工业园试点工作。试点园要按照生态型园区要求进行规划、建设和改造，鼓励发展园区集中供能和废弃物集中处理处置系统。园区内企业要形成共享资源和互换产品的产业共生组合，或不同产业的耦合，使一个企业的废弃物成为另一个企业的资源或能源，逐步建立起企业间、产业间物资能源互换或转换的供求关系。最大限度提高资源利用率，从生产源头上使废弃物资源化、减量化和无害化，实现区域的清洁生产。到2010年，全省要建成15个符合循环经济发展要求的生态工业园。

在城市和社会的层面，抓好节约型城市试点和全社会再生资源回收与产业利用体系建设。节约型城市要对产业结构和布局进行调整，将节约资源和循环经济理念贯穿于经济社会发展的各领域、各环节，通过形成节约型增长方式和消费模式，建立和完善全社会的资源循环利用体系和节约型社会运行机制，建设节约型、生态型社会。自2005年起，首先在广州、深圳、佛山、东莞、江门、汕头等6个城市开展创建节约型城市试点工作。健全废旧物资回收利用体系，建设若干个危险废物安全处置基地，重点发展一批区域型的废旧物资再生产基地，培育再生资源回收利用机械设备加工制造基地。

2006年3月22日，为贯彻相关文件的要求，省建设节约型社会发展循环经济领导小组办公室《广东省发展循环经济试点实施方案》。方案确定同时在企业、园区和城市三个层面展开循环经济试点工作，创建一批符合“减量化、再利用、资源化”原则，具有龙头带动、示范推广作用的清洁生产企业、生态产业园区和资源节约型城市。

为确保循环经济试点目标的如期实现，在节能、节水、资源综合利用、污染防治、清洁生产等领域，确定5大类24项重点支持的项目。截至2006年12月底，第一批选定的企业、园区和6个城市（广州、深圳、佛山、东莞、江门、汕头）开展循环经济试点全面启动实施。

2007年5月21日，广东省人民政府办公厅印发《2007年广东省建设节约型社会发展循环经济工作要点》提出2007年广东省建设节约型社会发展循环经济工作的主要目标是：全省单位GDP能耗下降3%，主要污染物排放总量下降2%以上。工作要点及主要措施包括：在节约能源方面，各地级以上市要尽快把GDP能耗下降指标逐级进行分解，与行政区域内的县（市、区）政府以及重点耗能企业签订节能目标责任书，督促本行政区域的重点耗能企业完成能源审计和节能规划，并及时把指标分解落实进展情况于5月25日前报省发展改革委、经贸委；照国家千家企业节能行动以及省"双千节能行动"要求，完成省监管的154家重点耗能企业的能源审计和规划，指导企业完善能源统计和计量，加大节能投入，实现节能预期目标；抓好建筑节能，制订并颁布实施新建住宅和公共建筑达到节能50%的地方设计标准，制订现有高耗能大型公共建筑实施节能改造地方标准，开展住宅小区建筑节能试点，推广太阳能建筑一体化应用。继续推广应用新型墙材。

在节约用水方面，加强全省取水许可管理，编制出台东江流域水量分配方案；加快城镇供排水市场化改革，抓好公共设施和用水大户的节水工作，指导推进再生水利用工作；加强用水单位水量计量管理，为节约用水和用水定额管理提供准确数据。

在节约用地方面，深入开展征地制度改革，工业用地必须采用招标拍卖挂牌方式出让。完善农村宅基地管理政策，促进集体建设用地流转，加强农村土地管理。挖掘潜力，盘活消化存量与低效用地。（由省国土资源厅、发展改革委等部门负责）

大力开展循环经济试点工作，督促试点单位建立健全工作机制，加大投入力度，推进试点工作顺利开展，在全省发展循环经济中起示范带头作用，积极探索区域可持续发展道路，重点推进粤北山区的可持续发展实验区建设。大力开展清洁生产和资源综合利用工作，规范全省资源综合利用认定工作，认定100个左右产品（工艺）为资源综合利用产品（工艺），落实国家资源综合利用优惠政策；完善资源节约综合利用及能源消耗统计制度，把千家重点耗能

企业、大型公共建筑和政府办公建筑能耗纳入统计范围，及时编写和公布全省能源利用状况，对钢铁、石化、建材、电力、造纸、纺织印染等高耗能行业共16个重点产品制订强制性的能耗限额标准。（由省经贸委、质监局等部门负责）

专栏9-5　节能减排

节能减排是中央的统一部署。2007年7月19日，广东省政府根据中央颁发的文件精神，印发了《广东省节能减排综合性工作方案》，目的在于加快广东建设资源节约型、环境友好型社会，确保实现“十一五”期间节能减排目标，推动全省经济社会又好又快发展。该《方案》进一步明确全省节能减排的主要目标是：到2010年，全省单位生产总值能耗（按2005年不变价格计算）从2005年的0.79吨标煤/万元下降到0.66吨标煤/万元，比“十五”期末下降16%。其中，珠江三角洲地区城市和列入国家、省循环经济试点的城市单位生产总值能耗总体水平下降18%；东西两翼地区和粤北山区城市单位生产总值能耗总体水平下降16%；重点行业主要产品单位生产总值能耗总体达到21世纪初国际先进水平。单位工业增加值用水量降低20%；全省化学需氧量（COD）和二氧化硫排放量在2005年的基础上均削减15%，分别控制在89.9万吨和110万吨以内；全省城镇生活污水处理率达60%以上，其中山区达到50%以上，50万人口以上的城市市区达到70%以上；工业固体废物综合利用率达到85%。

主要措施包括控制增量，推进我省产业结构优化调整：控制高耗能、高污染行业增长，加快淘汰落后生产能力，加快产业结构调整优化，调整优化能源结构，促进服务业和高技术产业加快发展。多方筹措资金，加快实施节能减排重点工程：加快实施十大重点节能工程，在“十一五”期间形成2000万吨标准煤的节能能力，加快水污染治理工程建设，推动燃煤电厂二氧化硫治理。大力发展循环经济，加快推进资源综合利用和清洁生产：加快发展循环经济，加大节水力度，推进资源综合利用深入开展，提高垃圾资源化利用水平，全面推行清洁生产。依靠科技进步，加快节能减排技术研发和推广：加强节能减排技术的自主研发，加快节能减排技术产业化示范和推广，加快建立节能技术服务体系，推进环保产业健康发展。积极实施能效标识和节能节水产品认证管理制度，加强节能环保管理能力建设；充分发挥价格杠杆的引导作用，加大财政对节能减排的投入力度，全面落实鼓励节能减排的税收政策，加强节能环保领域金融服务。

六　小结：“广东拐点”

走新兴工业化道路，推进绿色广东建设，给广东带来喜悦的成果。

相当时期以来，广东被认为是“先污染后治理”的负面典型。但一组数据正在改变着人们对广东经济增长的印象：国家环保总局近期对17个省（区、市）有关数据的综合分析表明，全国2007年上半年主要污染物排放不降反升，化学需氧量、二氧化硫排放量分别比去年同期增长4.2%、5.8%，而经济大省广东则分别下降了1.1%、2.9%。在上半年广东经济高速增长14.4%的同时，这两个环保硬指标首次出现下降之势，说明广东的水质和大气质量开始好转，环境污染恶化的趋势得到初步遏制，呈现出经济发展又快又好、环境质量逐步改善的良好态势，“环保拐点”依稀可见。

对比“十一五”规划的环境指标，“广东拐点”的重要性得到凸显：到2010年，全国主要污染物排放总量要减少10%。要使这项约束性指标不变成“空头支票”，各地面临的形势十分严峻。尽管广东的污染负荷还较大，环保工作仍非常艰巨，但环境污染治理的拐点已经显现，广东已经迈出坚实的步伐。

重要事件：1978—2008

- 1997年6月，广东省政府决定在全省范围内启动实施《广东省碧水工程计划》。该工程的主要任务是完成急需治理的江河、湖泊、水库水环境的整治工程，推动影响重大的区域性水环境综合整治，逐步改善和提高水污染突出区域（河段、水系）的水环境质量。
- 1998年，中共广东省委把“可持续发展”列为广东省迈向21世纪的三大发展战略之一。要求全省从注重经济高速增长，逐步转向人口、资源、环境、社会和经济协调发展的轨道。

- 2000 年 2 月，广东省政府颁布实施《广东省蓝天工程计划》，要求全省范围内严禁新建单机容量小于 12.5 万千瓦的燃煤、燃油机组，在珠江三角洲地区和酸雨控制区城区、近郊区不再规划布置新的燃煤、燃油电厂 。
- 2001 年 8 月 31 日，广东省政府办公厅印发了《广东省工业产业结构调整实施方案》（粤府办〔2001〕74 号），明确要求全省要着眼于国际国内市场需求结构和竞争格局变化的趋势，培育发展增量，优化改造存量，以调整促发展。
- 2002 年 10 月，广东省政府批复广东省环保局编制《广东省珠江水环境综合整治方案》，并召开全省珠江整治会议进行部署。该《方案》要求，珠江要一年一小变，三年一中变，八年一大变。
- 2003 年 4 月，天河区可持续发展实验区升格为国家可持续发展实验区。
- 2004 年 9 月 24 日，广东省第十届人大常委会第十三次会议审议批准《珠江三角洲环境保护规划》。该规划由广东省省长黄华华和国家环保总局局长解振华亲自任组长，经过中国环境规划院等单位众多著名环保专家一年多的实地调研、反复论证而形成，是我国第一个区域性环保规划立法。
- 2005 年 9 月 12 日，广东省人民政府发布《关于建设节约型社会发展循环经济的若干意见》，提出要加快转变经济增长方式，以建设节约型社会为目标，以提高资源利用效率为核心，以节能、节水、节材、节地、资源综合利用和发展循环经济为重点，加快结构调整，加强法制建设，完善政策措施，强化节约意识，建立起政府大力推进、市场有效调节、企业自觉行动、公众积极参与的促进节约型社会建设的运行机制，逐步形成节约型的增长方式和消费模式，以资源的高效利用和循环利用，促进全省经济社会全面协调可持续发展。
- 2005 年 10 月，中央政治局委员、广东省委书记张德江在全省学习胡锦涛总书记视察广东重要讲话精神大会上，提出建设“绿色广东”。“绿色广东”很快成为编制《广东省国民经济和社会发展第十一个五年规划纲要》的重要指导思想。

- 2006年，韶关市冶炼厂违规向北江排放镉废水酿成特大污染事件，广东省政府责令其对全厂的污染处理系统进行升级改造。
- 2006年7月12日，省长黄华华、广州市委书记林树森、市长张广宁率领3500名广州市民横渡珠江，展示了广东决策者治理污染的决心和取得阶段性成效，展示了他们对经济发展带来的资源环境“瓶颈”问题高度重视。

第十章
广东经济发展的前瞻性思考

继续“解放思想”

广东是中国改革开放的先锋、理论创新的热土、解放思想的阵营。改革开放以来我们党许多标志性的理论创新成果都是首次在广东提出的。

30年前，南粤大地首先吹响了改革开放的号角。中央首先在深圳、珠海、汕头等地设立经济特区，对特区实施特殊政策和灵活措施。在探索和实践中，“卖国”、“租界”、“破三铁”等指责不绝于耳。广东人民养成了“只干不说”、“多干少说”的习惯，从传统观念和僵化的、缺乏生机活力的计划经济体制中“杀出一条血路”来。广东人敢为人先，敢闯敢冒，在对外贸易、招商引资、基础设施建设等方面大胆突破，为全国改革开放探索出一条新的道路。

1992年邓小平视察南方，在广东发表了著名的南方讲话，肯定了广东的实践，提出了社会主义也可以搞市场经济，从而确立了改革开放的战略目标，开辟了中国特色社会主义的广阔道路。广东在随后建立社会主义市场经济体制框架、调整所有制经济结构、迎接加入WTO的挑战、深化政府行政体制改革等许多方面，仍然走在全国的前面，为“三个代表”重要思想和科学发展观的提出，提供了实践经验。2000年春，江泽民同志在广东提出“三个代表”重要思想，要求广东增创新优势，更上一层楼，率先基本实现社会主义现代化。

进入21世纪以来，国际国内经济环境发生了重大变化。2003年春，胡锦涛总书记在广东提出科学发展观的思想，要求广东加快发展、率先发展、协调发展，在全面建设小康社会、加快推进社会主义现代化进程中更好地发挥排头兵作用。如何在新的形势下继续增强广东经济的竞争力，如何按照科学发展观的要求实现科学发展和经济、政治、社会、文化"四位一体"的协调发展，成为摆在广东面前亟待解决的问题。

中共广东省委十届二次全会决定在全省开展解放思想大讨论活动，以思想大解放，促进广东大发展。在深入调研、集思广益、反复论证的基础上，提出了"主力省"、"试验区"、"先行地"的战略目标，这是解放思想学习讨论活动的重大成果。这一战略目标，着眼于世界，着眼于未来，明确了广东发展的世界坐标、全国定位、努力方向。既符合中央对广东的期望，又符合广东的历史和现实；反映了广东发展的内在要求，体现了全省人民的根本利益（汪一洋，2008）。如何实现这一战略目标，同样需要广东人民秉承优良传统，继续解放思想，创造性地解决前进中遇到的各种问题。

一、引　言

改革开放30年，广东GDP平均以每年13.8%的速度增长，为全国经济增长最快的省区之一。目前，广东GDP总量占全国的近1/8，税收约占全国的1/7，多项重要经济指标均居全国首位。如果说中国创造了世界经济增长的奇迹，那么广东则创造了中国的经济增长奇迹。然而，广东经济发展中同样存在一些问题和隐患，它们有些是改革所付出的代价，也有些是改革中出现的失误。但是，不管是哪种情况，现在是总结经验、调整纠错的时候了。

现任广东省委书记汪洋同志在中共广东省委十届二次全会上，

第一次明确提出广东发展中的五点不足，指明了广东经济社会发展的问题所在。“要清醒地看到我省在深入贯彻落实科学发展观中的问题与不足：一是经济发展较快，但发展不够全面，社会事业发展和社会管理相对滞后；二是经济总量大，但发展方式仍然粗放，结构不够优化和自主创新能力不强；三是城乡区域发展有了新的进步，但发展不够协调，发展不平衡状况有待改善；四是资源环境保护得到加强，但可持续发展的压力较大，资源和环境的约束依然趋紧；五是经济增长速度较快，但民生问题仍然突出，城乡居民的生活品质有待提升。” “面对大好形势，我们长期捧着‘总量第一’这块‘金字招牌’，听惯了别人的赞誉，很容易使我们一些同志自觉或不自觉地产生某种优越感。甚至骄傲情绪，这种缺乏忧患意识的表现，最终会导致不思进取。”① 全会决定在全省开展解放思想大讨论活动，以思想大解放促进广东大发展。走过30年的光辉历程，广东该如何延续改革开放中的骄人战绩，现已成为广东各界人士最为关注的课题。

“当前广东的发展已经站在了一个新的历史起点上，正处于经济社会发展全面转入科学发展轨道的关键时期，广东作为改革开放的先行区，科学发展观思想的提出地，要继续解放思想，坚持改革开放。”只有正视经济发展中的问题和不足，克服前进道路上的制约因素，才能经得起国内、国际上的考验，才能真正地实践科学发展观，实现经济的持续、快速、健康发展。

二、政策优势趋同，关注思想解放

广东是中国改革开放的先锋、解放思想的阵营。改革开放初期，广东人民“不要别的要政策”，凭借先行先试的优惠政策，突破了传统体制上的种种束缚，闯出了一条新的发展道路。然而，中

① 摘自汪洋在广东省委十届二次全会第一次全体会议上的讲话——《继续解放思想，坚持改革开放，努力争当实践科学发展观的排头兵》，2007年12月25日。

央给政策并不意味着指出一条明确的发展道路，而是将权力下放到地方，路还是要靠自己去闯。广东所要的政策正是这种去闯、去拼、去冒的权力，这是第一次“吃螃蟹”的权力，是开拓者的权力。在探索和实践当中，“卖国”、“租界”、“破三铁”等指责不绝于耳。也正是在这个时候，广东人养成了“只干不说”、“多干少说”、埋头苦干的习惯，专心致志搞建设，一心一意谋发展。

广东人知道宽松的政策环境来之不易，因而倍加珍惜，一方面充分利用宽松的政策大胆地试大胆地闯；另一方面，他们务求实效，坚决不搞花架子，在对外贸易、招商引资、基础设施建设等方面大胆突破。1988年初，在全国还在争论“人是不是商品”的时候，走在改革前列的广州人成立了人才交流中心；1992年，珠海重奖“科技富翁”，这些创造性的引才用才举措，均在全国带来了极大震撼，优秀人才一时纷纷“飞到”广东。在一些特殊的领域内，广东也进行了大胆的政策探索。譬如，随着经济的发展，基础设施的瓶颈制约日益突出，而政府又拿不出钱来。广东创造性地借鉴了香港的做法，利用BOT形式吸引外资和民间投资建起了广深高速公路等大型基础设施建设。以勇气加务实的精神进行政策探索，这是广东最成功的经验（《中国财经报》，2000）。1992年邓小平视察南方，在广东发表了著名的南方讲话，肯定了广东的实践，提出了社会主义也可以搞市场经济，从而确立了改革开放的战略目标，开辟了中国特色社会主义的广阔道路。当年中央将经济特区首先确立在广东，除了优越的地理位置、海外联系以外，广东人民敢于突破、敢于创新的精神也是一个重要方面。“广东能产生经济特区，广东能够走在改革开放的前列，就是广东解放思想的产物。”

随着我国改革开放的全方位推进，广东的“特”也在逐渐消失。从经济特区到沿海、沿江、沿边开放城市，再到经济开发区、高新技术开发区等，各种开放政策不断向内陆地区延伸。自20世纪末开始，国家先后实施了“西部大开发”、“振兴东北老工业基地”、“中部崛起”等发展战略。最近，重庆市和成都市全国统筹城乡综合配套改革试验区以及天津滨海新区也相继推出，作为国家

重点支持对象。从广东的实际情况来看，经济特区、经济技术开发区等原有改革试验区改革开放功能和优势已经弱化，适应科学发展观要求的创新型改革试验区的筹建明显落后了（杨再高，2008）。

如果说改革开放初期，广东的“特”是向中央“要”来的，那么现在靠的只能是自己“创造”。“现在的广东不能‘特’，缺少‘特’，那就是我们自己的思想束缚了自己。”要想创造广东的“特”，也只能靠进一步解放思想。解放思想，需要一步步地树立和实现阶段性的战略目标。目标需要突破性，只有突破现实才能指明方向；目标需要切实性，只有切实可行才能增强信心。自2008年开始，经历了半年时间全省范围的解放思想学习讨论活动后，“主力省”、“试验区”、“先行地”成为广东在科学发展探索中新的战略目标，这是最近召开的中共广东省委十届三次全会通过的《关于争当实践科学发展观排头兵的决定》中的重大决策和重要部署。这一新战略目标，体现了广东的历史感、使命感和责任感，成为激励全省人民争当实践科学发展观排头兵的巨大动力。

解放思想，克服狭隘视野，树立世界眼光。广东经济总量位居全国第一，但是广东在金融、创新、能源、协调等方面与国内同类地区相比尚存在许多劣势和不足。与世界发达国家和地区相比，差距会更大。广东的开放程度最高，已经成为世界经济的组成部分，世界经济、政治对广东的影响越来越大。因此，广东未来经济发展的风险和挑战将长期存在，一定要克服自满思想、增强忧患意识，克服狭隘视野、树立世界眼光。

三、人均水平落后，关注民生建设

广东经济总量虽然位居全国第一位，但是其在人均产值、人民生活等方面处于劣势地位。1978年广东省GDP仅有186亿元，而到了2007达到30674亿元。改革开放30年里，广东经济总量增长了165倍，剔除价格因素后增长了42倍，可谓是中国乃至整个世界的增长奇迹，如图10－1所示。广东从1985年至今，经济总量已连续23年居全国第一。但是，广东经济总量优势，并不能掩盖人均水平上的不足。广东人均GDP水平要远远滞后于北京和上海，甚至要低于浙江、江苏等省区，如图10－2所示。

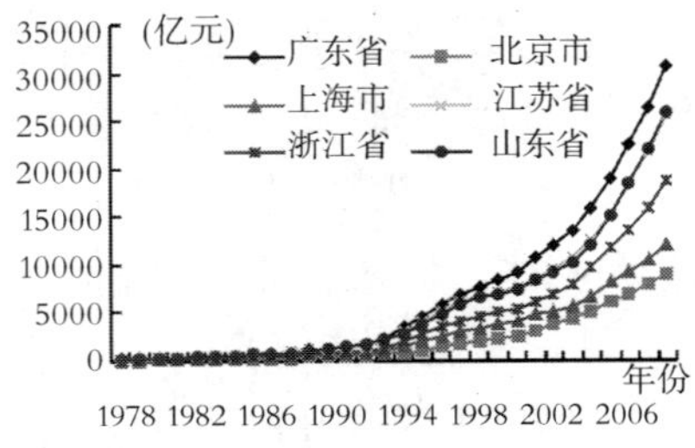

图10－1　广东GDP总量（当年价）

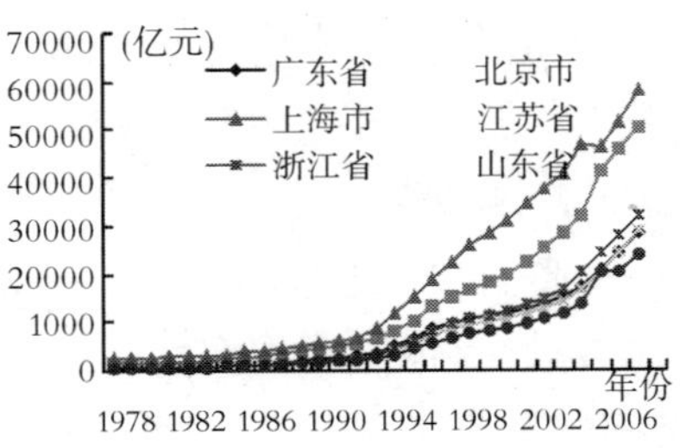

图10－2　广东人均GDP（当年价）

数据来源：《中经网统计数据库》。

广东的人口增长率一直要高于其他同类省区，因此人均GDP增长速度要低于其他省区。广东吸引了大量的外来人口，对经济增长贡献很大。据统计，2007年广东省暂住人口超过2000万，约占全国暂住人口的1/3，成为中国流动人口最多的省份。流动人口在广东省劳动力市场上"三分天下有其一"。据共青团广东省委的调查结果显示，青年外来工对广东省GDP增长贡献率高达25%以上。但是部分外来流动人口很难反映在统计数据中，因而实际的广东人均GDP应该比统计水平要低得多。广东的经济增长带来了人民生活水平的提高，但是由于人均GDP水平较低，广东收入水平也明显低于北京、上海、浙江和江苏等地区。20世纪90年代以来的大多数年份里，广东城镇和农村居民的收入增长率要远低于经济增长率，如图10－3所示。劳动者报酬在初次分配中的比重从1978年的57.8%下降到2006年的38.7%。这说明，广大劳动者从经济增长中所能获得的实惠越来越少。如何保障广大人民群众共享经济增长的成果，是广东今后社会发展和民生建设的重中之重。在外来工较多的企业，普通劳动者的合法权益还得不到有效保障，不合理的用工现象仍然屡见不鲜。

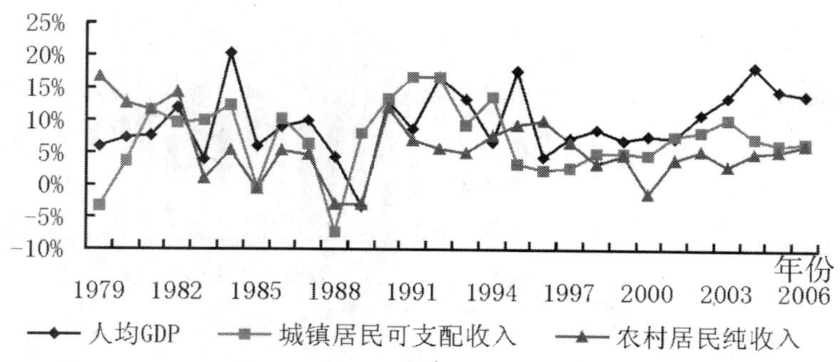

图 10-3　广东居民收入增长率

数据来源：《中经网统计数据库》。增长率按照可比价格计算，使用居民消费价格指数平减而来。

在未来的经济建设中，广东应该更加注重“以人为本”，不能片面强调 GDP 的增长，而是要将增加人民收入，提高社会福利作为终极目标。“以人为本”要求各级政府在招商引资、政策制定中始终把人的生存和发展放在第一位，坚持社会公平和正义，坚决反对各种形式的官僚主义和形式主义，求真务实，艰苦奋斗（成龙，2007）。认真贯彻落实收入分配政策，不断提高各阶层居民的收入水平，使扩大消费建立在居民收入增长与经济增长相匹配的基础上，让消费增长真正成为拉动经济增长的主要动力，尽快实现经济增长方式由投资拉动型向消费主导型的重大转变。

四、产业结构优化，关注创新合作

在经济发展过程中，广东产业结构不断变化，支柱产业不断升级。从三大产业比重来看，第一产业比重不断减小，第二、三产业比重逐渐上升，而近年来第三产业比重有所下降，如图 10-4 所示。经过 30 年的发展，广东经济已经逐步非农化，第二产业和第三产业撑起了广东经济。服务业正与制造业一道“双轮驱动”，成为广东省经济增长的两个重要支撑。

上世纪 80 年代和 90 年代初，纺织服装、食品饮料与建筑材料

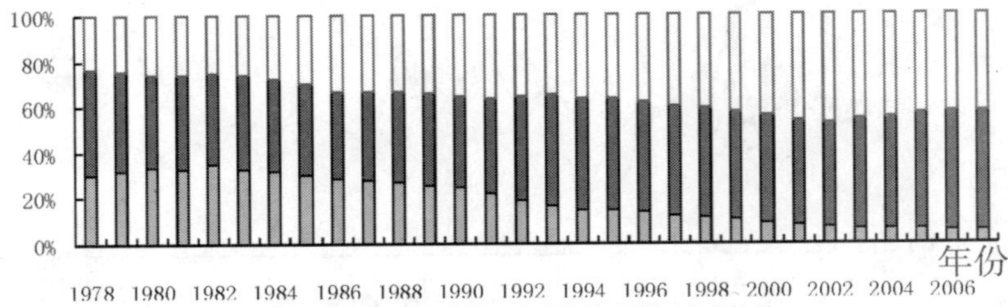

图 10－4　广东省三大产业比重

逐渐成为广东省三大传统支柱产业。进入 90 年代中后期以后，传统三大支柱产业地位逐步被新兴的电子信息、电气机械和石油化工三大新兴产业所赶上并超过。1998 年，广东省确定了重点发展的九大产业，即电子信息、电气机械和石油化工为三大新兴支柱产业；纺织服装、食品饮料和建筑材料为三大传统支柱产业；汽车、制药和森工造纸为三大潜力产业。广东的珠三角地区已经成为世界知名的加工制造和出口基地，初步形成了电子信息、家电等企业群和产业群，90% 以上的计算机零部件、80% 以上的手机部件、100% 的彩电部件都可以在区内配套，珠三角地区电脑部件的产量已超过全球产量的 10%。①

虽然广东产业结构在不断调整，但是与国外发达国家或地区相比，其经济结构不够优化，自主创新能力不强。传统的高投入、高消耗、高污染、低效益的发展模式尚未根本转变。产业竞争力不强，核心技术和关键技术掌握不多。广东的高新技术产业规模居全国首位，但是高新技术产业赢利水平低，科技含量不高。高新技术产业的主动权掌握在外商手里，对外技术依存度在 70% 以上，珠三角一度称道的 IT 领域竟有 85% 的专利来自于国外。尽管近些年来，广东高新技术产品出口不断扩大，但是总的来看，仍处于国际产业分工的垂直分工阶段。高新技术产业的研发、设计等技术含量

① 资料来源：广东省省长黄华华在 2004 年粤台经济技术贸易交流会上的讲话，2004 年 7 月 7 日。

和附加值较高的环节，大都掌握在别人手里；我们多数进行的是中低技术和劳动密集型生产，包括加工生产、模拟、组装，处于世界制造业价值链的低端环节。技术创新强度不高，将直接制约外向型经济的发展后劲和产业竞争力的提高。金融是现代经济的核心，广东金融对本省经济的支持也日益增强，但广东金融业现状与现阶段经济发展水平很不相称。20 世纪 90 年代以来，广东金融业在经济中所占比重明显低于全国平均水平，“大而不强”的特征十分明显。广东的国际竞争力还不够高，产业结构还不够优化，自主创新能力还比较弱。

提高广东产业竞争力，必须牢牢把握自主创新。R&D 是一个国家和地区科技水平、科研能力高低和自主创新能力的重要体现和标志。从科技活动人员、科学家和工程师、R&D 等指标来看，2003 年广东省的 R&D 投入不足全国的 1%，远远落后于北京和上海，这与第一经济大省的地位很不相称。这说明广东省的 R&D 投入滞后于经济发展，广东省在吸引科技人才和自主创新能力方面令人担忧。从 R&D 经费支出来看，广东的 R&D 经费支出占 GDP 比重为 1.3%，和全国水平基本持平，但是仍远远落后于北京和上海。我们把视野拓展到国际，发达国家早在 20 世纪 60 年代 R&D 经费支出占 GDP 比重就已经超过了我们现在的水平。10 年前发达国家的这个比重是我们现在水平的 2 倍还要多，而且还在不断的上升。2003 年，广东省 R&D 投入占 GDP 的比重仅为日本的2/5，美国、德国的 1/2，整个经合组织的 4/7，如图 10 – 5 所示。

从这个角度来看，广东的 R&D 投入不仅落后于发达国家，还落后于国内同类省市，这对于广东的长远发展是不利的。R&D 投入不足，必然会导致一个地区的自主创新能力不足；自主创新能力不足，又将导致本地企业缺乏核心竞争力，在国际贸易和分工体系中处于不利地位。如果说改革初期广东选择了模仿和吸收型创新，那么今天亟须的则是自主型创新。鼓励科技创新，营造学习型、创新型的社会氛围，需要政府和企业共同努力。

加强区域经济合作是促进产业结构升级的另一个重要途径。改

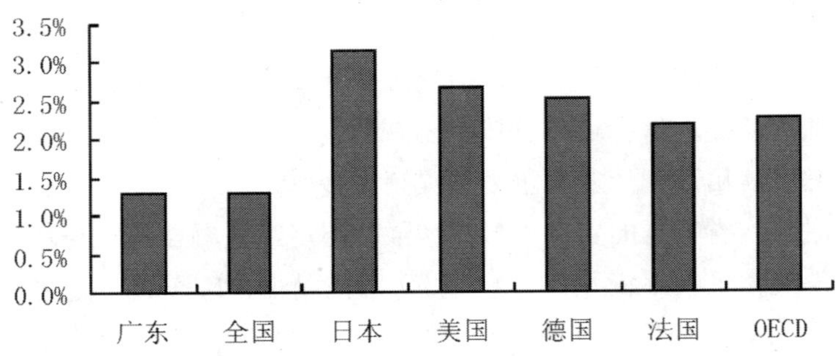

图10－5　2003年广东R&D投入占GDP的比重比较

数据来源：《OECD发展报告》与《新中国55年统计汇编1949—2004》。

革开放30年，粤港澳已经形成自然地理经济圈，产业互补性强。香港在现代服务业尤其是金融服务业优势明显，积累了许多宝贵经验。广东传统制造业发达，市场前景广阔，粤港澳合作将为广东的产业结构升级创造了机遇。建立良好的粤港澳合作机制，不仅有利于合作三方的共赢发展，而且能够更好服务于为整个国家的经济发展战略。创造性地解决区域经济合作中的人员流动、金融合作、产业转移、协调机制等问题，将是今后粤港澳一体化建设的主要任务。努力把粤港澳建设成为东亚地区最繁荣发达、最有活力和竞争力的经济区，成为东亚地区最重要的经贸合作平台，应该是广东不可推卸的历史责任。

广东要加强现代产业体系建设，必须大力发展先进制造业、高新科技产业、现代服务业，促进产业结构的升级和优化，以此增强广东的竞争力，使之成为我国参与国际竞争、具有较强竞争力的主力省份。

五、人力资本滞后，关注科教投入

在现代经济社会，人力资本作为生产要素诸因素中最具活力的要素之一，越来越发挥着重要的作用。劳动者的知识、技术、生产能力决定着经济的增长和发展，人力资本决定着物质资源的有效利

用。人才引进是广东人力资本增长的重要因素，广东经济快速增长有赖于全国各地的人才支持。

改革开放30载，广东历来是造梦的天堂，创业的乐园，人才的热土。曾几何时，广东人爱用“孔雀东南飞”来形容广东在全国人才竞争中“唯我独尊”的风光局面。然而，随着近年来全国全方位大开放大发展格局的形成，长三角腾飞，中部崛起，东北振兴，悄然间，广东已不再是中国的“人才洼地”。“孔雀东南飞”成了“人才四面飞”，哪里发展环境好，就飞到哪去，广东未必成为首选。许多“南飞雁”甚至开始往回飞了。

与引进人才相比，广东本地培养人才的能力更是不容乐观。随着广东教育投入的不断增加，广东的教育水平得到了较大幅度的提高。但是由于历史的原因，广东的教育一直落后于同类省区，如图10－6所示。2006年，广东省每万人在校大学生人数仅为108人，远远低于北京和上海，同时和江苏、浙江等省也存在着很大的差距，甚至还低于全国平均水平。广东吸引人才的优势越来越弱，同时自身培养人才能力低于同类省区。如果不改变教育发展落后的局面，不改变用人观念，久而久之，广东的人力资本水平将会落后于其他地区，最终将制约广东经济的发展。

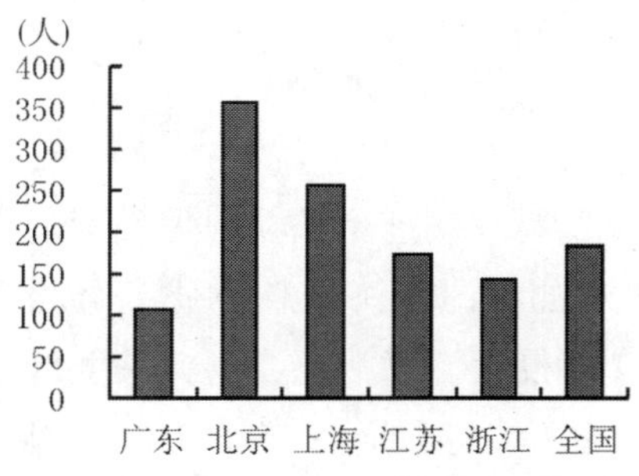

图10－6　广东每万人在校大学生人数

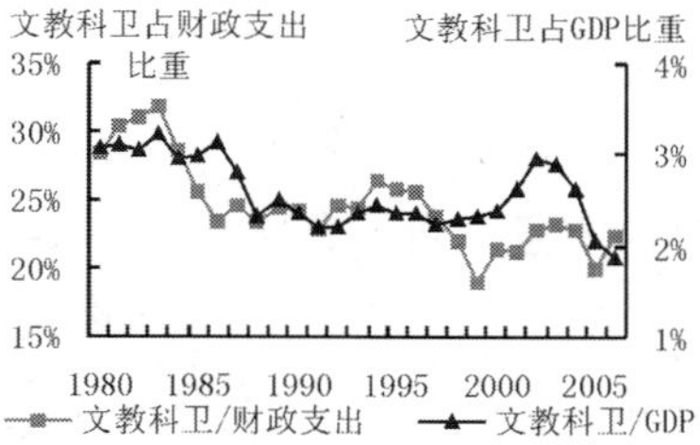

图10－7　广东省文教科卫支出比重

数据来源：《中经网统计数据库》和历年《广东省统计年鉴》。

再从人力资本投资来看广东的发展趋势。人力资本投资是提高人力资本水平的重要手段，我们以文教科卫事业费占财政支出的比重和占GDP比重来量度人力资本投资现状。由图10－7来看，改革开放以来，广东省的人力资本投资呈现出下降趋势。2000年，广州大学城的建设项目开启，拉动了教育投入的上升，但随后又开始大幅度下降。另一方面，2005年广东省文教科卫事业费占财政支出比重为20%，同年这个指标北京为23.8%，江苏为23.0%，浙江为27.7%（2004年数据）。可见，广东的教育发展水平相对落后，教育投入比重低于国内同类省市，而且呈现出不断下降的趋势，这一点不得不令人担忧。

可以说，广东在发展经济的同时，却忽视了人力资本的培养和提高。人力资本的滞后发展，将会导致经济增长后劲不足，制约本地区的创新能力和外来技术的吸收能力，最终将会导致整个地区技术进步速度的下降。广东在经济发展过程中必须克服“见物不见人”的观念、坚持以人为本。在考虑经济社会发展时不仅要看结构怎么调整，产业如何升级，公共服务怎样改善，还要研究作为生产者和消费者的人。努力创造高水平的社会治安，建设优美的人居环境。同时，大力加强执法力度，保护劳动者的合法权益，努力提高广东企业的“用工名声”。广东要想增强发展后劲，就必须扩充人才队伍，提高人才质量，打造华南地区真正的“人才乐土”。

六、能源环境趋紧，关注节能减排

广东省不能回避的现实是，多年的持续高速增长在很大程度上是靠大量投资和消耗物质资源来实现的，即经济增长方式十分粗放，突出表现为“三高一低”，即“高投入、高消耗、高污染、低效益”。从1980年至2004年，全省能源消费总量由1566万吨标煤增至15090万吨标煤，约翻3番多，比全国同期高出4倍以上。

从全国范围来看，广东单位产值能耗最小，2005年约为全国水平的65%。但是，在相当长一个时期，广东能源利用率低下。能源电力利用效率远低于世界先进水平。2005年，广东省单位产值能耗是我国香港地区的4.9倍，日本的4.2倍，美国的2.6倍，

德国的4.0倍，法国的3.8倍，整个经合组织（OECD）的3.2倍，如图10－8所示。

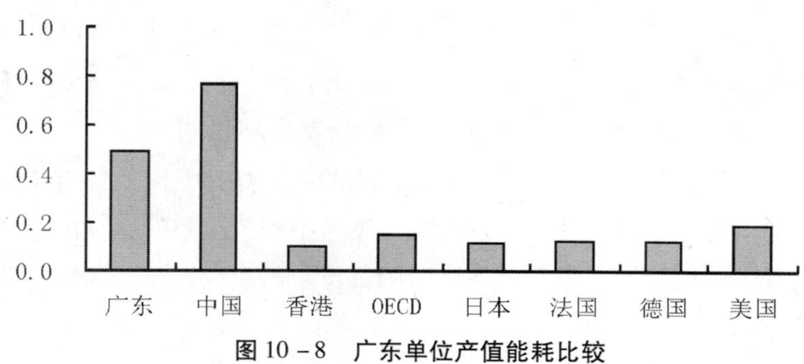

图10－8 广东单位产值能耗比较

数据来源：《世界银行数据库》、《2005年各省、自治区、直辖市单位GDP能耗等指标公报》。

广东土地资源的人地矛盾突出，环境污染不断加剧，饮用水源安全受到严重威胁。资源对外依存度极高，同时能源利用率低下，能源、电力利用效率远低于世界先进水平。粗放型的经济增长方式使广东资源环境的承受能力变得越来越脆弱，资源约束矛盾日益突出，环境压力很大，资源与环境成为制约广东总体竞争力提升和区域可持续发展的“瓶颈”。全面贯彻落实科学发展观，要求加快经济增长方式从粗放型向集约型转变。转变经济增长方式，可谓老生常谈，是实现国民经济可持续发展的必由之路，也是促进全要素生产率增长的动力和源泉。在今后的发展中，广东需要积极调整优化产业结构，构建低能耗、低污染、节能型、清洁型的产业结构。切实加强节能降耗、污染减排和集约用地，使得能源资源的开发利用工作不断突破新水平。加强对重点耗能行业、企业的跟踪监管，严格项目准入，坚决限制高能耗和使用落后生产工艺产业的发展，大力发展循环经济和绿色经济。

资源和能源大都是不可再生的，单独依靠一个地区的力量是很难突破“瓶颈”约束的。“泛珠三角”区域经济合作为广东今后的

经济发展提供了新的机遇。大力推进“泛珠三角”合作再上新台阶，广东着力做好对事关“泛珠三角”区域合作全局具有战略性和前瞻性的重大问题的研究，进一步研究完善合作可持续发展的长效机制和措施。充分利用周边省份的矿产、水电等自然资源，以克服资源不足的难题。周边8省的自然资源相当丰富，矿产资源几乎应有尽有，不仅种类繁多，而且储藏量大，例如四川的铁矿、锰矿、石油天然气、井盐远近闻名，贵州的汞、煤，云南的稀有金属锡、铅、锌、铜以及磷、大理石等也驰名中外，广西的锰、湖南的钨和锑、江西的铜和银产量均居全国首位。广东应该充分利用这些资源，以突破资源短缺这一“瓶颈”（陈萍、郑少智，2005）。

七、区域差距过大，关注公平协调

经过改革开放30多年的强劲发展后，广东这个陆地面积只占全国1.85%的省份，贡献了占全国近12%的经济总量。但是，从省内区域差异来看，广东发达区域仅集中在珠三角地区（包括深圳、珠海经济特区）。占全省面积80%左右的东西两翼、粤北山区（非珠三角地区），整体经济实力较为薄弱，GDP总量在全省所占份额不足20%，如图10-9所示。

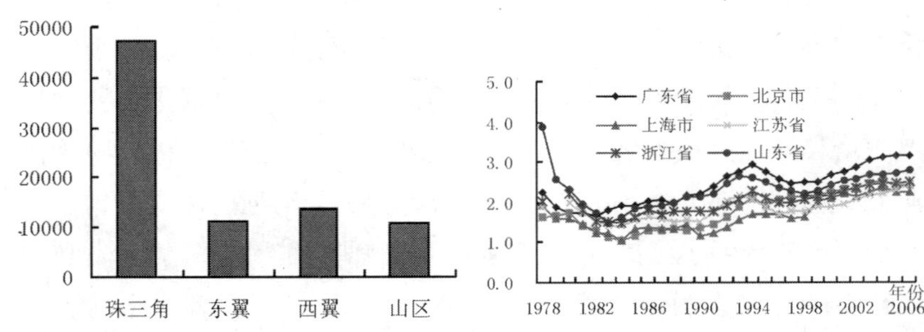

图10-9　2006年广东地区人均GDP　　图10-10　城乡收入差异系数

数据来源：《中经网统计数据库》和《广东统计年鉴》（2007）。

近年来，广东的北部山区和东西地区虽然也在发展，但由于区

位条件和其他客观因素的制约，其总体水平与珠三角的差距进一步扩大了。广东经济的发展，与其高度的外向联系有关，而多年来广东的外向经济联系基本上发生在珠三角地区，非珠三角地区外向经济联系非常有限，加上珠三角地区的经济辐射能力并不强劲，导致了非珠三角地区发展相对缓慢。今日，珠三角已呈现典型的工业化成熟期的产业结构特征，非珠三角地区第一产业比重仍较高，东西两翼和山区仍处于工业化起步阶段。

广东经济发展不平衡还表现在城乡差距的不断扩大。改革开放以来，广东省的城乡收入差异系数呈现出明显的上升趋势，不仅如此广东的城乡差距远远高于同期其他省区，如图 10 - 10 所示。根据联合国粮农组织提出的标准，2006 年广东城镇居民恩格尔系数为 36.2%，已经处于“富裕”范围，而农村居民仅为 48.6%，只是“小康”水平。

区域和城乡差异过大，将不利于构建社会主义和谐社会。关注落后地区的经济发展问题，是保障社会公平、稳定的需要。创造公平、公正的竞争环境，对个人的发展乃至整个民族的发展尤为重要。区域经济差距过大，将会激发各种社会矛盾，影响社会稳定、民族团结和国家巩固。落后地区的长期滞后发展将最终影响和制约整体经济的发展。如果区域经济差异长期得不到解决，发达地区内部的发展空间会日趋狭小，高盈利机会逐渐缩小，经济成本也会随之上升。落后地区如果长期发展滞后，还会进一步萎缩国内市场，无力承接发达地区的产业、资本和技术的转移。

推进广东区域经济的协调发展，需要多方面共同突破。

首先，需要做大、做强广州、深圳等中心城市，发挥区域经济增长极的辐射带动作用。广东的经济发展不能仅依赖于低端产品的简单集聚，还需要打造高端产业的增长极，这就对中心城市广州、深圳提高了更高的要求。广州、深圳不能满足于在国内同类城市中的领先地位，而应该敢于向世界先进城市“叫板”。具有 2000 多年历史的广州，现在已是华南地区第一大都市。广州这些年发展快，进步大，但是与香港、新加坡等先进城市比较，广州对资金、技术、人才等资源的配置能力和对区域发展的调控能力远远落后，广州还没有凸显出中心城市应有的地位。同时，面临国内其他城市迅猛发展的追赶态势，稍不注意就有可能被超越。广州要坚持走全面、协调、可持续发展的城市化发展路子，努力成为广东省建立现代产业体系和建设宜居城市的“首善之区”。树立“首府意识”，确定“首脑观念”，打造“首选品质”，发扬“首创精神”，倡导“首发勇气”，塑造“首善素质”。深圳更应继续推进深港合作，以宽阔的国际视野审视产业发展，围绕提升国际竞争力，统筹规划推进产业转型升级实现“腾笼换鸟”，形成发展高端服务业与现代制造业、高新技术产业良性互动、“双轮驱动”的格局。两个城市的分工、协作，也是在发展过程中不可忽视的问题。

其次，合理安排产业结构的空间布局，推动珠三角传统产业向周边地区转移。这样做的目的，一是为珠三角的产业结构升级腾出发展空间，二是为了发挥比较优势，促进落后地区的经济发展。产业结构的转移需要基础设施的配套和相应政策的引导。加快东西两翼和山区的高速公路、铁路、航道、港口等建设，降低企业的运输成本；对落后地区的企业提供政策性补贴和帮助等。作为协调区域发展的“双转移”战略，将为欠发达地区带来新的契机，但是如何科学、顺利地推行这一战略也是一项新的挑战。加强广东内部的区域经济合作，积极筹备各种类型的区域合作试验区。“先富帮助后富，是义不容辞的责任，是不可推卸的义务。”在珠三角、粤东、粤西和粤北地区超前规划和筹建实践科学发展观试验区或各具特色的主体功能区，如大都市圈协调发展试验区、城乡统筹发展试验区、区域协调发展试验区、和谐社会建设试验区、节约型与环保型社会建设试验区等，以此探索科学发展的路子，以点带面，带动全省科学发展（杨再高，2008）。

八、小　结

改革开放30年，广东成绩卓著，但是经济中也存在一些制约

因素，例如政策优势趋同、人均水平落后、产业竞争力不强、人力资本滞后、能源环境趋紧、区域差距过大等等。在今后的发展中，这些问题能否得到很好的解决，将最终决定着广东的排头兵地位。面临改革中不断出现的问题，需要我们继续解放思想，不断创造解决问题的新条件和新方法。

在今后的一段时期内，广东在经济发展中更应该关注民生建设、创新合作、科教投入、节能减排、公平协调等，只有这样才能实现“主力省”、“试验区”、“先行地”的战略新目标。

参考文献

1.《广州市政府工作报告》（1993—2008）。

2.《华帝姚吉庆遭“架空”去留尴尬》，《新产经》2001 年 1 月 12 日。

3.《中国改革与发展》专家组：《中国的道路》，中国财政经济出版社 1995 年版。

4. 包群、赖明勇：《FDI 技术外溢的动态测算及原因解释》，《统计研究》2003 年第 6 期。

5. 包群、许和连、赖明勇：《贸易开放度与经济增长：理论及中国的经验研究》，《世界经济》2003 年第 1 期。

6. 北京大学中国经济研究中心“城市劳动力市场”课题组：《广东中山：外来劳动力供给短缺现象分析》，《改革》1998 年第 5 期。

7. 陈枫、杨智昌：《“粤港澳特别合作区”将建超级都市圈》，《南方日报》2008 年 3 月 4 日。

8. 陈韩晖、谢思佳等：《“广货”变迁见证产业升级 服务业制造业“双轮驱动”》，《南方日报》2007 年 4 月 4 日。

9. 陈鸿宇：《1840 年以前广东区域经济差异的形成与发展》，《岭南学刊》2000 年第 1 期。

10. 陈萍、郑少智：《广东在“泛珠三角”中如何发展》，《特区经济》2005 年第 3 期。

11. 陈强、黄勋拔：《广东省情读本》，广东人民出版社 2006 年版。

12. 陈庆秋：《珠江三角洲城市节水减污研究》，2004 年中山大学博士学位论文。

13. 陈文鸿：《深圳的问题在哪里?》，《广角镜》1985 年第 152 期。

14. 成龙：《核心是以人为本：宗旨使命的新概括》，《南方日报》2007 年 8 月 1 日。

15. 戴鞍钢：《五口通商后中国外贸重心的转移》，《史学月刊》1984 年第 1 期。

16. 邓圩：《广东春节招工 10 年禁令取消》，《人民日报》2005 年 1 月 13 日。

17. 杜道洪、简小欢、孙建：《广东山区农村剩余劳动力的转移和人口迁移（1978—1995 年）》，《南方农村》1996 年 8 月刊。

18. 樊纲、王小鲁：《中国市场化指数》，经济科学出版社 2001 年版。

19. 冯小静、王晓云：《张广宁驳广州“无文化论”》，《羊城晚报》2008 年 2 月 22 日。

20. 弗兰克·H. 奈特：《风险、不确定性与利润》（中译本），商务印书馆 2006 年版。

21. 傅高义：《先行一步——改革中的广东》（中译本），广东人民出版社 1991 年版。

22. 高尚全：《30 年，四次解放思想》，《南风窗》2008 年第 3 期。

23. 龚兆先：《城乡过渡景观生态构建理论与应用研究》，2007 年中山大学博士学位论文。

24. 广东省地方史志编撰委员会：《广东省志·环境保护志》，广东人民出版社 2001 年版。

25. 广东省环保局：《广东省环境状况公报》（2000—2007 年）。

26. 广东省科技厅 21 世纪议程领导小组：《中国 21 世纪议程广东省实施方案研究报告》，广东经济出版社 1997 年版。

27.《广州市国民经济和社会发展十一五规划》。

28. 广州市计划委员会:《积极调整优化工业结构　再造广州工业新优势》,《广州政报》1998年第6期。

29. 广州市经济贸易委员会:《加快提升广州工业产业竞争力的实施意见》(2005年)。

30. 广州市社会主义学院、广州市工商局合编:《广州私营经济发展新探》,广州出版社1994版。

31. 广州市统计局综合处:《2007年广州市经济发展综述》(2008年)。

32. 郭莎莎:《广东经济成长新阶段和企业家队伍的再造》,《学术研究》2000年第2期。

33. 国家环保总局:《中国环境状况公报》(2000—2007年)。

34. 何洁:《外商直接投资对中国工业部门外溢效应的进一步精确量化》,《世界经济》2000年第12期。

35. 何洁、许罗丹:《中国工业部门引进外商直接投资外溢效应的实证研究》,《世界经济文汇》1999年第2期。

36. 贺灿飞、魏后凯:《信息成本、集聚经济与中国外商投资区位》,《中国工业经济》2001年第9期。

37. 虹霞:《中国经济特区的形成之路》,《纵横》1999年第4期。

38. 华民、韦森、张宇燕:《制度变迁与长期经济发展》,复旦大学出版社2006年版。

39. 黄海潮、郑方辉、丁安华等:《梦想成真——广东走向市场经济》,华南理工大学出版社1993年版。

40. 黄浩、易振球:《改革之星——广东改革开放十年实践100例》,广东人民出版社1988年版。

41. 黄华华:《广东六大举措力推“泛珠三角”合作》,《港口经济》,2007年第4期。

42. 黄齐锋:《解放思想泽润南粤　梁灵光敢于破而后立》,《南方都市报》2008年2月27日。

43. 黄启臣：《明清珠江三角洲商业与商人资本的发展》，《中国社会经济史研究》1984 年 3 期。

44. 黄仁兴、王曙光、顾作义、钟庆才编著：《广东非公有制经济研究报告》，暨南大学出版社 1999 年版。

45. 黄新飞、舒元：《贸易开放度、产业专业化与中国经济增长》，《国际贸易问题》2007 年第 12 期。

46. 黄新飞、谭秋梅：《贸易开放与中国经济增长的产业影响机制》，《学术研究》2007 年第 10 期。

47. 江锦凡：《外商直接投资在中国经济增长中的作用机制》，《世界经济》2004 年第 1 期。

48. 江小涓：《中国的 FDI 经济对增长、结构升级和竞争力的贡献》，中国人民大学出版社 2002 年版。

49. 金玉国：《宏观制度变迁对转型时期中国经济增长的贡献》，《财经科学》2001 年第 2 期。

50. 隽纯龙、何善秀：《广东利用外资实践的总结与借鉴》，《商业时代》2005 年第 32 期。

51. 柯象中、朱安明：《广东光荣与矛盾》，《中国财经报》2000 年 8 月 4 日。

52. 赖明勇、许和连、包群：《出口贸易与经济增长：理论、模型及实证》，上海三联书店 2003 年版。

53. 李东阳：《国际直接投资与经济发展》，经济科学出版社 2002 年版。

54. 李石：《顺德县镇办企业管理机构的现状及未来趋向的探讨》，载中山大学珠江三角洲经济发展与管理研究中心编：《 珠江三角洲经济发展回顾与前瞻》，中山大学出版社 1992 年版。

55. 梁宏中：《广东工业结构调整的劳动力资源分析》，《特区经济》2005 年第 6 期。

56. 廖惠霞、欧阳汀：《广州改革开放 20 年大事纪实》，《探求》1999 年第 2 期。

57. 林若等：《改革开放在广东》，广东高等教育出版社 1992

年版。

58. 林树森：《广州：发展中的华南经济中心（序）》，广东人民出版社1999年版。

59. 林毅夫：《潮涌现象与发展中国家宏观经济理论的重新构建》，《经济研究》2007年第1期。

60. 林毅夫：《关于制度变迁的经济学理论：诱致性变迁与强制性变迁》，载R. 科斯、A. 阿尔钦等著：《财产权利与制度变迁——财产学派与新制度学派译文集》，上海三联书店1991年。

61. 林毅夫、蔡昉、李周：《中国的奇迹：发展战略与经济改革》，上海三联书店、上海人民出版社1994。

62. 刘汉文：《价格和流通体制改革繁荣了商品市场》，于《广州改革开放十年》，海南人民出版社1988。

63. 刘茜：《为和谐广东织就"安全网"》，《南方日报》2004年12月8日。

64. 刘晓辰：《一个人，十五年，十五万》，《经济日报》2003年8月13日。

65. 刘焱鸿、谢少聪：《在探索和实践中发展——试论改革开放前沿地广州》，《广州：改革开放前沿地》，中国评论学术出版社2007年版。

66. 卢荻：《广东经济特区的主要拓荒者吴南生》（上），《广东党史》1990年第5期。

67. 卢荻：《广东经济特区的主要拓荒者吴南生》（下），《广东党史》1990年第6期。

68. 卢荻、关山：《任仲夷口述广东改革开放历程》，《南方都市报》2008年1月25日。

69. 陆路、李景强：《工业企业的改革与发展》，《广州改革开放十年》，海南人民出版社1988年版。

70. 陆铭、陈钊：《中国区域经济发展中的市场整合与工业集聚》，上海三联书店、上海人民出版社2006年版。

71. 陆铭、蒋仕卿：《重构"铁三角"：中国的劳动力市场改

革、收入分配和经济增长》,《管理世界》2007 年第 6 期。

72. 陆新之:《万科:值得借鉴的人力资源制度》,《国际广告人》2006 年第 5 期。

73. 陆学艺:《当代中国社会阶层研究报告》,社会科学文献出版社 2002 年版。

74. 路平、方达文、李才进:《东莞农村产业结构的新格局》,载广东省科学技术委员会办公室编:《珠江三角洲经济科技模式》,广东科技出版社 1988 年版。

75. 罗长远:《FDI 与国内私人资本:挤出还是挤入》,《经济学(季刊)》2007 年第 6 卷第 2 期。

76. 罗长远、张军:《转型期的外商直接投资:中国的经验》,《世界经济文汇》2008 年第 1 期。

77. 罗震东:《中国都市区发展:从分权到多中心治理》,中国建筑工业出版社 2007 年版。

78. 马汉青:《广东社保"安全线"全面看涨》,《羊城晚报》2005 年 1 月 5 日。

79. 马建会:《广东产业集群供应链的探讨关于整合和优化》,《广东经济》2007 年第 12 期。

80. 麦迪森:《中国经济的长远未来》,新华出版社 1999 年版。

81. 毛三元:《中国当代私营经济》,武汉出版社 1998 年版。

82. 孟莉:《成也市场、败也市场——从广标解体原因看广州本田的发展前景》,《中国工商》1998 年第 6 期。

83. 莫荣:《"民工潮的背后":中国农民的就业问题》,红旗出版社 1992 年版。

84. 穆图:《洋行里的女雇员》海天出版社 1992 年版。

85. 潘士远、金戈:《发展战略、产业政策与产业结构变迁》,《世界经济文汇》2008 年第 1 期。

86. 彭惜君:《广东区域经济发展差距的评估与建议》,《珠江经济》2008 年第 1 期。

87. 强兴华:《"民工潮"与"民工荒"》,《金融时报》2004

年 8 月 11 日。

88. 秦朔：《广州：15 年开放纵横谈》，《南风窗》1994 年第 9 期。

89. 邱捷：《近代广东商人与广东的早期现代化》，《广东社会科学》，2002 年第 2 期。

90. 沈坤荣、付文林：《中国的财政分权制度与地区经济增长》，《管理世界》2005 年第 1 期。

91. 沈坤荣、耿强：《外国直接投资、技术外溢与内生经济增长——中国数据的计量检验与实证分析》，《中国社会科学》2001 年第 5 期。

92. 沈坤荣、李剑：《中国贸易发展与经济增长影响机制的经验研究》，《经济研究》2003 年第 5 期。

93. 盛洪：《中国的过度经济学》，上海三联书店、上海人民出版社 1994 年版。

94. 宋晓梧：《改革：企业、劳动、社保》，社会科学文献出版社 2006 年版。

95. 苏东斌：《中国经济特区略史》，广东经济出版社 2001 年版。

96. 田炳信：《邓小平最后一次南巡》，广东旅游出版社 2004 年版。

97. 童中贤：《从“民工潮”到“民工荒”的思考》，《中国劳动保障报》2004 年 11 月 27 日。

98. 汪洋：《规划“首善之区”要有“首善之举”》，《广州日报》2008 年 5 月 6 日。

99. 汪洋：《继续解放思想，坚持改革开放，努力争当实践科学发展观的排头兵》，在广东省委十届二次全会第一次全体会议上的讲话（2007 年 12 月 25 日）。

100. 汪一洋：《继续先行先试再创“广东经验”》，《南方日报》2008 年 6 月 25 日。

101. 王光振、张炳申主编：《珠江三角洲经济》，广东人民出

版社 2001 年版。

102. 王林昌：《非公有制经济管理》（修订本），武汉大学出版社 1998 年版。

103. 王培楠：《广东全力建立社会保障“安全网”》，《经济日报》2001 年 1 月 2 日。

104. 王硕：《深圳经济特区的建立（1979—1986）》，《中国经济史研究》2006 年第 3 期。

105. 王西玉、崔传义：《中国二元结构下的农村劳动力流动及其政策选择》，《管理世界》2005 年第 5 期。

106. 王颖：《中国民工潮》，长征出版社 2005 年版。

107. 王永平：《广州改革开放 20 年回眸》，《开放时代》2000 年第 2 期。

108. 王永钦、张晏、章元、陈钊、陆铭：《中国的大国发展道路——论分权式改革的得失》，《经济研究》2007 年第 1 期。

109. 王永钦、张晏、章元、陈钊、陆铭：《中国的大国发展之道》，世纪出版集团、上海人民出版社 2006 年版。

110. 魏达志：《深圳经济特区创建头十年的重大改革》，《特区实践与理论》2006 年第 4 期。

111. 吴晓波：《大败局》（上）（下），浙江人民出版社 2007 年版。

112. 吴晓波：《激荡三十年》，中信出版社 2007 年版。

113. 项群：《职业经理人的起源与发展历史》，《中国建设报》2007 年 6 月 13 日。

114. 肖思思：《广州中船南沙龙穴造船基地正式开工》，http：//www.gd.xinhuanet.com/2008－03/30/content_12827242.htm.

115. 谢守红：《广州市产业结构演变与支柱产业的培育》，《现代城市研究》2001 年第 4 期。

116. 谢思佳、韦小敏：《广州：战略重组国企浴火重生》，《南方日报》2005 年 8 月 30 日。

117. 谢亚龙：《高薪聘帅内幕》，《羊城晚报》1994 年 7 月

29日。

118. 欣华：《众感小平》，《记者观察》2004年第8期。

119. 熊彼特：《何畏》（易家详等译），商务出版社1990年版。

120. 徐康宁、王剑：《要素禀赋、地理因素与新国际分工》，《中国社会科学》2007年第5期。

121. 徐南铁：《大道苍茫——顺德产权改革解读报告》，广东人民出版社2002年版。

122. 徐现祥：《渐进改革中的最优经济增长》，《数量经济技术经济研究》2005年第8期。

123. 徐现祥：《中国省区经济增长分布的演进：1978—1998》，中山大学出版社2006年版。

124. 徐现祥、陈小飞：《经济特区：中国渐进改革开放的起点》，《世界经济文汇》2008年第1期。

125. 徐现祥、王贤彬、舒元：《地方官员与经济增长》，《经济研究》2007年第9期。

126. 许学强、刘琦、曾祥章等：《珠江三角洲的发展与城市化》，中山大学出版社1988年版。

127. 杨国华：《可持续发展指标体系及广东可持续发展实验区建设研究》，2006年中山大学博士学位论文。

128. 杨其静、聂辉华：《保护市场的联邦主义及其批判》，《经济研究》2008年第3期。

129. 杨其静：《企业家的企业理论》，中国人民大学出版社2005年版。

130. 杨永华：《卓炯市场导向改革思路与实践检验的再认识再评价》，《南方经济》2008年第1期。

131. 杨再高：《加快谋划建设实践科学发展观试验区》，《南方日报》2008年6月25日。

132. 杨再高：《加快谋划建设实践科学发展观试验区》，《南方日报网络版》，转自 http：//theory. southcn. com/zjll/content/2008 -

06/25/content_ 4447943. htm.

133. 姚树洁、韦开蕾：《中国经济增长、外商直接投资和出口贸易的互动实证分析》，《经济学（季刊）》2007 年第 7 卷第 1 期。

134. 姚洋、郑东雅：《外部性与重工业优先发展》，《南开经济研究》2007 年第 2 期。

135. 叶显恩、许檀：《珠江三角洲的开发与商品经济的发展》，载中山大学珠江三角洲经济发展与管理研究中心编：《珠江三角洲经济发展回顾与前瞻》，中山大学出版社 1992 年版。

136. 于峰：《扎实推动科学发展努力构建和谐广州》，《深圳特区报》2007 年 5 月 23 日 。

137. 越山海：《广东启动地税部门统一征收效果显著》，《经济日报》2000 年 12 月 17 日。

138. 曾牧野：《体制创新：深圳特区成功之路》，《广东社会科学》1990 年第 4 期。

139. 曾文琼等：《广州要打破“全能冠军”幻想》，《南方都市报》2008 年 4 月 23 日。

140. 张百尚：《广东产业集群的现状、问题和升级研究》，《广东科技》2007 年第 6 期。

141. 张冰、金戈：《港台产业结构变迁：模型与比较》，《台湾研究》2007 年第 2 期。

142. 张炳申：《广东构建和谐劳动力市场的思考》，《羊城晚报》2006 年 1 月 8 日。

143. 张炳申：《劳动力市场配置论》，广东人民出版社 1994 年版。

144. 张铎：《中外合资企业的组织与管理》，河南人民出版社 1987 年版。

145. 张建华、欧阳轶雯：《外商直接投资、技术外溢与经济增长——对广东数据的实证分析》，《经济学（季刊）》2003 年第 2 卷第 3 期。

146. 张军：《改革记述》（2008 年）。

147. 张军：《中国经济发展：为增长而竞争》，《世界经济文汇》2005年第4期。

148. 张军、高远：《官员任期、异地交流与经济增长——来自省级经验的证据》，《经济研究》2007年第11期。

149. 张军、高远、傅勇、张弘：《中国为什么拥有了良好的基础设施?》，《经济研究》2007年第3期。

150. 张林英：《广东省自然保护区景观格局及其可持续发展研究》，2006年中山大学博士学位论文。

151. 张琳：《区划调整凸显广州城市发展战略　带动农村城市化》，《新快报》2005年5月23日。

152. 张强：《广州与国内外大都市报务业发展的比较研究》，《珠江经济》2007年第10期。

153. 张锡洪：《珠江三角洲国有工业企业经营机制的转换》，载中山大学珠江三角洲经济发展与管理研究中心编：《珠江三角洲经济发展新透视》，中山大学出版社1995年版。

154. 张晓辉：《广东近代民族工业的发展水平及其特点》，《学术研究》1998年11期。

155. 张晏、龚六堂：《地区差距、要素流动与财政分权》，《经济研究》2004年第7期。

156. 张正栋：《广东韩江流域土地利用与土地覆盖变化综合研究》，2007年中国科学院广州地球化学研究所博士论文。

157. 张智林：《改革开放以来广州市中心城市地位的变迁研究》，《西北师范大学学报（自然科学版）》2006年第4期。

158. 赵波：《中国职业经理人生态报告》，中国营销传播网，2003年9月18日。

159. 赵东辉、严慧芳：《春节后来粤农民工减少　专家说不会出现"民工荒"》，新华网，2005年2月17日。

160. 赵瑞彰：《顺德县经济起飞的道路与启示——中国农村社会主义现代化的新曙光》，载中山大学珠江三角洲经济发展与管理研究中心编：《珠江三角洲经济发展回顾与前瞻》，中山大学出版

社 1992 年版。

161. 郑鼎文：《推动粤港澳合作实现共赢》，《南方日报》2008 年 3 月 4 日

163. 郑永年、吴国光：《论中共—地方关系》，《当地中国研究》1994 年第 6 期。

164. 中共广州市委宣传部课题组：《广州发展社会主义市场经济的实践和探索》，《学术研究》1998 年第 12 期。

165. 钟坚：《世界经济特区的发展态势及其经验》，《华中师范大学学报（哲社版）》1994 年第 6 期。

166. 周黎安：《晋升博弈中政府官员的激励与合作——兼论我国地方保护主义和重复建设问题长期存在的原因》，《经济研究》2004 年第 6 期。

167. 周黎安：《中国地方官员的晋升锦标赛模式研究》，《经济研究》2007 年第 7 期。

168. 周黎安、李宏彬、陈烨：《相对绩效考核：中国地方官员晋升机制的一项经验研究》，《经济学报》2005 年第 1 卷第 1 辑。

169. 周其仁：《体制转型、结构变化和城市就业》，《经济社会体制比较》1997 年第 3 期。

170. 周溪舞：《深圳经济特区初期的经济体制改革回顾》，《特区实践与理论》2006 年第 4 期。

171. 周永章、陈杰、李飚、刘利、罗星亮、楼振华、谭炳才、杨海生、陈庆秋：《节约型社会指标体系框架设计与广东节约水平现状评价》，《中国人口、资源与环境》2006 第 16 卷第 4 期。

172. 周永章、邓国军、王树功：《东莞松山湖科技产业园区可持续发展理念的实证分析》，《中国人口、资源与环境》2004 年第 14 卷第 5 期。

173. 周永章、王树功：《泛珠三角区域合作的条件和基础：自然资源》，《泛珠江三角蓝皮书 2006：泛珠江三角洲区域合作发展研究报告》，社会科学文献出版社 2006 年版。

174. 周兆晴：《新粤商》，北京大学出版社 2007 年版。

175. 朱峥：《少人开工珠三角企业告急 民工荒》，《赢周刊》2004年11月4日。

176. 左正：《广州：发展中的华南经济中心》，广东人民出版社2003年版。

177. Acemoglu, Daron, Simon Johnson, and James A. Robinson, 2001, "The Colonial Origins of Comparative Development: An Empirical Investigation", American Economic Review, 91(5).

178. Aschauer, D. A., 1989(a), "Does Public Capital Crowd out Private Capital? ", Journal of Monetary Economics, 24: 178 – 235.

179. Aschauer, D. A., 1989(b), "Is Public Expenditure Productive?", Journal of Monetary Economics, 23: 177 – 200.

180. Aschauer, D. A., 1989(c), "Public Investment and Productivity Growth in the Group of Seven", Economic Perspectives, Federal Reserve Bank of Chicago, 13: 17 – 25.

181. Aschauer, D. A., 1995, "Infrastructure and Macroeconomic Performance: Direct and Indirect Effects", In The OECD jobs study: Investment, productivity and employment, 85 – 101, OECD, Paris.

182. Balasubramanyam V. N., M. Salisu and D. Sapsford. Foreign Direct Investment and Growth: New Hypotheses and Evidence. Discussion Paper, EC7/96, Department of Economics, Lancaster University, 1996.

183. Blanchard, O., and A., Shleifer, 2001, "Federalism with and without Political Centralization: china vs. Russia in Transitional Economics: How Much Progress?" IMF Staff Papers 48: 171 – 179.

184. Blomstrom M., R. Lipsey and M. Zejan, 1994, "What explains the growth of developing countries", in W. Baumol, R. Nelson and E. Wolff (eds) Convergence of productivity: Cross – national studies and historical evidence, Oxford: Oxford University Press.

185. Caves, R. E., 1974, "Multinational Firms, Competition and Productivity in Host – Country Markets", Economica, 41, 176 – 193.

186. Chenery, H. B. ; Robinson, S. and Syrquin, M. 1986. Industrialization and Growth: A Comparative Study; Washington, World Bank.

187. Cheng, L. K. and Y. K. Kwan, 2000, "What are the Determinants of the Location of Foreign Direct Investment? The Chinese Experience", Journal of International Economics, 51, 379 – 400.

188. Démurger, S. , 2001, "Infrastructure Development and Economic Growth: An Explanation for Regional Disparities in China?" Journal of Comparative Economics, 29: 95 – 117.

189. Douglass C. North. , 1981, "Structure and Change in Economic History", New York: W. W. Norton and Company.

190. Edwards, Sebastian. : "Openness, Productivity and Growth: What Do we really Know?" Economic Journal, 1998 Vol. 108, No. 447, pp. 383 – 398.

191. Francis D. H, Sandberg W. R. Friendship within entrepreneurial teams and its as sociation with team and venture performance. Entrepreneurship Theory and Practice, 2000, 25(2): 27 – 37.

192. Grossman and Helpman: "Innovation and Growth in the Global Economy"Cambridge: MIT press, 1991.

193. Hall, R. and C. Jones, 1999 Why do Some Countries Produce so Much More Output than Others?J. The Quarterly Journal of Economics, 114: 83 – 116.

194. Kokko. A. , Foreign Direct Investment, Host Country Characteristics and Spillovers. The Economic Research Institute, Stockholm, 1992.

195. Li, Hongbin, and Li – An Zhou, 2005. "Political Turnover and Economic Performance: The Incentive Role of Personel Control in China. " Journal of Public Economics, 89: 1743 – 1762.

196. Lin, J. Y. , 2003, "Development Strategy, Viability, and Economic Convergence", Economic Development and Cultural Change, ,

51, 277 –308.

197. Lucas. Robert. E. " On the mechanics of economic development. "Journal of Monetary Economics, 22(3) June 1988 pp3 –42.

198. M. Blomstrom, S. Globerman and A. Kokko. The Determinants of Host Country Spillovers from Foreign Direct Investment: Review and Synthesis of the Literature. SSE/EFI Working Paper Series in Economics and Finance (239), October 1999.

199. Obstfeld Maurice and Kenneth Rogoff: "Foundations of International Macroeconomics "Cambridge: MIT Press, 1996.

200. Oi J C, 1995, "The role of the local state in China's transitional economy" China Quarterly 144 1132 –1149.

201. Qian, Y. and G. , Roland, 1998, "Federalism and the Soft Budget Constrain", American Economic Review, 88: 1143 –1162.

202. Qian, Y. , and B. , Weingast, 1997, "Federalism as a commitment to preserving market incentives". Journal of Economic Perspectives, 11: 83 –92.

203. Qian, Y. , and C. , Xu, 1993, "Why China's Economic Reform Differ: The M –Form Hierarchy and Entry/Expansion of the Non –State Sector", Economics of Transition, 1(2): 135 –170.

204. Rodriguez Clare. Multinationals, Linkages, and Economic Development. American Economic Review, 1996, 86, 852 –873.

205. Sachs, Jeffrey D. & Warner, Andrew M. , 2001, "The curse of natural resources", European Economic Review, vol. 45(4 –6), 827 –838.

206. Sen, Amartya, 1992, "Inequality Reexamined", Oxford, Oxford University Press.

207. Shane S, VenkataramanS. The promise of entrepreneurship as a field of research. Academy of Management Review, 2000, 25(1): 217 –226.

208. Timmons, J. A. New venture creation, Singapore: Mc Graw –

Hill, 1999: 37 –40.

209. VenkataramanS. The distinctive domain of entrepreneurship research: an editor's perspective. Advances in entrepreneurship, firm emergence, and growth, 1997: 119 –138.

210. Xu Xianxiang and Chen Xiaofei, Special Economic Zones Blaze New Trails, China Economist, 2008, July – August, No. 15, 127 –142.

后　记

今天是 2008 年 8 月 8 日，奥运会在中国北京开幕。在这个日子里写后记，心中难免会有些不平静。奥运是中国人的百年梦想，奥委会主席罗格在开幕式致词时说，中国人的百年奥运梦想实现了。“同一个世界，同一个梦想”，中国人的梦想显然不局限于百年奥运，但北京奥运会无疑是向世界展示中国人“唱着春天的故事，改革开放富起来”的博览会。正是改革开放 30 年来的积累，才给了中国人在筹备和举办北京奥运会中有足够的宽容、从容与自信。

改革开放 30 年，对人类历史而言，弹指一瞬间，但对于进入近代以来多灾多难的中华民族而言，是波澜壮阔、风雨坎坷重新崛起的 30 年。中国是一个有着五千年文明的大国，在国际交往中，历来都是自信与从容。丝绸之路、海上丝绸之路、“歌德堡号”、“南海一号”就是最好的背书。到了 19 世纪，特别是 1840 年鸦片战争以后，由于封建统治的腐朽没落和帝国主义列强的侵略蹂躏，中国饱经磨难、历经沧桑。中国的自信与从容被不断侵蚀，迷失了方向。为改变受人欺凌、积贫积弱的境遇，实现民族复兴的理想，中国人民奋起抗争、前仆后继、发愤图强。从 1840 年算起，中国人奋斗了 100 年，推翻统治中国几千年的君主专制制度，实现了民族独立和人民解放，成立了新中国。1949 年 10 月 1 日，毛泽东主席在北京天安门城楼上向世人宣布，中国人民站起来了！也许是“一朝被蛇咬，十年怕井绳”，在新一轮的全球化中，中国选择性地与世隔绝，即使是在省港边境也围栏筑墙，合法贸易中断了，香

港失去了内地市场，内地失去了一个了解外部世界的窗口。历史的车轮又走过了30年，到了1978年，人们开始反思。灾难和挫折激发了对改革的渴望，外界的成就促成了开放的产生。从此，改革开放成为中国的主旋律。

2008年，改革开放已走过了30个春秋。古语云“三十而立”，正是30年来的改革开放成就了中国的大国崛起。大国崛起必然是建立在一个个大省崛起的基础之上，广东无疑是30年来我国改革开放的缩影和代表，广东改革开放以来的成就使其重新雄起于国际舞台。

广东30年来的改革开放是一场大规模的社会实验和制度变迁过程。对于30年前的中国而言，制度变革并不是一个可以事先设计周全的试验，没有人对此有足够的知识准备。当邓小平决定让广东先行一步，把一个临近香港的南方小镇辟为中国整体经济体制改革的一个试验场的时候，迎来的多半是阻力、怀疑、挑战和指责。广东先行一步，创办经济特区，是名副其实的试验场。它有1979年第一个引进香港“外资”兴办的来料加工企业；它有1981年在蛇口第一个采用的建筑工程招标制度；它有1983年向社会公开发行（IPO）的全国第一张宝安联合投资公司的股票；它有1985年成立的第一个外汇交易中心；它有1987年第一个土地使用权的拍卖会；它有全国第一个劳动力市场和工资制度的改革；它有1990年第一个探索出的国有资产三级授权经营的模式；它是建立劳动服务公司和实行劳动就业合同制的第一个尝试者，是最早进行外汇管理体制改革的，也是实行党、政、企业分离，废除干部职务终身制和引进招聘上岗制度的先锋。如何看待广东省这段波澜壮阔、风雨坎坷的30年改革开放历程呢？不同领域的专家学者、政府官员等早已给出了不同的归纳总结，比如哈佛大学的著名学者傅高义教授，深入广东实地调查，系统阐述广东在1979—1988年经济起飞的动因、历程和特点，系统地阐述了广东改革开放前10年间的试验探索，并言简意赅地概括为《先行一步——改革中的广东》，这是外国学者研究和报道中国改革的第一本书。从全国范围看，把广东在改革开放前10年的探索、试验概括为“先行一步”，无疑是非常到位的。如果说，前十年是先行一步，那么后20年呢？至少在我们的知识范围内，至今还没有看到内在逻辑一致的提炼。因此，我们尝试从全国的视角看待广东的经济体制变迁试验的30年历程，力争给出内在逻辑一致的总结与前瞻。毕竟，繁华的历史并不会简单地重演，创造历史的中国人必须在借鉴以往经验的基础上把握自己前进的方向。

作为中华人民共和国的同龄人，我经历了新中国的成长和发展，从复旦大学到中山大学，从上海到广东，我见证了中国的改革开放和广东先行一步的改革开放。2007年，广东省委宣传部委托中山大学撰写《广东改革开放30年研究丛书》，我有幸承担了经济卷的撰写任务。广东改革开放30年波澜壮阔，专家学者有各种解读，作为一个经济学人，本书旨在是把广东改革开放30年的筋骨勾勒出来，从全国的视角考察广东改革开放30年历程，给出内在逻辑一致的总结与前瞻，一叶知秋，为窥探中国的大国崛起提供鲜活的素材。

这套《广东改革开放30年研究丛书》从策划到完成，得到了广东省委常委、宣传部长林雄同志的大力支持。林雄部长对丛书提出了指导性意见，并多次过问丛书的进展情况。省委宣传部蒋斌副部长、省委宣传达室部理论处杜新山处长等同志对丛书的写作给予了具体指导。丛书立项作为广东社科基金规划项目，得到了广东省社科规划办的支持。在此一并致谢！

中山大学对这套丛书高度重视，成立了丛书课题组，由党委书记郑德涛同志牵头，党委副书记梁庆寅同志具体负责，蔡禾教授、社科处李仲飞处长、刘运国副处长具体组织实施。从2007年4月到2008年8月，课题组先后召开了开题报告会和四次讨论会，丛书完成初稿之后，组织了校内外专家匿名审稿和会议审稿。这套丛书的顺利完成，是与上述同志和专家的关心、支持和辛勤劳动分不开的。

作为丛书的经济卷，完成本书是一项规模较为庞大的系统工

程，凝结了集体智慧。本书的撰写团队由经济、管理和人口资源与环境等领域的学者构成。具体分工为，绪言由舒元教授和徐现祥副教授负责；第一章由徐现祥副教授负责；第二章由李郇教授负责；第三章由蔡荣鑫博士负责；第四、五章由储小平教授负责；第六章由舒元教授和黄新飞博士负责；第七、八章由舒元教授和王贤彬负责；第九章由周永章教授负责；第十章由舒元教授和才国伟博士负责；徐现祥副教授对本书撰写修订的协调做了大量的工作。完成书稿后，广东省发展研究中心副主任李惠武教授、广东省社会科学院科研处处长丁力教授、广东省委政策研究室宏观经济研究处处长张劲松教授、《学术研究》原主编郑英隆教授审阅了整个书稿，并给出建设性的评价与修改意见，在此表示感谢！同时感谢复旦大学张军教授、陆铭教授、陈钊教授、章元博士、王永钦博士，中国人民大学的杨其静副教授，浙江大学的潘士远副教授，《世界经常文汇》和《China Economist》的审稿人，他们审阅了本书的部分章节，并给出建设性的评论和修改意见。还要感谢岭南学院的一些学生，如张莉、陈小飞、黄阳光、岑晖、吴遂、方燕、沈嘉宜、谢卫田、张洋等同学，他们搜集相关资料，校正书稿中存在的笔误，提出增进可读性的建议。

本书是丛书的经济卷，相应得到了广东社科基金规划项目资助。作为探索中国省区经济增长的一部分，本书也得到了中山大学“985 工程”产业与区域发展研究哲学社会科学创新基地、全国优秀博士论文作者专项资金（2007B04）和广东省人文社重点研究基地创新团队项目（07JDTDXM79006）的资助，在此表示感谢。书中所有错误、不足均由作者负责，欢迎批评指正。我的邮箱是 Lnssy@ mail. sysu. edu. cn。

舒　元

2008 年 8 月 8 日于广州康乐园